M000314139

Narrativa del Acantilado, 59
EL PALACIO AZUL
DE LOS INGENIEROS BELGAS

Un jurado compuesto por Marcos Giralt,
José María Guelbenzu, Mercedes Monmany, Ponç Puigdevall,
Rosa Regàs y el editor Jaume Vallcorba (sin voto) otorgó
al presente libro el Premio de Novela
Café Gijón 2003.

FULGENCIO ARGÜELLES

EL PALACIO AZUL DE LOS INGENIEROS BELGAS

BARCELONA 2003   ACANTILADO

PRIMERA EDICIÓN *diciembre de 2003*

Publicado por:
ACANTILADO
Quaderns Crema, S. A., Sociedad Unipersonal

Muntaner, 462 - 08006 Barcelona
Tel.: 934 144 906 - Fax: 934 147 107
correo@acantilado.es
www.acantilado.es

© 2003 by Fulgencio Argüelles Tuñón
© de esta edición, 2003 by Quaderns Crema, S.A.

Derechos exclusivos de edición:
Quaderns Crema, S.A.

ISBN: 84-96136-38-8
DEPÓSITO LEGAL: B. 46.980-2003

ANA VALERO   *Asistente de edición*
MARTA SERRANO   *Gráfica*
ANA GRIÑÓN   *Preimpresión*
ROMANYÀ-VALLS   *Impresión y encuadernación*

A mis puntos cardinales, María, Tamar, Eduardo,
Aida y Claudia, por orden de aparición.

A Micaela Ana,
que conoce la magia de multiplicar momentos.

A los amigos que cada día escriben
para mí entrañables y fantásticas novelas.

De la misma manera que en el concepto de río se sumerge la realidad de cada arroyo, así quedaría sumido entre los detalles del acontecimiento el acontecimiento en sí.

La abdicación de lo esencial ante lo circunstancial.

MIGUEL TORGA
Palabras labradas

Hay un momento por la mañana temprano, antes de que se haya derramado demasiada sangre, antes de que la crueldad de los fuertes haya alcanzado su apogeo, cuando los jugadores nocturnos caen dormidos al fin y se libran de su tristeza, hay un momento en el que el nuevo día parece casi inocente.

JOHN BERGER
Lila y Flag

EL PALACIO AZUL DE LOS INGENIEROS BELGAS

o el otoño de la casa de los sauces

o anagogía de un aprendiz de sabio que descubrió el atávico principio enunciado por la aforística popular de que una cosa son dos cosas

o las vivencias de un ayudante de jardinero que contempló desde la balaustrada de los asombros el peregrinaje del mundo y comprobó la epanástrofe de los momentos o su agraciada multiplicación

o fragmento de la vida del joven Nalo, hijo de un minero muerto en una explosión de grisú y de la desabrida Natalia, que usaba las palabras como herramienta de ataque y un día se comió la tierra de los geranios, y hermano de la bella Lucía, cuya extravagancia no era manifestación de locura sino metáfora evidente de neurastenia poética, y nieto de los refranes de Angustias y de los silencios de Cosme, quien soñó con la revolución de los manantiales y creyó en la invisibilidad de la casa de los sauces

o los tiempos de un novicio imposibilitado para el rencor cuyo maestro más acreditado, de nombre Eneka, llegó a casarse con dos de las nueve muesas

o repaso a las circunstancias amorosas de quien bautizándose de placer en los humores migratorios de un sexo fraterno consiguió penetrar con laureles en la antítesis circunstancial de la diosa Elena para acabar esparciendo mimosas en los jadeos huracanados de la señorita Julia

o apuntes sobre las preocupaciones dispares de ricos y pobres y los diferentes matices de sus categorías emocionales

o las radiografías incompletas y borrosas de una revolución que confundió el curso de la Historia

UNO

Mi padre tomaba grandes tazones de café negro y llevaba siempre camisetas sucias que olían a alquitrán y a mi madre le decía lisonjas cuando quería algo, ternezas como prenda o encanto o princesa, pero voceaba furioso insultándola, llamándola perra asquerosa y cosas peores cuando ella se retardaba, y lo hacía con una voz ofensiva y metálica, agitando sus brazos inmensos, pero mi madre nunca le contestaba, jamás le decía una palabra de réplica, ni siquiera perdía su expresión de gratitud perenne. Recuerdo algunas cosas de mi padre de forma dispersa, aunque no muchas. Trabajaba como entibador en las minas de carbón y era grande, muy grande, y tenía la voz bronca y rotunda, y le chorreaba el sudor por las sienes y por los costados de la nariz y siempre estaba sediento. La tarde de su muerte la conservo aún nítida en la memoria. No vi su cadáver. Tardaría varios años en ver un cadáver. El ataúd estuvo destapado en la sala toda la noche y había un calor que iba y venía. Mi hermana me dijo que le habían puesto un traje del abuelo, pero yo me lo imaginaba con su camiseta sucia que olía a alquitrán y con los labios agrietados por la sed y con la lengua a un lado, pastosa y blanca, una lengua igual que la de las vacas recién paridas. Mi madre se tiraba de los pelos y pateaba las tablas de la sala como poseída por algún diablo. Gritaba una y otra vez el nombre de mi padre, que se llamaba Jacinto, y cuanto más lo repetía más apergaminada y flaca se le quedaba la cara, como si en cada Jacinto gritado se le estuviera yendo un pedazo de realidad para quedar convertida en un fantasma.

Pronto la casa se llenó de gente que iba y venía santiguándose y tropezando conmigo. Mi madre, cuando ya su cara no admitía más encogimientos, salió al corredor y apretando los puños miraba hacia el camino del puente y repetía, asesinos, hijos de puta, bestias de mala sangre, y cosas incluso peores. Se refería a los dueños de las minas y de las fábricas, a los ingenieros belgas que vivían en el palacio azul, al otro lado del río, entre una ronda de abedules y una algaba de escaramujos. Ella siempre había culpado de su desgracia y de todas las desgracias de las que tenía noticia a aquellos dos extranjeros, el señor Hendrik y el señor Jacob, porque ellos tenían el poder de la osadía y del perdón, y también tenían el poder del abuso y de las resoluciones, porque todo lo que existía tenía que ver con ellos, el carbón, el hierro, la madera, las barriadas, los trenes, los caminos, el río, las escuelas, la iglesia, el hospicio, los jardines y hasta la casa donde vivíamos, que también un día les había pertenecido, un regalo del señor Hendrik al abuelo en la época en que había trabajado como capataz de los belgas, de eso hacía ya muchos años, que muy malos no serían los extranjeros cuando regalaban cosas tan importantes a la gente, eso pensaba yo, pero mi madre guardaba un mal recuerdo de aquella circunstancia y los acusaba a ellos, pero también culpaba al abuelo por no haber sabido aprovecharse de aquella pasada relación de la que yo entonces nada sabía. Pero en realidad a mi padre no lo mataron los belgas, aunque indirectamente algo tuvieran que ver, pues la mina Clavela era de su propiedad, como el resto de las minas y la fábrica y los trenes y los economatos y el agua del río y las piedras de los caminos, y mi primo Alipio, quien primero fue minero socialista y después se pasó al anarquismo para acabar restaurando fachadas por su cuenta, decía que el privilegio del capital era una especie de tiranía que convertía al obrero en un mero engranaje de la máquina de la producción. Mi primo Alipio, ya desde muy joven, era muy ocurrente para las explicaciones y algo revolucionario, y leía libros ásperos y grandes que en nada se parecían a los libros de poesía. Él no creía en el destino, ni siquiera creía en la otra vida y, ante cualquier injusticia, por insignificante que fuera, le brotaba el rencor. Mi abuelo sí que creía en el destino, y decía que los hombres buenos sujetaban mal su destino, y sé lo que quería decir, aunque él nunca lo dijo refiriéndose a su yerno, por quien nunca mostró el menor afecto, a pesar de lo cual tuvo con él un gesto póstumo de buena voluntad prestándole uno de sus trajes para que fuera con él a la sepultura. En los años difíciles de las represiones pude comprobar que las buenas personas no soportaban los barrotes ni las cadenas y a veces se golpeaban la cabeza contra la pared hasta que les brotaba la sangre. Sin embargo, conocí indeseables que se reían del destino de aquellos pobres insatisfechos y del suyo propio. Yo nunca me reía, pero tampoco me golpeaba la cabeza contra los muros, supongo que debido a que, en mi caso, el destino determinó que yo no fuera capaz de sentir rencor contra nada ni contra nadie. A ese destino unos lo llamaban azar o determinación y otros fortuna o providencia. Mi hermana, cuando le atacaba la fiebre poética, lo llamaba sombra del paraíso o dominio de los dioses, y yo creía que el destino debía de ser algo inmenso, algo que no se podía encerrar en una palabra, ni siquiera en un dogma o en una teoría, y pensaba yo que tenía ese destino mucho que ver con la naturaleza, con el cielo que se abría para que el sol derritiera la nieve, con la savia que hacía que los árboles crecieran o con el carbón que nacía de la tierra. Como decía, a mi padre lo mató el destino, que fue quien provocó la chispa que hizo explotar el grisú. Con mi padre cayeron otros cuatro. Mi madre gritó tanto aquella tarde que se quedó sin voz y entonces comenzó a tener espasmos y a echar espumarajos por la boca, como si la saliva se le hubiera convertido en agua de jabón. Varios hombres la sujetaron sobre el asiento del abuelo y perdió el conocimiento. Mi abuela Angustias la sacudió contra el respaldo de la silla igual que sacudía las ramas del nogal de la huerta en el tiempo de las nueces, pero a mi madre no le caían nueces, sino lágrimas, unas lágrimas que recuerdo enormes, como las gotas de lluvia en los cristales de la sala por diciembre, y que le brotaban de unos ojos quietos y completamente blancos, sin pupilas. Mi abuelo, para asombro de todos los presentes, habló por primera vez después de varias semanas de silencio para gritarle a su hija al oído unas palabras que nadie entendió. Mi madre no reaccionaba y entonces el señor Patricio le puso un trozo de espejo frente a la boca por ver si lo empañaba, mientras nos explicaba, con la solemnidad con la que él hablaba siempre, que los muertos es posible que puedan llorar, pero lo que pierden definitivamente desde el primer instante es el aliento. No está muerta, determinó, mostrándonos aquel pequeño cristal manchado de niebla, y pensé, lo recuerdo bien, que aquel hombre estaba loco por dudar de la vida de mi madre. Yo no dudé en ningún momento de tal circunstancia y mi abuelo Cosme tampoco. Él diría más tarde que nadie se muere si le queda algo de rabia en la boca. Para mí fue como si de pronto todo hubiera perdido el rumbo, como si el zarpazo de la muerte hubiera detenido el universo y luego lo hubiera puesto a rodar al revés. Mi hermana Lucía, que recorría la casa como un gorrión aturdido, llenó una escudilla con agua del caldero y se la arrojó a mi madre, quien al instante reaccionó, pero lo hizo con un ataque de tos que alborotó a las golondrinas que había sobre el tendal del patio y mi abuela se santiguó tres veces y habló de malos presagios y mi abuelo se dio varios cabezazos contra los azulejos blancos como si quisiera escribir en ellos sus pensamientos. Cuando mi madre dejó de toser se sujetó los pechos y nos dijo a todos que era como si le estuvieran arrancando el corazón con las tenazas de doblar los alambres. La miré desde mi exilio en el hueco de la despensa y vi que no tenía labios sino una raya blanca y brillante como un gusano y que no tenía ojos sino zarzas ardiendo en el centro de las cuencas y su cara me pareció como una calavera de vaca de las que mi primo Alipio y yo colgábamos en los troncos de la choza que el abuelo nos había construido en los prados de Zalampernio. La abuela le dio a beber un brebaje y el cuerpo se le sacudió con una violencia que hizo retroceder a todos, menos a mí, que salí del aire quieto de la despensa para acercarme a ella. Al verme, me tocó y le entró una risa tonta y estrecha, como un hilo de agua que saliera de la herida blanca que sustituía sus labios para caer sobre mi mano tendida. Me acarició y sentí que no me tocaba ella sino el espíritu de mi padre y esa sensación o ese sentimiento permaneció en mí durante años y me hizo despertar muchas noches sobresaltado y confundido. Ella me dijo que a mi padre ya no lo veríamos más, que ya nunca más lo oiríamos blasfemar junto al abrevadero porque le faltara el jabón o no encontrara la toalla, que ya jamás veríamos en sus ojos aquella expresión de animal herido, como aquella vez que regresó del monte con los arañazos de un rayo que había acabado con dos de sus mulas, y entonces pensé que tampoco sentiría más el olor a alquitrán de sus sucias camisetas de tirantes. Mi madre volvió a gritar, Jacinto, Jacinto, y varios vómitos la sacudieron. El señor Patricio, que era practicante, la cogió desprevenida y le puso una inyección en la nalga cuando ella estaba agachada devolviendo sobre el barcal. Pasó la noche en una silla, junto al cadáver de mi padre, con los ojos cerrados, pero sin dejar de susurrar su nombre. El abuelo se sentó en la silla labrada de la cocina, en la que consumía la mayor parte de las horas de los días que pasaba en casa, y comenzó a mecerse lentamente, y el ruido monótono y constante del respaldo de la silla golpeando contra la masera me pareció a mí el tictac del reloj de la muerte y pude observar que a todos se nos habían vuelto los ojos amarillos. Me quedé dormido a sus pies cuando ya estaba amaneciendo y mi hermana me arrastró hasta la cama. Cuando desperté, los ojos de mi hermana Lucía ya no eran amarillos, sino rojos, muy rojos, como si se los hubiera estado restregando con el estropajo de limpiar la chapa de la cocina. Yo no lloraba, pero me arrimaba a ella para sentir más cerca su llanto, y ella me acariciaba la cabeza y me decía, golondrina, eres como una golondrina, y yo no sabía qué quería decir, pero me gustaba y me arrimaba más a ella hasta casi abrazarla, y ella seguía sollozando y me decía que ya nada sería lo mismo sin nuestro padre. Lucía debía de quererlo mucho porque de lo contrario no hubiera llorado de aquella forma por él. A mi madre no la dejaron acudir al día siguiente al cementerio. Yo tampoco fui porque, como dije, era muy pequeño, aunque me pusieron unos pantalones nuevos, negros y largos, y una corbata también negra sujeta al cuello con una goma que me apretaba y me daba mucho calor. Debía de ser el mes de junio o de julio porque hacía mucho calor y no paraban de zumbar las moscas y porque había muchas golondrinas en los alambres de la luz y en los tendales del patio de las lilas, y porque hacía poco que yo había recibido la primera comunión de manos del cura don Belio, y también sé que hacía calor y era verano porque la gente del pueblo dejó por un momento la hierba tendida en los prados para asistir al entierro de mi padre y de los otros cuatro, pero lo que más calor me produjo aquel día fue ver a mi madre arrodillada en el corredor comiéndose la tierra de los geranios. Escarbaba como si estuviera buscando lombrices y luego se llevaba los puñados de tierra a la boca y se relamía como cuando comía los frisuelos con mermelada de moras que hacía la abuela. Mi hermana Lucía sí que asistió al entierro. Iba detrás de los que llevaban las cajas al hombro, toda vestida de negro, en medio de la abuela y del abuelo, y con un pañuelo blanco con puntillas que debía de ser para secarse las lágrimas. Los vi alejarse desde el corredor mientras mi madre, con los ojos extraviados en el fondo de unas ojeras enormes, saboreaba la tierra de los geranios. Creo que fue aquella tarde cuando Lucía empezó a fijarse en Julián, que era hijo de otro de los mineros muertos. A ella ya le habían crecido los pechos cuando se murió mi padre. Lo sé porque al regresar del cementerio la vi quitándose el vestido negro delante de la luna de su cuarto. Tenía los huesos pronunciados y una cabellera negra y larga. Se desnudó por completo, se sentó exhausta sobre la cama y fijó la mirada en las manchas de humedad del cielo raso. Clavé los ojos en aquellos pechos pequeños e insolentemente blancos y ella me dijo que muy pronto crecerían más, mucho más, pero que no sería en aquel pueblo de mierda, y le entró una risa nerviosa y tonta que terminó en desazón, suspiros irreprimibles y un llanto sordo que ardió hasta quemarme en aquella hora del atardecer del entierro de mi padre que de pronto se quedó desierta.

Mi hermana Lucía era muy sentimental. Le gustaba sobremanera leer poesías a la hora de la siesta, pero cada vez que mi madre la sorprendía leyendo aquellos libros la ponía a bordar las sábanas para su ajuar o a sacar brillo a las piezas que quedaban de la cubertería de alpaca, y ella se sublevaba y le decía a mi madre que si padre viviera podría leer a gusto todas las poesías que le diera la gana. No sabía a cuento de qué decía aquello porque mi padre no sabía leer y sólo escribía su nombre y dudo que mostrase algún interés por la poesía, aunque, bien pensado, puede que su ignorancia le hiciese desear para su hija lo que él nunca había podido alcanzar. Lucía tenía una forma de hablar extraña, consecuencia de su afición a la poesía. En lugar de dolor decía flagelación, para referirse a sus caderas, cada día más grandes, hablaba de perfiles, al silencio lo llamaba quietud, a la hierba césped, a los barcos navíos, a las plantas vegetales, a la tristeza melancolía, a los pozos abismos, a los matorrales selvas diminutas y a las raíces de los castaños uñas profundas. Una vez se ganó una bofetada de mi madre por decir, hablando de mi padre, que la tierra perenne acogía su terrenal quejido. Creo que ella no tuvo suerte en su matrimonio y no porque Julián fuera mala gente, que no lo era y siempre trabajó como una bestia en el negocio de la madera y cada primer sábado de mes la llevaba en el tren a la capital para comprarle un vestido de colores o unos zapatos de tacón afilado o bolsos redondos y dorados que ella decía que venían de París. A veces la llevaba al cine Pombo a ver las películas de las hermanas Gish, de Marlene Dietrich o de Louise Brooks, artistas de quienes Lucía intentaba imitar los vestidos y los andares y hasta la forma de mover los párpados, y también una vez fueron al teatro, a ver una comedia, pero a mi hermana no le gustó la obra porque decía que no era un reflejo de la vida, porque la vida, decía ella, es un latido del corazón o un desgarro de la piel pero no un cúmulo de sucesos pueriles y de sonrisas ingenuas y de tristezas tibias, así que este teatro de provincias es como cuando don Belio se pone solemne para explicar cómo la Virgen María hacía la colada en los pozos de Nazaret, que no, que aquello no era teatro, que para teatro lo de París, el Olympia, donde actuaban Huguette Duflos o Mary Bell, o lo de Nueva York, donde estaba el famoso Capitol, que era el teatro más grande del mundo. Al salir del cine solían ir a comer milhojas con chocolate a la confitería La Única. De aquellos sábados decía ella que eran días hechizados. Pero Julián trabajaba duro, muy duro, bajando la madera del monte con las mulas, y se emborrachaba con demasiada frecuencia y el alcohol se fue poco a poco apoderando de su cerebro, y entonces le gritaba a mi hermana y blasfemaba contra Dios y los santos y la Virgen y contra la poesía. A ella se le encogía el cuerpo y también el espíritu y se acurrucaba bajo el escaño de la cocina y se mordía las uñas o se tapaba con fuerza los oídos. Nunca pude soportar que pegaran a una mujer y fue por este recuerdo de mi hermana maltratada y herida debajo del escaño de la cocina. Mi madre jamás la defendía porque decía que los hombres tenían derechos incuestionables y que qué más quisiera ella que tener a su Jacinto vivo a su lado aunque fuera para que la abofeteara de vez en cuando, además, tu Julián es un santo que te lleva al cinematógrafo y te da caprichos, eso decía mi madre. Mi abuelo no decía nada, porque otra vez había optado por el silencio para protestar contra el mundo, y mi abuela iba y venía en un trajín enfermizo recitando refranes y jaculatorias. Lo cierto es que en aquellos tiempos los amos o patronos castigaban a los criados o a los obreros con la fusta de los caballos por un quítame de aquí esas pajas, y esos mismos hombres hostigados por los dueños de su futuro pegaban a las mujeres con igual facilidad y con el mismo fundamento con que apaleaban a las mulas, y las mujeres golpeaban a sus hijos con la misma insistencia y naturalidad con la que ahuyentaban a los gatos o les hacían aspavientos a las gallinas, y los niños terminábamos aquella extraña secuencia de la violencia consentida maltratando a los animales, gatos y perros preferentemente, aunque también patos, cerdos y conejos, y hasta sapos y murciélagos, a estos últimos les dábamos de fumar hasta verlos reventar en el aire como si fueran globos de sangre.

Tal vez la razón de todos para maltratar fuera la misma, pero no la conocía nadie y a ninguno parecía preocuparnos, tan sólo Alipio se atrevía de vez en cuando a hacer alguna extraña reflexión que no lográbamos entender, y decía él que era una pena malgastar tanta violencia en seres tan inocentes. Lo cierto es que mi hermana se fue quedando sorda, y es probable que esto ocurriera a consecuencia de las bofetadas de su marido, aunque mi madre siempre decía que aquella sordera se la había producido ella misma de tanto apretarse los oídos debajo del escaño, y yo pensaba que aquello mi madre lo decía por decirlo, porque a ella le gustaba usar las palabras como si fueran una herramienta de ataque, y a veces disparaba una palabra tras otra como si en la boca tuviera un fusil. Por ejemplo, si mi hermana Lucía un domingo por la tarde se ponía elegante y guapa y se pintaba los labios de rojo para irse con sus amigas a pasear arriba y abajo por el camino del río, mi madre no le decía, qué hermosa eres o qué guapa vas, orgullosa de su hija, sino que se ponía a disparar palabras que no se correspondían con los sentimientos de madre, los cuales guardaba enterrados muy por debajo del lugar superficial donde nacen las palabras, y le decía que qué indecencia, que qué poca vergüenza salir así a pasear por el pueblo, vestida como una cualquiera, como una actriz de teatro. La abuela sí que hablaba de verdad, sin enterrar nada debajo de lo que expresaba, y le decía a la nieta, qué guapa eres Lucía, aunque luego remataba con uno de sus susurros inexplicables, una cara hermosa lleva en sí secreta recomendación, siempre lo hacía así, y el abuelo la miraba, a la abuela, con gesto de indulgencia y apuraba un trago largo de anís de la botella labrada para llenar su silencio, que no era un silencio tranquilo y perfecto porque estaba como ansioso y vacío de toda esperanza. En aquellos años eran muchos los sucesos que yo no sabía explicar.

El caso es que mi madre decía que la sordera de Lucía se la producía ella misma de tanto apretarse los oídos y Lucía decía que total para lo que había que oír en esta vida, y en parte tenía razón porque a ella lo que de verdad le gustaba era leer poesía. Por fin los albañiles terminaron de arreglar la casa que a Julián le quedó en herencia, una vivienda pequeña pero con dos plantas y una galería diminuta que daba a la fuente, y entonces Julián y mi hermana se fueron a vivir a ella, así que nunca más la vi apretarse los oídos debajo del escaño de la cocina, aunque yo sabía que Julián la seguía golpeando cuando volvía cansado y borracho. Yo iba a menudo a visitarla, al atardecer, y ella me daba siempre una rosquilla de anís o un trozo de chocolate y me enseñaba anuncios de una revista que se llamaba *Blanco y Negro* y que ella compraba aquellos sábados gratificantes que bajaba a la ciudad, reclamos de asuntos novedosos, como un cepillo para limpiarse la boca después de las comidas y una pasta para echar en ese mismo cepillo que era capaz de matar los gérmenes en treinta segundos y que se llamaba Kolynos, casi como el cantinero de la estación, que se llamaba Colino, y me enseñó también un reclamo con dibujos muy graciosos de un enderezador que se colocaba en la espalda, debajo de la ropa, para respirar bien y caminar derecho, y en esa revista había muchos reclamos que ofrecían la felicidad en frascos, y también había fotografías de los veraneos de la gente rica, y asuntos de modas y labores, y actualidades teatrales, que por eso sabía ella los nombres de las actrices y de los teatros, y mirar aquellas revistas era como viajar por el mundo soñando, y también había poemas, pero mi hermana decía que eran mediocres y de peor calidad que los que venían en los libros de poesía porque se veía a las claras que estaban escritos por encargo y con precipitación, y un día mi hermana pidió por correspondencia unas Sales Timoladas de Medina de Aragón para sus desarreglos propios como mujer y un frasco de Colonia Añeja que disipaba la pesadez cerebral y entonaba los nervios y otro de Humo de Sándalo para tener los ojos más grandes y de paso pidió para mí unas pastillas de café con leche que sabían a achicoria. A ella le gustaba mucho mirar aquellas revistas, pero siempre terminaba llorando porque se sentía atada a una vida que no era como las vidas que reflejaban las revistas y las tiraba con rabia contra el escaño y su corazón debía de girar entonces a mucha velocidad porque ella recorría la cocina atrás y adelante y también en círculo gesticulando, como si las imágenes de las revistas se hubieran convertido de pronto en un enjambre de moscas que la estuviera atormentando, y a veces me decía que el aire se le ponía muy difícil para respirar y otras veces que aquella vida mediocre le estaba dejando la conciencia en carne viva. Un día, a finales del mes de agosto del año veintisiete, lo recuerdo bien porque fue una semana antes de que yo entrara a trabajar en el palacio azul de los ingenieros belgas, me dijo que era muy desgraciada y que cualquier día se iba a cortar las venas, mira Nalo que te lo digo en serio, pero yo no le di mayor importancia pensando que aquélla era una forma poética que tenía ella de mostrar su disgusto y su insatisfacción por las borracheras y las brutalidades de Julián, un reproche más contra su vida mediocre, y además me lo dijo un lunes, y los lunes eran para ella los peores días de la semana, porque aún le dolía en el cuerpo la paliza del domingo y, además, el primer sábado del mes siguiente le quedaba aún tan lejos como una eternidad. Mi hermana Lucía se cortó las venas esa misma tarde, pero lo hizo delante de mi madre, como para echárselo en cara, con lo cual no tuvo tiempo de desangrarse y lo que sí consiguió fue varios golpes en las piernas con el gancho de la cocina. Mi madre cuando vio correr la sangre no se alteró, se limitó a sacar del arcón unos paños limpios, la cogió por los pelos, le metió la cabeza entre sus piernas y le ató con fuerza las dos muñecas, pero una vez solucionado el problema de la sangre la empujó contra el aparador y comenzó a atizarle en las piernas con el gancho que siempre teníamos colgado de la barra de latón para poner y quitar las chapas de la cocina. A mí me dijo Lucía llorando que la próxima vez no iba a cometer la torpeza de suicidarse delante de nadie, pero que lo había hecho así para ver la cara que ponía nuestra madre cuando ella se fuera muriendo. Por suerte no tuvo que suicidarse porque Julián, al volver borracho de la cantina de la estación, se cayó por el barranco de Peñamera, justo el día más frío de aquel mes de enero. Aquella noche mi hermana no estaba en su casa. Lo supe porque después de cenar fui a llevarle un libro de poemas de los que de vez en cuando robaba para ella en la biblioteca del palacio azul cuando los ingenieros andaban por las minas o las fábricas y el mayordomo Félix y el jardinero Eneka platicaban con la señorita Julia. Como digo, llegué aquel día con el libro a casa de mi hermana y llamé varias veces y entré, pero no había nadie. El fuego estaba agonizando, lo aticé porque, como digo, hacía mucho frío aquella noche, y me puse a leer alguno de aquellos poemas mientras esperaba, pero con el calor y aquellas palabras que no entendía me quedé dormido. Cuando desperté eran más de las dos y mi hermana me miraba desde su silla de mimbre. Tenía los ojos grandes y brillantes como los de las gatas en celo y me dijo que gracias por los poemas y que si quería un poco de pan de maíz, y me lo dijo muy tranquila y muy natural, como si en los caminos no hiciera una noche de perros, me lo dijo como si fuera mediodía y un sol radiante entrara por las ventanas, pero le dije que no, que tenía mucho sueño y que me iba, y entonces ella me ofreció una copita de marrasquino, pero también a eso le dije que no, que no quería nada porque era muy tarde y debía levantarme temprano para ir al palacio azul de los ingenieros belgas, y ella dijo que al diablo los ingenieros belgas, pero abrí la puerta y tomé la calleja oscura que bordeaba las fuentes en dirección a mi casa. Al día siguiente, la señora Elvira me dio en el jardín del palacio la noticia de la muerte de Julián. En aquel momento no supe lo que de verdad había ocurrido aquella noche, pero tampoco me importó demasiado. A Julián hubo que construirle una caja especial por lo grande que era. Cuando vi a Lucía detrás de aquel féretro descomunal me acordé del entierro de mi padre. Ella llevaba un vestido negro, muy negro, y un pañuelo blanco para las lágrimas, igual que cuando mi padre, pero esta vez no hubo ninguna lágrima. Cuando el enterrador cubrió la fosa con la última palada de tierra, mi hermana dio a todos las gracias en voz alta por la asistencia y me cogió a mí de la mano y me llevó aparte de todos y me dijo que el libro de poemas que le había llevado la otra noche era extraordinario, un verdadero prodigio, sobre todo cuando hablaba de la fragilidad de las barandas que separan la vida de la muerte y de la resurrección de los besos y del llanto de los jardines y de la paz del cielo y de muchas cosas más que ella me fue describiendo, y me decía todo esto con anhelo, con necesidad en los ojos, como quien tiene hambre y está describiendo un manjar, y entonces ocurrió allí en el cementerio, cerca de las tumbas, lo que ya otras veces me había ocurrido junto a ella, que un momento no era sólo eso, un momento, un instante en el que ocurre algo concreto, sino muchos momentos a la vez que se confunden y se complican y que te roban toda certeza, hasta la certeza misma de que tú existes en medio de todos esos momentos. La escuchaba allí, en aquel espacio de muerte y en aquel momento también de muerte, y su hambre de poesía, su necesidad de que la vida fuera un poema, era tan aguda como el deseo que yo había sentido por ella dos años atrás cuando me mostró las aberturas de su cuerpo desnudo en el cuarto de la paja, como si todas las cosas, incluida la muerte de Julián, quedaran reducidas instantáneamente a ceniza por la sola presencia de una imagen poética, y le dije, hermana, cálmate, que estamos en medio de las tumbas, que la gente te espera para ofrecerte los pésames, y entonces quedó paralizada y me acerqué a tocarla en la cintura y noté en los dedos su sangre cálida a través de la gasa negra, una sangre apurada y caliente tirando de ella hacia otro espacio y hacia otro tiempo que no fueran de muerte, y me dijo que de acuerdo, que iría a recibir los pésames, pero que le prometiera que siempre iba a traerle libros tan maravillosos como el de la otra noche, y le dije que sí, que claro, que en el palacio azul de los ingenieros había una muchedumbre de libros como aquél que nadie echaría de menos, y me dijo que me amaba, que me amaba tanto como amaba a su nueva vida y me besó en la boca. Aquella tarde mi hermana me pareció muy hermosa, tenía esa plenitud que a veces tiene el cielo de septiembre y tenía también además la pasión del mar brotándole por la piel y todo su cuerpo resonaba como el puente metálico de la fábrica cuando pasaba sobre él la hilera interminable de los vagones del carbón. Cuando llegamos a casa, mi madre la miró con desaprobación y descaro y le dijo que qué diría la gente, que no había derramado por su marido ni una sola lágrima, que no había manifestado la menor muestra de dolor, pero Lucía sonrió y le dijo que desde luego ella no iba a tirarse de los pelos como una posesa ni iba a comerse la tierra de los geranios, lo cual entendió mi madre como un reproche, porque claramente lo era, y entonces las dos gritaron y se insultaron igual que dos mujeres enemigas, como las que yo veía a veces pelear y tirarse de los pelos en el lavadero por un rincón de agua limpia donde aclarar la ropa, hasta que mi abuelo hubo de romper una vez más su silencio, aunque sólo por un momento, y se levantó de la silla labrada, tomó el litro de anís que siempre tenía cerca y lo estampó contra la mesa de mármol a la vez que les gritaba, si no os calláis os rajo la garganta con lo que queda de esta botella, y remató su amenaza bramando una blasfemia, la más sólida y rotunda de todas las que existen contra Dios, y volvió a sentarse en la silla labrada y le dijo a la abuela Angustias que le trajera otro litro de anís de la despensa, y ella fue a por él diciendo que más apaga la buena palabra que la caldera de agua, y él se acomodó sobre los cojines y una vez más guardó silencio. Ni qué decir tiene que mi madre se retiró a su habitación llorando y que mi hermana volvió a su casa, altiva y con paso firme. Ayudé a recoger los cristales de la botella a mi abuela Angustias, quien repetía entre sollozos que pelean los toros y mal para las ramas, y también dijo mi abuela, una vez más, aquello de que una cosa son dos cosas, lo cual me dio que pensar, porque era la forma que tenía ella de expresar aquello que a mí me ocurría cuando estaba con mi hermana, que un momento era dos o más momentos. A los pocos días, Lucía puso en venta todas las pertenencias de Julián, incluidas las herramientas y los caballos y las mulas y las cuadras y las tierras y los prados y la mata de castaños y la madera ya cortada que esperaba un comprador en Los Pontones y hasta la huerta que le tenían arrendada al señor Pascual, el castellano, y pintó de color rosa todos los cuartos de su casa y la fachada la pintó de un color que a mí me parecía el de los endrinos o el de los arándanos, pero que ella decía que era el color de la flor de la mandrágora, para darle al color también algo de poesía, y se compró una nueva mecedora de mimbre y una historia de varios tomos de la poesía universal, y, poco a poco, se fue quedando sorda. En el pueblo pensaron que se había vuelto loca, unos decían que por las palizas que había recibido de Julián, que mucho ir al cinematógrafo y al teatro y muchos pasteles milhojas los primeros sábados de cada mes, pero bien que le zurraba, y otros decían que había salido al abuelo Cosme, considerado un hombre lunático entre la vecindad por sus prolongados silencios y por otras ocurrencias que a mí aún no me habían sido reveladas, y a Lucía comenzaron a hablarle por señas los de más confianza o a cerrarle las puertas los más aprensivos cuando aparecía por la calle de la iglesia o por el camino del puente con su vestido de crespón y encajes con cintas de colores vivos y su sombrilla malva y rosa con orquídeas de seda o mariposas de terciopelo. Entre estos últimos, los aprensivos o suspicaces, estaba Regina Romano, la hermana del cura don Belio, quien solicitaba de su hermano la excomunión para aquella sacrílega que no guardaba el luto de rigor por el marido muerto, pero la edad avanzada y una ceguera ya casi completa hacía tiempo que habían incapacitado al párroco para cualquier gesto externo. Este descontento de doña Regina y otros atufos por el estilo que recorrían el pueblo, del lavadero a la iglesia y de la iglesia al lavadero, los supe por doña Elvira, la del palacio, que sabía todo lo que había que saber sin perderse un detalle. Doña Regina y sus contemporáneas malmetieron a Ciria, la hermana de Julián, y a poco hay una desgracia en el pueblo y en nuestra familia, porque Ciria intentó matar a Lucía, no sólo por el asunto del luto que mi hermana no respetaba, lo cual, al fin y al cabo, sólo era un detalle convencional que con el pretexto de la excentricidad de la viuda podía haberse pasado por alto, sino por lo de la venta de todos los bienes, que Julián no había dejado hijos, pero Ciria tenía cinco y un marido medio inútil que tosía mucho y escupía contra un pañuelo grande y oscuro porque padecía de tuberculosis. La agraviada esperó a mi hermana al atardecer detrás del muro que separaba la fuente del lavadero. Llevaba bajo el mandil el cuchillo de corar a los cerdos. Lucía llegó de su paseo diario con un sombrero de fieltro negro con ala de paja y golpeando con la sombrilla cerrada en los barandales del puente. Ciria salió a su encuentro con el cuchillo en alto y lo que ocurrió después debió de ser muy desagradable para las dos, porque Ciria tropezó y cayó contra las piedras y se abrió una brecha en la frente. Mi hermana la metió en casa y le mandó aviso al practicante, el señor Patricio, porque las heridas no dejaban de sangrar. No diremos nada de lo del cuchillo, le dijo mi hermana a Ciria, pero en los pueblos pequeños ni las ocurrencias ni las palabras ni siquiera los malos pensamientos se pierden sino que flotan y hierven y se propagan de puerta en puerta como el olor del romero o la reverberación de los grillos, como el polvo del carbón o el recuerdo de los muertos, y mi hermana perdonó a Ciria y le entregó parte del dinero obtenido con la venta de la madera de Los Pontones, y Ciria perdonó a mi hermana y cogió el dinero y a sus cinco hijos y al marido medio inútil y se fue con ellos a vivir a otro lugar. Yo sabía que mi hermana no estaba loca y que su vida era como una de aquellas metáforas de las que estaban llenos los libros de poesía que ocupaban su vida. A mi hermana la quise mucho porque fue quien me enseñó a leer y a escribir y también me enseñó a usar las cuatro reglas para resolver los problemas de aritmética, lo cual me evitó algunos golpes del maestro Silvano, que era gallego y tenía un mandilón azul y una vara de avellano con la que nos atizaba en las orejas y en las uñas. También ella me explicó todo lo referente al sexo y al amor. Del sexo decía que era como una cascada de luz que de pronto te iluminaba el cuerpo, y del amor que era como tender los brazos hacia la puerta entreabierta de la esperanza sin saber lo que podríamos encontrar al otro lado. Ella hablaba así, era su manera de expresarse, y, como ya dije, un momento con ella no era sólo un momento, era muchos momentos al mismo tiempo. Cada día decía palabras nuevas y el gusto suyo por las cosas hermosas se fue transformando en un poema grande. Pasaba horas leyendo y emergía luego chorreando luz y agua de mar, como una sirena. Unos días antes de casarse con Julián, se desnudó para mí. Siéntate Nalo, me dijo, y obsérvame bien, vas a aprender cómo es el cuerpo de una mujer. Fue en la nave que usábamos de granja, en el cuarto donde guardábamos la paja para los caballos. Tenía el cuerpo frágil y blanco, como un jarrón de porcelana, y un triángulo de pelo rizoso y negro allá donde nacen juntas las dos piernas. La visión de sus pechos me provocó un calor sofocante. Empecé a notar que el pantalón se me quedaba pequeño y ella me lo quitó y me dejó desnudo, con el miembro erecto, grande, tan crecido que yo mismo me asusté al verlo. Ella me explicó de qué forma debía yo introducir aquella parte insolente de mí cuerpo en el hueco húmedo del cuerpo de la mujer, y abrió su sexo despacio con sus dedos y me mostró la parte sangrante, viva, profunda, como el fondo de un pozo ardiendo, y me explicó todo aquello que hacía felices a las mujeres y también las cosas que jamás debían hacérsele a una mujer en circunstancias semejantes. Luego se quedó quieta y me pidió que la explorara con mis manos, y empecé a trazar líneas en su superficie con las yemas de mis dedos, que parecían babosas deslizándose lentamente, y cada pliegue y cada curva de su piel y el olor que desprendía y la forma como se estremecía cuando la tocaba me quedaron grabados para siempre en la memoria. Ya ves, Nalo, que no me muevo, me dijo, porque sólo quiero que aprendas, pero yo escuchaba el zumbido de su cuerpo, el correr acelerado de la sangre, sentía su aliento caliente, las curvas de sus caderas y de sus peronés y de sus muñecas y de su cráneo, la hinchazón de sus pezones casi negros, palpaba el desfiladero de sus costillas, bebía de su piel tan azucarada como la mermelada de arándanos, y empezaron a dolerme todos los músculos y abrí sus piernas para entrar en ella de la forma que me había enseñado, pero me detuvo y me dijo, así Nalo, así debe ser, así debes hacerlo, pero no conmigo, conmigo no puede ser porque soy tu hermana y tú y yo no necesitamos juntar nuestras carnes porque ya tenemos la misma carne y la misma sangre, y a mí se me aceleraba la respiración, allí estaba, a punto de cruzar alguna frontera, quizá la frontera de la infancia, sintiendo el cabello de mi hermana rozándome la piel como una brocha de fuego, y ella entonces tomó aquel miembro independiente, aquel trozo de músculo que ya jamás sería mío, y lo apretó fuerte entre sus manos, como estrujándolo, y brotó de él una sangre distinta a todas las sangres, una sangre espesa y de color blanco que salpicó mi cuerpo y el cuerpo de ella y los montones de paja. Es para aliviarte, me dijo, y me limpió suavemente y me besó y todo volvió de pronto a su sitio y los momentos que existían a la vez se desvanecieron y me quedé quieto y apretado en un único momento. Siguieron después unos meses que fueron para mí de mucha violencia interior y de mucho sufrimiento, y así llegué al palacio azul de los ingenieros belgas. Tiempo después, en la caseta donde el jardinero Eneka guardaba las herramientas, aún peleaba yo contra la violencia de la imagen del cuerpo de mi hermana desnudo, e intentaba imaginarme cómo sería el cuerpo de la señorita Julia sin ropa, y yo se la iba quitando y ella se reía con su risa de gorrión y movía sus grandes caderas y sus ampulosos pechos con mucha facilidad y con una especie de ritmo musical, como si no fueran caderas ni fueran pechos sino cimbalillos repicando a fiesta, pero el cuerpo desnudo de mi hermana siempre podía más que el de la señorita Julia y terminaba imponiéndose, y yo me frotaba aquel pedazo de carne atrevido, independiente de mi voluntad, asquerosamente procaz, sólido como una roca, ajeno a los esfuerzos que yo hacía por disminuirlo, por destrozarlo, pues su descaro me perseguía como una pesadilla y en más de una ocasión pensé en cortármelo con las tijeras de podar los rosales, pero no tuve valor, y lo frotaba y frotaba, y lo machacaba con el puño contra el borde de la carretilla hasta que aquella sangre diabólica y blanca volaba contra los sacos de fertilizante. Un día el líquido me saltó a los ojos y durante unos minutos una nube blanca me impidió la visión, y empecé a preocuparme, hasta las tripas se me removieron, porque recordé las prédicas del anciano cura Belio en la catequesis, cuando iba por la escuela los primeros viernes de cada mes, aquellas intimidaciones con el índice siempre apuntando en solitario al cielo, bravatas sobre la ceguera inminente de aquellos de nosotros que nos refociláramos en los tocamientos impuros, él lo decía así porque también debía de ser algo poeta, aunque la poesía de don Belio no era como la de mi hermana, la de él era rígida y rancia y olía a venganza y a incienso, y era negra como su sotana y como la hierba de sus orejas, en cambio la de mi hermana era como una caricia grande que te ocupaba todo el cuerpo, por fuera y por dentro. Lo cierto es que al asociar aquella pérdida de visión repentina con las palabras del cura Belio me entró el pánico y no volví a encerrarme en la caseta del jardinero para estrujar aquel miembro aturdido e imprudente que no era mío, que ya no me pertenecía, pero que a partir de aquella arremetida de terror volvió a someterse a mi voluntad. Le pedí a mi hermana que se desnudara otra vez para mí, que había algunas partes de su cuerpo que no las recordaba bien, algunos rincones que no entendía, pero ella me abrazó para explicarme, golondrina mía de mis entrañas, no debemos caer en el incesto, y le pregunté por aquella palabra nueva cuyo sonido me recordaba, no sabía el porqué, al momento de acarretar al hombro el carbón desde la tolva hasta la carbonera de casa, y ella me dijo que no era bueno para la conciencia ni siquiera para la misma conservación de la especie que carnes de la misma sangre se confundieran, aunque por otro lado, a ella no le importaría que yaciéramos juntos cada noche si sobre la tierra, o sin ir tan lejos, en nuestra región, no hubiera más hombres ni más mujeres que nosotros dos, pero que afortunadamente tanto de unos como de otras estaban los días llenos, así que, Nalo, me dijo tomándome de las orejas, borra de tu cabeza ese pensamiento, y le pregunté si con eso del incesto también uno podía quedarse ciego como con los frotamientos, y ella se puso furiosa y maldijo a los curas, en especial al párroco Belio a quien llamó pérfido y bocanegra y de quien dijo que hablaba así porque él tenía ahora la carne seca de tanto haberla tocado en otros tiempos, pero también blasfemó contra los obispos y contra el papa Pío XI, de quien decía que se llamaba Aquiles, que no sabía yo de qué lo conocía ella, y renegó de todas las iglesias en general y de la de nuestro pueblo en particular por estar tan pésimamente representada. Le dije que tampoco era para tanto, y ella me dijo que no me preocupara pues me iba a buscar una mujer para que descargara en ella la implacabilidad de la sangre. Aquellas palabras de Lucía me parecieron un secreto y como tal anidaron durante muchos días en mi cerebro, y también en mi corazón, que ya empecé a descubrir entonces que se trataba de dos compartimientos que había dentro de cada uno que tenían naturaleza diferente, pero los secretos asediaban las dos estancias, una rígida e implacable como el tiempo de los relojes, otra blanda y sumisa como la masa de las rosquillas de anís que cocinaba la abuela, en una los secretos encontraban el sigilo y en la otra se manchaban de misterio, y aquella afirmación de intenciones que había hecho mi hermana acechó todos mis pensamientos del día y de la noche porque no dejaba de imaginarme irremediablemente inmerso en un territorio prohibido y desconocido, y me fui infestando de angustia y de miedo, y como veía que el tiempo de mis pensamientos se iba alargando a la vez que me iba quedando sin tiempo, y como sentía que un momento a solas con aquella imagen no era ya ni siquiera un momento, fui a ver a mi hermana y le dije que no, que no quería, y ella preguntó, qué es lo que no quieres, porque ella ya no recordaba el asunto que a mí me había ocupado los días y las noches, y le respondí que no quería que me buscara una mujer para lo del furor de la sangre, que ya me iría arreglando, y ella exclamó, ah, lo de la mujer, y comprendí que aquel pensamiento que ella había tenido no le había llegado a las arenas movedizas del corazón y que únicamente había sido un reflejo fugaz en los espejos que tenemos en el cerebro, y le dije, sí, lo de la mujer, y ella me acarició riéndose, y tanto sus risas como sus caricias estaban llenas de ternura. Aquel espacio y aquel tiempo de la infancia se quedaron para siempre en el desván de la memoria alimentando otros sufrimientos que llegarían luego. Mi hermana Lucía me dijo que de momento aplazábamos lo de la mujer hasta que yo quisiera, y la vi radiante con aquel sombrero de paja calada y una cinta verde almendra, y le dije, qué guapa eres, Lucía, y me hizo un guiño con el sabor del amor en los ojos y en la boca, y le dije que cuando fuera rico le compraría pulseras de oro y capas de seda y vestidos con cintas de coral y plumas de cisne, como los que llevaban las mujeres de los hermanos belgas, que también eran hermanas entre ellas y también eran belgas y vivían lujosamente en el palacio azul del otro lado del río, donde yo servía como ayudante

33

del jardinero Eneka, y Lucía me dijo que yo ya era rico, el más rico de todos los hombres de la tierra, y que ella ya tenía cuanto necesitaba, y que la felicidad ya estaba dispuesta para los dos, que sólo faltaba que llegara la primavera.

Y llegó la primavera al jardín del palacio azul antes que a ningún otro lugar del pueblo. Lo hizo a eso del mediodía, cuando el señor Eneka descansaba sobre el poyo del invernadero liándose un cigarro y yo afilaba las tijeras de podar. Todo estaba cubierto de un silencio y una soledad de cementerio. Entonces una nube se desplazó, apareció el sol y llegó la primavera. El señor Eneka fue quien primero se dio cuenta, algo normal porque él tenía mucha experiencia y había visto llegar muchas primaveras, así que me dijo, mira, Nalo, ya está aquí la primavera, y miré y la vi posándose sobre todo, sobre la copa espigada de los abetos, sobre las flores amarillas del tejo, sobre los nenúfares del estanque, sobre las hojas de los álamos blancos que parecían de plata, sobre los racimos del tilo, sobre las cortezas de los abedules de la ronda, la vi posarse suavemente sobre todas las flores de los arriates que se estremecieron y sobre la hierba que se abarrotó de margaritas y sobre el lomo brillante de los patos y también se posó la primavera en los picos de todos los pájaros cantores, que cantaron a la vez en el aire caliente del mediodía del palacio azul de los ingenieros belgas, y los fui reconociendo a todos por sus músicas, como el señor Eneka me había enseñado, tarabillas, herrerillos, carboneros, zorzales, jilgueros, petirrojos, verdecillos, escribanos, mirlos y luganos, y también la primavera se posó sobre la señora Elvira que estaba recogiendo las sábanas del tendal y que parecía más joven y más blanca y que al vernos nos dijo, ya está aquí, este año viene a tiempo, y el señor Eneka asintió y luego me preguntó a mí que cuánto tiempo llevaba en el palacio azul y le respondí que siete meses había hecho hacía unos días, y él dijo, pasándose la palma de la mano por la frente, hay que ver cómo transcurre el tiempo.

DOS

El primer día de mi trabajo para los ingenieros belgas llegué al palacio azul con la impresión de que por las venas me corría un líquido frío y espeso, y lo sentía ir y venir helándome el cuerpo. El sol lucía por primera vez después de varias semanas de lluvias intensas y me picaba en la piel la lana de la camisa. Por dentro sentía frío y por fuera sentía calor, como si mi cuerpo fuera dos cosas al mismo tiempo. Comenzaba el mes de septiembre del año veintisiete. En uno de los periódicos del abuelo se anunciaba la ejecución en Boston de los anarquistas Nicola Sacco y Bartolomé Vanzetti. La abuela dijo, quien mal hiciere, bien no espere, que Dios los perdone, y el abuelo rompió el silencio para decirle a la abuela, guarda la ignorancia para tus rezos, éste es un asunto sucio de mala conciencia capitalista, y le pregunté si conocía a aquellos hombres y me dijo que no, que no los conocía, pero que le hubiera gustado conocerlos, y bajó los ojos y quedó encorvado y oculto en aquel tiempo callado y oscuro de su existencia. Yo sabía del anarquismo del abuelo por Alipio y por Lucía, aunque él nunca me había hablado de sus preferencias políticas y tardaría mucho tiempo en hacerlo. Aquel día en que yo me dirigía a iniciar mi primer trabajo como ayudante de jardinero, me dijo, procura estar siempre del lado de los inocentes, aunque te cueste la vida. Abrazando el periódico se hundió en la silla, que era el callejón sin salida del mundo del silencio, el rincón postrero en el que él ensayaba sus búsquedas postreras.

La hiedra invadía los muros y, el jardinero, el señor

Eneka, peleaba contra ella con las tijeras de podar empinado en una escalera de hierro. Desde allá arriba me dio la bienvenida y me dijo, falta me estaba haciendo un ayudante, y alargó el brazo con las tijeras para señalarme la puerta principal. La señorita Julia, contratada desde jovencita por la señora Sakia para cuidar de sus hijas más pequeñas y de sus nietas, limpiaba el barro de los columpios. No era del pueblo, ni tampoco de los pueblos de alrededor. Había nacido cerca del mar, en un lugar donde las casas, pintadas de los mismos colores que los barcos, se apretaban y empinaban como si quisieran huir de las olas. Mi hermana Lucía le tenía manía a la señorita Julia y decía de ella que, aunque quisiera disimularlo con sus ridículos andares de gorrión, se le notaba que era natural de un pueblo de calles *pindias*, si tiene las caderas hiperbólicas y el culo se le queda siempre atrás y parece que lo va perdiendo sin darse cuenta, esto decía mi hermana de la señorita Julia, y yo le preguntaba por la palabra hiperbólicas, que para mí era una palabra nueva, y ella me contestaba en su acostumbrado idioma poético y me decía que el cuerpo de la tal Julia estaba compuesto de dos salientes perpendiculares y desproporcionados con respecto al disminuido eje central, esto en la parte de arriba, y, más abajo de la cintura, de dos porciones abiertas dirigidas en opuesto sentido que parecían orientarse a las asíntotas que buscaban el horizonte, y que estas porciones hiperbólicas interseccionaban por todos sus vértices con la superficie cónica colgante, que no era otra cosa que el culo, en el cual se encontraban todas las generatrices que trazaban sus andares de gorrión y transformaban la energía de los pasos en falsa electricidad, y le pregunté a mi hermana por las palabras asíntotas, cónica y generatrices, que también eran para mí palabras nuevas, y ella me las explicó de la misma manera, generando a su vez en las sucesivas explicaciones

38

otras palabras desconocidas, y entonces pensé que el cuerpo de la señorita Julia, que a mi primo Alipio le parecía el más prodigioso y natural y arrebatador de los cuerpos femeninos conocidos, que ese cuerpo, descrito por mi hermana, más bien parecía una figura geométrica de las que el maestro Silvano trazaba con la regla en el encerado y que ninguno conseguíamos entender, y yo sabía que no, que no podía ser así de ninguna manera y que Lucía hablaba de esa forma porque en lo referente al lenguaje estaba cada día más trastornada de tanto leer poesías y aprenderse de memoria el diccionario y porque además, yo no sabía el porqué, mi hermana le tenía manía a la señorita Julia. Aquel día que llegué al palacio azul de los ingenieros belgas la señorita Julia se alegró con mi presencia, o al menos eso fue lo que a mí me pareció por la sonrisa descarada y larga que no tuvo reparos en dedicarme. Yo también la miré largo y con descaro y definitivamente pensé que mi hermana no tenía razón y que la señorita Julia se parecía más a una central eléctrica o a la nueva factoría de la fábrica, que escupía fuego por sus chimeneas, que a una de aquellas frías figuras geométricas que trazaba don Silvano en la pizarra de la escuela. A mí me parecía muy guapa la señorita Julia y me gustaba observar cómo caminaba con una especie de balanceo y pasitos cortos, como si temiera tropezar con algo o no quisiera estropear la hierba del jardín del señor Eneka. Aquí es donde se entretienen ellas cuando hace sol, me dijo la señorita Julia señalando los columpios, y me estrechó la mano y me sonrió mirándome a los ojos.

Mi madre me había obligado a ponerme un chaleco azul encima de la camisa blanca y unos pantalones largos, y me dijo que no fuera yo a creer que a ella se le había olvidado que aquellos dos ingenieros extranjeros eran los culpables de la muerte de mi padre, que no, que no se le había olvidado ni se le olvidaría jamás, como tampoco se le olvidaría que habían sido ellos quienes habían arruinado la vida del abuelo, pero que una cosa no quitaba la otra, y que hambre y frío entregan al hombre al enemigo y que la hogaza no embaraza, y no sé cuántos refranes más me dijo, que todos los aprendía de la abuela Angustias, y también me dijo cuando se le agotaron los refranes que, además, donde estuviera el oficio de jardinero que se quitara la esclavitud de la mina, ni punto de comparación, que con un muerto en la familia ya teníamos bastante, y le pregunté que por qué iba yo a trabajar con los ingenieros belgas si a ella le parecían tan indeseables, y me dijo que porque eran los únicos que daban trabajo de jardinero debido a que no había más jardín que el de ellos en toda la cuenca, y me lo dijo con mucha tristeza, con una tristeza tan grande que casi podía tocarse, no porque no hubiera más jardines que aquél en la comarca sino porque el único que había era propiedad de los ingenieros belgas, que todo lo poseen, que todo lo dominan, que son los dueños absolutos del trabajo y de la vida, y debes saber hijo mío que no crece el río con agua limpia, y entonces puso sus manos calientes en mi espalda y me dijo con una voz desfallecida, que no parecía la suya, que el dolor necesitaba mucho tiempo para quedar convertido en recuerdo, y le pregunté que cuánto me iban a pagar los ingenieros belgas, y me contestó que quince pesetas al mes y la comida del mediodía, y le repliqué que era poco, que mi primo Alipio en la mina ganaba veinticinco, pero ella me explicó que eso era normal porque en la mina no sólo se pagaba el trabajo sino la vida, escúchalo bien, la vida, o no recuerdas lo que le pasó a tu padre, y tu primo Alipio con diecisiete años ya anda tosiendo carbón, y ya no dije nada más porque la voz de ella ya no era débil como hacía un instante sino bronca y difícil como cuando discutía con mi hermana, y sólo asentí con la cabeza y entonces se calmó y me explicó que los ingenieros habían accedido a contratarme por medio del abuelo, sí, del abuelo Cosme, que algún favor importante le debían los belgas de cuando había trabajado para ellos como capataz, porque tu abuelo fue un hombre muy capaz que al principio aprovechó la oportunidad de estudiar que le dieron los patronos, y lo hizo bien y se hizo capataz y consiguió esta casa, que había pertenecido al marqués de Comillas, y una posición que ya quisiéramos ahora, mira cómo andamos, pero lo echó todo a perder, las razones nunca las supimos, las sabrá él, su locura, eso sería, acabaría trastornado, porque tu abuelo está loco, a ver si no cómo se explica tanto disparate. Quedé sorprendido. De pronto comprendí que mi abuelo no siempre había sido viejo y no siempre había permanecido sentado en aquel rincón de la cocina. Mi madre me explicó que la semana anterior se había levantado de la silla y había desaparecido y que había vuelto al atardecer con la noticia, Nalo tiene trabajo en el palacio como ayudante de jardinero, eso fue lo único que dijo y se sentó de nuevo en la silla labrada de la cocina.

Así que allí me presenté a comenzar con el trabajo que me había conseguido el abuelo Cosme, justo el día en que dejaron las lluvias de atormentar al pueblo, lo recuerdo bien, que ya andaba creciendo el monte por los caminos y los tejados se estaban llenando de hierbas. Subí las escaleras de piedra hacia la puerta principal y salió a recibirme la señora Elvira, que era la encargada de las tareas domésticas. Vas a ser tan grande como tu padre, me dijo, y me pasó a una especie de recibidor pintado del color de la tierra arcillosa y con grandes columnas de alabastro, y me dijo que me recibiría el señor Hendrik, porque el otro, el señor Jacob, que era quien habitualmente se ocupaba de la servidumbre masculina, estaba de viaje. Más adelante supe que los nombres de los belgas se escribían de manera diferente a como se pronunciaban y pensé que su lengua debía de ser muy difícil de hablar y de escribir porque Hendrik se decía Gendri y Jacob se decía Yaco, o al menos así lo pronunciaban todos. Espera aquí, me dijo Elvira, y al instante llegó Félix, el mayordomo, que era pequeño y tenía la cara negra y arrugada como de cuero curtido y hablaba con la voz nerviosa y metálica, la misma voz que tenía el cura don Belio cuando cantaba los responsorios, con esa voz me pidió que me sentara, me puso la mano en el hombro y me aconsejó largamente. Con el dedo índice extendido hacia mi nariz me advirtió que al señor Hendrik, al igual que al señor Jacob, que estaba de viaje, y al igual que a las señoras Sakia, que se decía más o menos igual, y Geertghe, a quien unos le decían Gerge y otros Guergui, pero que de cualquier manera a mí me parecía un nombre hermoso, y que descansaban en sus respectivas alcobas, y al igual que a cualquiera de las señoritas, que a ninguno de ellos se me ocurriera replicarle jamás, ni suplicarle nada, ni mostrarme confundido ante sus deseos o necesidades, habla sólo cuando te lo pidan, me dijo, y hazlo pronto y con mucha brevedad en un tono medio, ni demasiado bajo para no obligarles a repetir la pregunta, ni demasiado alto para que no sufran incomodos sus oídos, y no los mires nunca a los ojos para que no puedan ver tu alma, y responde siempre sí o no señor, sí o no señora, sí o no señorita, y así siguió el mayordomo Félix con su voz vibrante durante un buen rato explicándome al detalle las instrucciones de comportamiento que era necesario seguir en aquel palacio azul de los ingenieros belgas, y entonces sentí que el tiempo de afuera, el que fluía por las paredes y los suelos brillantes del palacio, el que se perdía por las vidrieras azules con los temblores de la voz del mayordomo Félix, ese tiempo, no era el mismo que el que yo sentía dentro, sujetándome las tripas y el cerebro, porque éste se me había quedado quieto, colgado en un minuto eterno, indicándome los puntos débiles de mi cuerpo por donde se me podrían colar los desconsuelos, como si las palabras del mayordomo Félix y el tiempo que señalaban no me estuvieran dejando crecer por dentro en aquel momento que yo intentaba sin conseguirlo que fuera más momentos. Él se rascó el cuero de su frente y me dijo que me levantara y que me quitara aquel chaleco claramente inapropiado para la ocasión y me abrochó el último botón de la camisa debajo de la garganta y me dijo, adelante, empujándome contra una gran puerta entreabierta que a mí en aquel indivisible momento me estaba pareciendo talmente la puerta del infierno. Mi madre me había dicho que las dependencias del palacio estaban repletas de muebles, recuerdos de países extranjeros, cuadros inmensos, estantes abarrotados de libros, animales disecados y otros enseres diversos y desconocidos, ella no lo había visto jamás, pero se lo había contado el abuelo Cosme, aunque mi hermana Lucía me hizo una advertencia, lo que vas a ver allí dentro no son cosas sino circunstancias, y ella tenía mucha razón porque al entrar yo en aquella habitación enorme donde me aguardaba el ingeniero Hendrik me vi rodeado de accidentes que alteraron el orden natural de lo que yo había visto y conocido hasta aquel día segundo del mes de septiembre del año veintisiete, accidentes de tiempo porque el minuto que antes de traspasar la puerta se me había hecho eterno entre la voz del mayordomo Félix y la luz azul de las vidrieras se desbarató de pronto en muchos minutos y en muchos tiempos y fue como si yo hubiera envejecido de golpe, como si aquella visión imposible hubiera añadido de súbito unos cuantos años más a la cuenta de mi vida, y recordé las sensaciones que mi primo Alipio me había transmitido cuando bajó por primera vez a la mina, y re-

43

cordé también aquello que mi hermana me había explicado que había sentido en su primera noche después de la boda con el finado Julián, y pensé que aquellas sensaciones que yo sentía eran las mismas que habían sentido ellos en la mina y en la cama y las mismas que sentiría cualquiera que se viera inmerso de pronto en una situación inédita y, por consiguiente, de alguna manera, amenazante. Como digo, fue como si el tiempo se desbocara por encima de todas las cosas, que no eran cosas sino circunstancias, y por encima de mí y del ingeniero Hendrik, quien aún permanecía inmóvil sobre el asiento sin levantar la cabeza de los papeles. Y no sólo sucedieron accidentes de tiempo, también ocurrieron accidentes de lugar porque en realidad yo no estaba donde antes había creído que iba a estar y ni siquiera estaba donde mis sentidos me decían que debía estar porque cuando el ingeniero Hendrik levantó la cabeza y me miró por encima de los anteojos y me dijo, acércate más muchacho, yo soy el ingeniero Hendrik, mi hermano Jacob está de viaje, entonces, yo confundí aquella habitación inmensa llena de circunstancias con los desiertos de Palestina de los que nos hablaba el cura Belio con su voz de alambre en las clases de Historia Sagrada, y que él decía que eran las tierras estériles del ideal perdido donde todo estaba y donde nada existía, las arenas calientes del éxodo donde los alientos del sol eran demonios y los arbustos machos cabríos, pues éxodo era aquella circunstancia mía y la mesa del ingeniero Hendrik se mostraba ante mí como aquel Sinaí de la Biblia de don Belio, que no recordaba muy bien si era una montaña o un desierto o era las dos cosas al mismo tiempo, y la voz del ingeniero Hendrik, quien no se había ido de viaje con su hermano Jacob, se me antojaba a mí como la voz de Yahvé cuando le dijo a Moisés, yo soy el que soy, y también ocurrieron aquella vez, en aquel desierto lleno de circunstancias, accidentes

44

de modo, porque la forma en que entraba la luz por las vidrieras de aquella sala no era la forma normal que tenía la luz de entrar en las casas que yo había conocido hasta entonces, aquélla era una luz blanca y azul distribuida en haces amenazantes que se clavaban en el tablaje como cuchillos, una luz rodeada de remolinos de puntos danzarines que brillaban demasiado para ser de polvo, una luz que parecía la luz de otro sol o de otro cielo o de otro pueblo remoto y diferente, y también era un accidente el modo como yo percibía al ingeniero Hendrik, allí quieto, repasando los papeles con aquellos anteojos que se parecían mucho a las antiparras que se colocaba el abuelo Cosme cuando quería ilustrar su silencio, allí subido al altar de los inciensos y diciéndome, acércate más muchacho, con una voz cada vez más potente, porque no lo veía como un hombre paciente y respetable que le decía a un joven temeroso unas palabras de aliento, no, no lo veía así, más bien lo veía como a uno de los dragones de los cuentos del abuelo, cuando al abuelo le daba por hablar, que no era muy a menudo, un dragón arrojando fuego por la boca y humo por las narices y emitiendo rugidos como temblores de tierra y envuelto en una penumbra profunda y espesa, tan profunda y tan espesa como el fondo de la mina o como el fondo del mar o como la noche de los desiertos, y la muchedumbre de libros que abarrotaba los estantes por encima de esa penumbra parecía querer desplomarse sobre las espaldas del ingeniero y sobre la oscuridad espesa que rodeaba al ingeniero, y parecía estar sujeto el entramado de los estantes únicamente por dos de aquellos haces de luz extranjera que lo cruzaban de parte a parte, y yo retrocedí ante aquel nuevo accidente. El señor Hendrik volvió a levantar la cabeza y asomó los ojos por fuera de la penumbra y volvió a decirme con voz de trompeta, acércate muchacho, no tengas miedo, acércate más que te vea bien, y avancé tres pasos hacia adelante, y el modo de caminar también era otro accidente porque fueron pasos en falso y parecían llevarme en contra de mi voluntad al mismo abismo sin fondo de donde emergía con sus anteojos y su bigote encrespado y sus ojos pobremente iluminados el ingeniero Hendrik, y me dijo, más, más, acércate más, y entonces la penumbra retrocedió y vi dos grandes colmillos que debían de ser de elefante, uno a cada lado de la mesa, y sentí mucho calor, tanto como si estuviera de verdad en uno de aquellos desiertos de Palestina de los que nos hablaba el cura Belio, y todos estos accidentes de tiempo y de lugar y de modo que ocurrieron allí, estaban unidos a todas las cosas con sus formas y sus colores y a todas las luces y sombras que había en la sala y a todos los espacios, y también estaban unidos a mí y a todos mis temores, y al señor Hendrik, quien volvió a repetirme, que te digo que te acerques, que no tengas miedo, y su voz ya no era de trompeta sino de trueno, y por eso todos estos accidentes de los que hablo, en realidad podrían llamarse circunstancias, y supe que tenía razón mi hermana Lucía en aquello que me había dicho. El ingeniero se levantó y a mí lado lo vi como un ser insignificante que apenas me llegaba a la mitad del brazo, un hombre pequeño de huesos pronunciados, y demasiado arrugado para no haber cumplido aún los sesenta y cinco años, que necesitaba inclinar la cabeza hacia atrás para mirarme, y pensé en lo pequeños que se quedan algunos dioses cuando les quitan los altares donde les ofrecen los holocaustos, cuando los bajan de los montes donde ellos fabrican los mandamientos, pero me duró poco ese pensamiento, pues soplar y sorber no puede ser, y no se puede temer a Dios y empequeñecerlo al mismo tiempo, y el poder más que estaturas necesita gestos, y eso fue lo que hizo ante mí el diminuto ingeniero Hendrik, un gesto, un movimiento exagerado de su rostro de azafrán que se contorsionó en varias arrugas profundas que discurrieron todas a la vez hacia el bigote, y me dijo, dibujando sus palabras en el aire con el dedo índice, eres alto muchacho, muy alto para tu edad, pero ten en cuenta que hay alturas que no se miden en palmos, y aquello que me dijo el ingeniero Hendrik, a mí, además de a gesto de poderío y arbitrio me sonó a refrán, como los que acostumbraba a decir mi abuela Angustias, y me pregunté si los ricos y los poderosos tendrían los mismos refranes que los pobres, y, si así fuera, si los dirían por las mismas razones y en las mismas circunstancias y tratando de que significaran los mismo, porque a ver a qué altura se refería el ingeniero Hendrik, y andaba yo con este pensamiento a vueltas cuando el belga me dijo, tu abuelo era un gran hombre, pero difícil de comprender, y a mí me extrañó la contundencia de aquel pretérito indefinido, y continuó diciéndome, no quiso hacerme caso, podría haber hecho una fortuna de haber continuado trabajando para nosotros y aunque no entendimos sus razones debo decir que fueron las de un hombre íntegro al que estaré siempre muy agradecido. No entendí lo que quiso decirme, aunque supe que la pregunta que crecía dentro de mí nadie más que el abuelo iba a poder responderla, pero no dije nada, ni siquiera hice movimientos con la cabeza que pudieran interpretarse como gestos, pues recordaba las explicaciones del mayordomo Félix, y el señor Hendrik se llevó las manos atrás, a su espalda, y las juntó y comenzó a dar vueltas a mi alrededor, pareces muy fuerte, me dijo, y me sentí como aquellas bestias que llevaban a vender al mercado de los domingos y al ingeniero lo vi como a uno de los tratantes que merodeaban alrededor del animal en venta y le miraban las nalgas o le tocaban la ubre si era una vaca o le abrían la boca para determinar su edad por el estado de los dientes si era una caballería, y el ingeniero Hendrik, que era muy pequeño y amarillo y no se había ido de viaje con su hermano Jacob, a mí no me tocaba las nalgas ni me abría la boca para examinarme los dientes, pero puedo jurar que por la forma como me miraba, con una expresión de predominio y una mueca evidente de poder explicarlo todo, me sentí como una de aquellas bestias que llevaban al mercado, y al ingeniero lo vi como a uno de aquellos tratantes que, con un palillo en la boca y el fuego del aguardiente en los pómulos, daban vueltas alrededor del animal en venta, y al final, yéndose de nuevo hacia la penumbra de la mesa, dijo que yo le parecía interesante, y no supe lo que quiso decirme porque yo aún no había dicho nada. Él se sentó y yo seguí inmóvil, sin poder controlar ya tantos accidentes. Me explicó que la jardinería era una ciencia muy noble a pesar de que la hubieran inventado los árabes, eso decía él, y temí que me hiciera alguna pregunta al respecto porque nada sabía entonces de aquel asunto de las flores y las plantas, y me preguntó, porque él tenía el derecho de las preguntas por ser ingeniero de minas y de fábricas y por vivir en un palacio azul con muchos sirvientes, pero no me preguntó sobre aquello de lo que estaba hablando, sino sobre algo muy distinto, qué quieres ser tú el día de mañana, eso me preguntó, y no entendí su pregunta, la cual no se refería al martes, porque estábamos en lunes, sino a cuando yo no viviera ya con mi madre y mis abuelos y tuviera mi propia familia, y respondí, sí señor, y él me dijo, cómo que sí señor, lo que te pregunto es lo que te gustaría ser de mayor, como si fuera cosa de gustos, y respondí no señor, y él soltó una carcajada también amarilla como su rostro, y me hizo por tercera vez la misma pregunta, y entendí que no servían las respuestas que me había enseñado el mayordomo Félix, y pensé en decirle que quería ser jardinero, para salir bien de aquel nuevo accidente, pero me acordé del refrán de la abuela que decía

48

que quien pregunta lo que no debe oye lo que no quiere, y
me acordé también de uno de aquellos reportajes de las revistas de mi hermana Lucía y le dije al ingeniero que, puestos a elegir, así como querer, pues que querría ser capitán
de un barco, y entonces hubo de nuevo dos momentos en
un momento, porque el ingeniero permaneció unos segundos indeciso, colgado de un instante irresoluto, igual
que se quedaba el abuelo mirando al cielo raso cuando mi
madre lo ofendía con sus preguntas defectuosas, y usted
qué hizo en la vida, a ver, qué es lo que hizo usted más que
planearlo todo al revés y jodernos vivos a todos, que ya dije que mi madre utilizaba el lenguaje con amargura y nunca decía aquello que en realidad quería decir, pues así se
quedó el ingeniero Hendrik ante mi respuesta, y se recostó en la silla y la silla la inclinó contra la penumbra, porque él no sabía la verdadera intención de mis palabras,
por más que el mayordomo Félix creyera que aquella clase de personas a la que pertenecían las gentes del palacio
azul podían mirarnos por dentro y leernos el alma, a nosotros, a los de la clase de personas que no poseíamos minas de carbón ni fábricas metalúrgicas ni palacios azules
con jardines y columpios ni grandes bibliotecas ahogadas
en ilustradas penumbras, y aquél fue para mí un momento
doble, muy indeterminado, pero de mucho provecho, y el
ingeniero al fin debió de encontrar una respuesta a su in-
decisión en algún lugar remoto de su pensamiento pues soltó una carcajada violenta sobre los papeles, que volaron
por encima de la mesa, hicieron un quiebro sobre las carpe-
tas de color teja y acuchillaron en mil pedazos aquellos haces de luz blanca y azul que parecían llegar de algún lugar
extranjero, y el estruendo desproporcionado de la risota-
da de aquel ser diminuto hizo temblar los estantes y a mí
me pareció que las sombras de los árboles que entraban por
las ventanas se alargaban hasta tocarme los pies, de forma

que me sentí muy inestable, flotando en un caldo sin aire, y las rodillas se me aflojaron y los párpados debieron de extraviárseme porque el señor Hendrik saltó del asiento y me sujetó abrazándome por la cintura para que no me desplomara, pero no sois vos el intrépido capitán de barco y cómo es entonces que os mareáis si tenemos la mar en calma, esto fue lo que me dijo aquel ser amarillo y apretado contra sí mismo, constreñido entre la penumbra y la luz, la penumbra de una conciencia construida con los jirones de otras muchas conciencias y la luz robada y fraudulenta que no era más que el resplandor del poder, la aureola que investía a quienes eran dueños de nuestro tiempo, de nuestras guerras y de todas nuestras necesidades, y pude tocar su aliento con mis labios demudados por aquel nuevo accidente y era espeso y sabía al agua del manantial de la mina de hierro abandonada donde mi primo Alipio y yo nos metíamos con los candiles para escuchar el rumor corrosivo de la tierra y ponerle señales al camino del infierno, y el ingeniero Hendrik me sentó en uno de los sillones y me dijo que yo era igual que mi abuelo Cosme y que le parecía bien lo de la capitanía pero que de momento yo iba a trabajar de ayudante del jardinero Eneka y que no quería retrasos ni holgazanerías ni negligencias y que no le gustaría tener que darle la razón a su hermano Jacob, que aquí debería estar ahora hablando contigo pero está de viaje, que dice que un nuevo sirviente siempre es una nueva molestia, y me dio una palmada en la espalda, venga muchacho, a que te dé el aire y a lo que te ordene Eneka, y me levanté y él me empujó suavemente hacia la puerta y me dijo, suerte muchacho, y pensé decirle, gracias señor, pero las palabras se me agrietaron en los labios secos y sólo pude mirarle a los ojos, en contra de lo que me había indicado el mayordomo Félix, y de una sola mirada me apropié de todo su diminuto cuerpo y también con aquella mirada retuve en la memoria la imagen del poder, como una lengua viscosa en la boca de nadie lamiéndote e infectándote las heridas, como un confuso revoltijo de advertencias y cejos fruncidos y retos divinos y parábolas de deducciones pérfidas e importantes mentiras, como un momento del conocimiento que se altera y trastoca en otros muchos podridos momentos, como una tristeza ajena inevitablemente larga.

Me crucé con el cuerpo envolvente y poderoso de la señorita Julia, pero aquél era otro tipo de poder, o al menos eso pensaba yo en aquellos momentos, y ella me sonrió atravesándome e hizo como un jeroglífico en el aire con sus poderosas caderas y me dijo, fíjate qué algarabía tienen montada las golondrinas en el jardín, ya están preparando la huida, y esto último lo dijo con tristeza y con envidia, como si ella estuviera necesitando ser golondrina para saltar del alambre de la luz opresiva al vacío y dejarse llevar a otros lugares por el viento que todo lo movía o por el instinto que lo sabía todo o sencillamente por la fuerza de los latidos del corazón, y no sabía qué decirle a la señorita Julia y entonces se me ocurrió uno de los refranes de la abuela Angustias, que no venía a cuento de nada, pero lo dije, una golondrina no hace verano, y ella se acercó a mí y me mostró los pechos y una lengua brillante que movió en círculo y despacio, recorriendo la parte interior de los labios, y me dijo que con un hombre como yo ella sería capaz de conjugar de una sola vez las cuatro estaciones, y yo no sabía muy bien lo que quería decirme, pero me sentía bien mirándola y escuchándola.

Fui en busca del jardinero, quien me esperaba fumando debajo de la morera. Con él estaba el ruso Basilio, quien se había acercado hasta el palacio a llevar cuchillos nuevos para las cocinas y unas horquillas que le había encargado Eneka para los trasplantes. Eneka me dio una vez más la bienvenida, ya lo había hecho antes desde lo alto de la escalera, y el ruso, que era un buen amigo del abuelo Cosme, extendió su mano grande y callosa para estrechar con ella la mía y ofrecerme su más sincera enhorabuena. A Vasili Kolesnikov casi todos lo llamaban Basilio, por esa inclinación natural del lenguaje que industrializa las palabras para hacerlas más cercanas y reducirlas con la materia de la elementalidad, o lo que es lo mismo, por aplicar lo anteriormente expuesto también al discurso de este relato, por pronta providencia, y a él no le parecía mal porque lo consideraba una muestra más del afecto con el que se le había acogido en las cuencas del carbón, tierras de hospitalidad, según él mismo decía, y además añadía, por ponernos en antecedentes, que tal virtud, la de la hospitalidad, también lo era de los pueblos de las márgenes del Volga, y nos hablaba de su ciudad, Iaroslav, según él, la más hermosa del mundo, por ella fluía el Volga, un río que a mí, ya desde los años de la escuela, se me había antojado muy importante porque estaba dibujado con un trazo más que evidente en el mapa de don Silvano, y el tal ringorrango de color azul tenía la longitud de la regla con la que nos atizaba en las uñas el maestro cuando los aires no le eran favorables, más que un río parecía el Volga un mar que hubiera decidido preñar la tierra con su caudal, por él decía Basilio que navegaban los buques, los ríos de los valles del carbón a su lado serían regatos sin importancia, y junto a ese río que era más que un río había nacido el ruso, allí había aprendido el oficio de fabricar cuchillos y cerrojos y rastrillos y paletas para el carbón, lo había aprendido de su padre, que se llamaba Milcíades porque tenía ascendencia griega, en una herrería de Iaroslav que durante generaciones había pertenecido a su familia y que la revolución había transformado en escuela taller del pueblo, y al ruso Vasili Kolesnikov se le humedecían sus ojos azules

cuando pronunciaba el nombre de su padre, háblanos de
él Basilio, le decía Eneka porque sabía que le servían de te-
rapéutica los desahogos, y entonces el ruso se quitaba el
gorro de piel de raposo que siempre llevaba sobre la cabeza y lo colocaba sobre las rodillas y tosía y se acariciaba la
barba de profeta y comenzaba a hablar como si estuviera
rezando o recitando versos, palabras hermosas que yo sentía como algo físico que me ataba a la vida, palabras que le
crecían al ruso en el cuerpo como una enredadera y que
se iban apoderando del azul de sus ojos y de todos sus sentidos, como le ocurría a mi hermana Lucía cuando trataba
de explicarme el fundamento de sus sueños, el instante de
la oralidad convertido en rito, palabras lentas demorán-
dose en el recuerdo que resonaban en mis oídos como ecos
de la conciencia, así era como estaba hablando el ruso
aquel día debajo de la morera, hablaba para Eneka y para
mí, pero hablaba sobre todo para sí mismo, y así decía,
acudimos a Moscú a enterrar a un pariente, los relumbres
de los fogonazos parecían relámpagos, el acorazado Aurora disparaba contra el Palacio de Invierno, las calles se habían llenado de barricadas, mi padre escuchaba a unos
soldados del frente del general Krasnov, le comentaban
que Kerenski había huido disfrazado de marinero, estaba
sucia la noche por el humo de la pólvora, los guardias rojos surgieron como fantasmas, tropezaban, se caían, se levantaban, proseguían con su avance inalterable hacia el
Palacio, la muchedumbre llenaba las calles, al frente de
cada grupo iban marinos o soldados, hubo hurras y gritos
de victoria detrás de las barricadas, todo el poder a los sóviets, pregonaban algunos, y de pronto crepitaron unas
ametralladoras y sus disparos barrieron la calle de lado a
lado, nos arrojamos al suelo, ladeé la cabeza para recoger
la gorra y vi a mi padre doblado contra el pie de un farol,
fui hacia él, una ráfaga lo había acribillado, la sangre le

brotaba por todas partes y en unos segundos expiró, ni siquiera pudo mirarme, no tuvo tiempo ni de decir mi nombre, es Milcíades, dijo un soldado, lo alcanzaron, y de rodillas, sujetando su cabeza ya inútil en mis manos, vi a la muchedumbre ascendiendo por la escalinata del Palacio, eran las dos de la madrugada, el pueblo había ganado una nueva batalla y yo había perdido a mi padre, Rusia miraba de frente la eternidad sin pestañear y yo tenía lo efímero entre mis manos y me aterraba lo irreversible de todo lo que sucedía aquella madrugada, colocamos el cadáver de mi padre en unas parihuelas y cuando ya salíamos de la plaza escuché a un hombre con barba de chivo y gafas diminutas hablando a la muchedumbre bajo un farol, era el bolchevique León Trotski, quien hablaba de la felicidad del hombre abstracto y del sufrimiento de los hombres concretos, y también hablaba Trotski, a quien algunos llamaban Leiba, de la sed de justicia y del fin de la explotación, y pensé cómo podía ser posible hablar de la eternidad a través de una boca efímera, porque ellos hablaban sin saberlo de la eternidad, los ídolos son caducos pero sus visiones pretenden ser perennes, todos hablamos de la eternidad, lo hacemos cuando admiramos un cuerpo hermoso de mujer o cuando recordamos a un ser querido que ya no está con nosotros, estamos de forma continua alargando el tiempo y eso es hacer eternidad, si algún día tengo un hijo le pondré de nombre Milcíades, y también esa ocurrencia mía será un gesto de eternidad. El ruso Vasili Kolesnikov, a quien todos llamábamos Basilio, se limpió una lágrima con la gorra de piel de raposo. Eneka le dijo, Basilio, eres un buen hombre, y él sonrió, se levantó y dijo, vosotros también sois buena gente, y a mí me acarició la cabeza con fuerza, como si la notara descolocada y quisiera ponérmela en su sitio, y me dijo, Nalo, te deseo una suerte grande en este trabajo que empiezas, y le dije, gracias, Basilio. Le pregunté a Eneka cuánto tiempo llevaba el ruso en las cuencas y me contestó, ocho o nueve años, llegó en un barco que encalló frente a la Punta de Socampos, tardaron varios meses en repararlo y para entonces ya Basilio se había enamorado de Blandine, una joven francesa que trabajaba en una taberna del barrio pesquero, se la trajo con él y vivieron su amor en una caseta que hay junto a la estación del ferrocarril, fue poco tiempo porque Blandine murió de tuberculosis, desde entonces Basilio la busca como un maníaco en los ojos de todas las jovencitas, y ahora, ya sabes, recoge recortes de metal en la fundición y con ellos fabrica cuchillos y otras herramientas, y a fe mía que lo hace mejor que nadie.

Eneka se incorporó, hizo con la mano el gesto de vámonos y dijo, basta ya de charlas y a lo nuestro, que te queda mucho que retener. Y con la historia del ruso Basilio en la cabeza comencé a ejercer junto al maestro Eneka aquel nuevo oficio de ayudante de jardinero que me habían ofrecido, gracias a la mediación de mi abuelo Cosme, los ingenieros belgas de aquel palacio azul que era más que un palacio y que hubiera merecido a su lado un río que no tuviera las márgenes sucias y las aguas negras, un río que fuera más que un río, como el Volga del ruso Vasili Kolesnikov.

TRES

Cuando volvió de su viaje el ingeniero Jacob, yo ya sabía algunas cosas del oficio de jardinero. Un mediodía de sol en que Eneka me enseñaba a preparar camas calientes con estiércol de cuadra para los semilleros, el belga se aproximó a nosotros acompañado de su mujer y le preguntó a Eneka, cómo va el mozo, y el jardinero se quitó la gorra, hizo una reverencia y le contestó, sin mirarle a los ojos, bien, señor Jacob, muy bien, aprende rápido y es muy voluntarioso, y entonces Eneka me miró y me dijo, anda, Nalo, diles a los señores el nombre de todas las flores que tenemos en este parterre, y me quité la gorra y la sostuve a la altura del vientre con ambas manos y dije, claveles, petunias, pensamientos de tres colores, fucsias, calceolarias, begonias, alhelíes encarnados, geranios y dalias, y me sentía como cuando le recitaba a don Silvano la lista de los hijos de Jacob. Así me sentía en aquel momento de vergüenza. La esposa del ingeniero Jacob, que se llamaba Sakia, dijo, bien muchacho, y esta palabra la pronunció rebozada en harina y saliva en su boca desmedida, y aplaudió dos veces con sus guantes blancos y dio un pequeño saltito, pero Jacob, que era algo más alto que su hermano Hendrik y tenía la cara surcada por dos arrugas profundas, me miró fijamente y luego apretó los ojos como cuando se siente un dolor muy fuerte y me dijo, falta un nombre. Estrangulé la gorra entre las manos y dije, Benjamín, porque aún tenía en la cabeza la escena en que don Silvano me preguntaba por los hijos de Jacob. Eneka y el ingeniero se cruzaron miradas perplejas, la del belga inquisitiva, la del jardinero de apelación, sin entender ninguno de los dos los motivos de mi respuesta. La planta que faltaba por nombrar era la primavera, cuyas semillas las había traído personalmente el señor Jacob de la ciudad belga de Gante, donde decía Eneka que había muchos invernaderos. Cuando le expliqué a Eneka por qué había pronunciado el nombre del último de los hijos de Jacob, sus carcajadas resonaron por todo el jardín, tanto que al instante llegó la señora Elvira limpiándose las manos en el mandil y llegó la señorita Julia aireando las flores de los arriates con su estrepitoso movimiento de caderas y también se acercó hasta nosotros el mayordomo Félix, a quien le brillaba en exceso su cara negra y curtida, y todos preguntaron, y Eneka, doblándose de risa y con los ojos redondos estrangulados de lágrimas, pudo explicarles la chanza. Rieron mucho y yo reí con ellos y fui feliz en aquel singular momento que se estaba desdoblando en varios momentos, fui muy feliz porque no sentía necesidad de pensar en algo preciso y porque todos juntos con nuestras risas estábamos violentando los hábitos del palacio azul de los ingenieros belgas y también sé que fui muy feliz porque la vida me pareció demasiado corta, y la felicidad de aquel singular instante se incrementó de pronto cuando la señorita Julia me dio la mano caliente y húmeda y la tomé con el mismo asombro con el que sujetaba las crías recién paridas de la gata de mi abuela Angustias para sacarlas del pesebre de las yeguas y ponerlas a salvo detrás de las pipas de la sidra, y sentí cómo la risa voluptuosa de Julia se me colaba en la bragadura y también vi sus pechos grandes mirándome fijamente y balanceándose ante mí como las campanas de la iglesia parroquial, y de pronto la felicidad inicial comenzó a desvanecerse pues ya sentía la necesidad de concentrar mi pensamiento y mi deseo en algo concreto. La señora Elvira dijo, silencio, el señor nos mira, y fue como si cinco caballos desbocados frenaran en seco, porque no era propio de los criados reírse de aquella manera en presencia de los amos, quienes, además de poseer los conocimientos, el dinero y las propiedades también disfrutaban del privilegio de ser felices en cualquier espacio y momento. Miramos hacia la entrada principal del palacio y allí estaba el ingeniero Jacob, quien hizo un gesto brusco de desconsideración hacia nuestro comportamiento, un gesto que a la vez debía de significar una llamada de atención y requerimiento para el mayordomo Félix, porque éste, con un visible temblor de rodillas, se dirigió presto hacia su patrón. Nos quedamos todos serios y Julia soltó mi mano, como si el hecho de habérmela tomado también hubiera supuesto descortesía hacia el patrón, y aquel momento feliz se partió en momentos tan diminutos y desconsolados que no nos sirvieron de nada. Eneka dijo, Nalo, vamos a terminar el umbráculo de los geranios, y Elvira dijo, vamos Julia a preparar el almuerzo de las señoritas.

Eneka me vio triste y por eso me preguntó, tú sabes cuántos hijos tuvo Jacob, y dije, cuál Jacob, porque había uno belga y otro israelita, y él dijo, cuál va a ser, el de la Biblia, el hijo de Isaac, y respondí que sí, que lo sabía porque lo había estudiado en el libro de Historia Sagrada, que había tenido doce, y él dijo, quiá, tuvo casi un centenar, y me habló de las mujeres de Jacob, de Lía la de los ojos tiernos, de la esclava Zilpá y de su legítima, Raquel, y me extrañó sobremanera que un simple jardinero supiera de aquel asunto de la historia tanto o más que el maestro Silvano. Mientas construíamos el umbráculo y Eneka me hablaba de la historia de Israel, yo sentía que aquel hombre grande y de ademanes blandos estaba abriéndome otra puerta al mundo, una puerta parecida a la que a veces me abría mi hermana Lucía cuando me explicaba los enigmas del cuerpo femenino y los escondrijos del amor o cuando me mostraba los singulares reclamos de las revistas ilustradas, y sentía que el lugar donde Eneka me estaba abriendo aquella puerta no era otro que el centro mismo de su propio corazón. Estábamos distribuyendo el estiércol fermentado en capas regulares y Eneka me hablaba del pueblo de los edomitas y de cómo Esaú había renunciado a la primogenitura en favor de su hermano Jacob a cambio de un exquisito guiso de lentejas, y a mí no me gustaban nada las lentejas, así que no entendí la postura del tal Esaú, aunque tampoco entendía muy bien qué importancia podía tener aquel asunto de la primogenitura. Seguimos preparando las camas de estiércol, humedeciéndolas y mezclando en ellas diferentes tipos de tierra, y la evaporación no producía olores agradables, pero me sentía bien porque me gustaba cómo Eneka me explicaba las historias. Me dijo, otro día te hablaré de las plagas, y dije, ya me hablaste de pulgones, merucos, cochinillas y milpiés, y él dijo que era de otras plagas de las que quería hablarme, de las de Egipto y de cómo entendía él que aquellas plagas podrían volver a repetirse, aunque con ciertos matices y algunas sustanciales diferencias, en definitiva ajustándose a estos tiempos y a la idiosincrasia de nuestra región, aquí también hay un pueblo oprimido y unos cuantos faraones que creen tener el poder de Dios, así me lo dijo él, y le pregunté por la palabra idiosincrasia, y me explicó que se trataba de una palabra vieja, un término viejo formado por el matrimonio de dos palabras griegas, *idios*, que significaba propio, y *sincrasis*, que quería decir temperamento, y entonces sospeché que aquel hombre grande y bueno, vestido de jardinero y sudoroso por el sol del mediodía y los vapores repulsivos del estiércol, escondía un secreto, un pasado enigmático para mí que necesariamente habría de explicar el hecho de que poseyera conocimientos tan amplios sobre asuntos diversos. Me paré un momento, me apoyé en la pala y le pregunté, Eneka, cómo es que sabes tanto, y él también detuvo su trabajo con el rastrillo, sonrió y me respondió, porque estuve casado con una de las nueve musas, estuve casado con Clío, que, al igual que las ocho restantes, era hija de Mnemósine y de Zeus, por eso, Nalo, es por lo que sé tantas cosas. Quedé perplejo porque no conocía a ninguno de cuantos había nombrado y porque no sabía si Eneka se estaba burlando de mí. Sonrió, me dio una palmada en la espalda y me dijo, anda, vamos a terminar con este apestoso trabajo para lavarnos e ir en busca de Elvira, a ver qué nos ha preparado para el almuerzo. Cuando nos lavábamos, Eneka me explicó que eso de que el trabajo ennoblece al hombre lo habían inventado unos señores ricos bebiendo buen vino y dejándose acariciar por hermosas señoritas, y que los ricos no acababan nunca de crecer porque había necesidades que ellos no sufrían, escaseces y penurias que no conocían y que eran las que hacían madurar a las personas, y también me dijo Eneka que por eso los hombres y las mujeres ricos se comportaban, tanto en la alegría como en la enfermedad, de la misma manera que los niños. La voz de Eneka era pausada y honda, y me parecía a mí que tenía su voz la misma naturaleza que el agua del pozo de los salgueros, donde mi hermana se bañaba desnuda al final de cada primavera, para rellenar sus poros con la fragancia y la luz que había en el remanso, al menos eso decía ella, siempre conmovida por la fantasía poética. Pues como aquella agua remansada y limpia se me antojaba a mí la voz del jardinero Eneka. Ante una pregunta suya sobre la felicidad le expliqué que a mí me hacían feliz las pequeñas cosas, tomar una sopa de pan caliente cuando hacía frío, ayudar a mi abuelo a pasar la bruza por el lomo de las yeguas, contemplar la crecida del río después de una tormenta, imaginar las tetas de la señorita Julia balanceándose en el campanario o encontrar con mi primo Alipio un nido de tordo repleto de huevos. Eneka me dijo, tienes buen corazón, Nalo, y quiero que vengas esta noche a cenar y a dormir a mi casa y que conozcas a mi hija Aida. La casa de Eneka estaba a una hora de camino, al otro lado del cordal. Aquél fue para mí un momento importante porque era la primera vez que alguien que no pertenecía a mi familia me invitaba a su casa, no sólo a cenar sino también a dormir, y me pregunté qué aspecto tendría la hija de un hombre tan bueno y que sabía tanto por haber estado casado con una musa, y sentí deseos de preguntarle por la edad de Aida, pero no me atreví a tanto. Así que fuimos hasta las cocinas a ver qué nos había preparado de almuerzo la señora Elvira. Eneka me dijo, esta tarde tenemos que transplantar las capuchinas, vamos a hacer que durante todo el verano los muros que dan a la fábrica estén cubiertos de capuchinas, y dije, bien, porque todo cuanto me proponía Eneka me parecía una aventura extraordinaria. Me explicó que las flores y las hojas de la capuchina podían comerse en ensalada, que tenían el mismo sabor que los berros y que favorecían el sueño, retrasaban la caída del cabello y hasta podían curar algunas malas infecciones del aparato urinario. Le dije a Eneka que entonces deberíamos sembrar capuchinas junto a todos los muros y no sólo en el que daba a la fábrica, y él se rió y me alborotó el cabello con su mano gigante, y fuimos hacia la parte trasera del palacio, para bajar por las escaleras de piedra hasta el sótano, que era donde estaban las cocinas. Eneka le preguntó a Elvira, qué tenemos para comer, y ella respondió, guiso de lentejas, y fue tal el ataque de risa que a Eneka y a mí nos provocó la respuesta de Elvira, que todos cuantos estaban en la cocina se quedaron serios y preocupados porque pensaban que nos habíamos vuelto locos.

Ya la luz se estaba desmayando cuando cruzamos el cordal. Por el cielo triste cruzó una parvada de cuervos, esos pájaros de mal agüero que volaban en círculo e iban cerrando los caminos. El pequeño grupo de casas y cuadras estaba apartado, escondido en una grieta de la sierra rocosa. El pueblo se llamaba Carcabal y Eneka me explicó que el nombre procedía de la palabra *cárcuba*, que por allí significaba zanja y también significaba límite, y aquel lugar estaba tan escondido que más que una aldea parecía un secreto, y me preguntaba qué podría hacer Aida viviendo en aquel secreto. La casa era de piedra y de una sola planta y por la chimenea salía una ringlera de ruedas de humo. Aida miró con sorpresa hacia la puerta y pude ver cómo sus ojos, que eran tan grises como un cielo oscureciéndose, relampagueaban y se abrían de par en par y también pude ver cómo su frente se fruncía y sus cejas se levantaban enunciando una pregunta. El pelo lo llevaba tan corto como un muchacho y vestía una camisa y un pantalón oscuros, igual que un hombre. Ella preguntó a su padre, quién es éste, y lo hizo en un tono recriminatorio, ofendida por aquella visita imprevista. Eneka dijo, pasando su brazo por encima de mi hombro, éste es mi amigo Nalo, y me indicó que tomara asiento junto al fuego, y yo sentía mucho calor, pero no era el calor de aquel fuego que ardía a mi lado, era otro calor diferente, el calor de la vergüenza por las miradas de Aida, quien se volvió bruscamente hacia la despensa en busca de unos platos para servir la cena, y dije, no quiero molestar, y ella se volvió de nuevo para mirarme y decirme, puede que sí molestes, y no me pareció una mujer como las otras mujeres que conocía, más bien la veía como un muchacho con cara de mujer. Aida salió de la casa en busca de unos leños para el fuego y esta situación la aprovechó Eneka para decirme en voz baja, siempre quiso ser un chico y yo también hubiera querido que lo fuera, por eso la eduqué como se educa a un hombre, pero debajo de ese aspecto de muchacho gruñón te aseguro que se esconde una criatura condenadamente femenina, y le pregunté a Eneka cómo era que su hija podía vivir en aquella aldea tan escondida, pero Eneka no pudo responderme porque ella entró en la casa, y más allá del umbral, antes de que Aida cerrara la puerta, pude ver un cielo del color de la tinta. Dejó los troncos en el suelo y me dijo, anda, haz algo, aviva el fuego para que terminen de cocerse las patatas, y puse un leño sobre la lumbre y arrimé el puchero a la brasa como ella me había pedido, y aquella circunstancia de obedecer a Aida hizo que me sintiera mejor. Mi amigo, el jardinero Eneka, hablaba sin cesar, aunque ni su hija ni yo parecíamos escucharlo, hasta que empezó a relatar el asunto de las voces, entonces sí que prestamos atención. Decía él que aquel pueblo estaba lleno de ecos, de voces de la tierra que andaban escondidas por los huecos de las rocas, que, si salías por las noches a caminar entre las casas y las cuadras, tenías la impresión de que un coro de voces te iba siguiendo los pasos, y que eran voces muy viejas y cansadas, voces que parecían crujidos del viento o gritos de la tierra, y también contaba Eneka que eran tantos los ruidos que se oían algunas noches que talmente parecía que una muchedumbre de almas anduviera penando por los caminos de Carcabal, y pensé que a mi hermana le hubiera gustado escuchar cómo se expresaba Eneka aquella noche, porque a mí me parecía la suya una forma de hablar tan precisa y tan emotiva como la que utilizaba Lucía. Aida le dijo, padre, esas voces únicamente las escuchas tú, y él replicó, tú no puedes escucharlas porque tienes unos oídos muy jóvenes, y luego dirigiéndose a mí me dijo, las oigo desde la muerte de Clío, ella había nacido aquí, en Carcabal, y cuando los médicos determinaron su enfermedad quiso venir, Aida tenía seis años, y aquí murió Clío, una de las nueve musas, como ya te dije, después de vivir unos años en el Olimpo, y aquí nos quedamos Aida y yo, sujetos a las voces que salen de la grieta. Yo no sabía entonces dónde estaba ese lugar al que Eneka llamaba Olimpo, pero supuse que en el tiempo de estancia en él estaría la explicación al secreto de su sabiduría. Aida sonrió al escuchar a su padre y lo hizo con mucho amor, cerrando algo los párpados, humedeciendo un labio con el otro y levantando ligeramente las mejillas hacia los pómulos, y fue aquella la primera vez que vi sonreír a aquella joven que tendría mi edad y que se peinaba y se vestía como un muchacho.

Durante la cena yo miraba repetida y fugazmente a Aida, mientras Eneka hablaba de los prodigios culinarios de la patata y de cómo ésta se había introducido en nuestro país procedente de América, y Aida también me miraba a mí de la misma manera, y en ocasiones se encontraban nuestras miradas, y no podía yo evitar el pensar en aquel día en que mi hermana Lucía me había enseñado su cuerpo desnudo en la nave que utilizábamos como granja, y, al igual que entonces, me fue subiendo a la cara una quemazón que no era consecuencia del sabor picante del guiso de patatas con jabalí, y, al igual que aquella vez frente a mi hermana, escuchaba el zumbido del cuerpo y me convertía en un ser torpe e indefenso, tan inútil y desvalido que cada mirada de Aida parecía tambalearme, tan perdido y tan incapaz que las palabras de Eneka no me parecían palabras sino ecos como aquellos que él decía que salían de las grietas de Carcabal. Tan arruinado me quedé en aquel momento, convertido en múltiples y difíciles momentos, que tropecé con la jarra del vino, que se fue al suelo por un golpe de mi mano inservible, y por intentar sujetar la jarra tumbé el vaso de Eneka y por querer apartarme del vino que se me caía encima desplacé el plato de patatas con jabalí y todo se precipitó con estrépito sobre el suelo y Eneka tumbó su silla por querer detener aquel desastre y Aida dejó escapar una carcajada que a mí me pareció violenta, un alborozo de risas entrecortadas que parecían salir de su boca al mismo ritmo que en las lanchas del suelo rebotaban los trozos de cristal y de barro. Sentí tanta vergüenza que mis ojos se humedecieron. Aida, al comprobar mi disgusto, guardó silencio y se arrodillo a recoger los restos del naufragio. Eneka, con su voz pausada y honda, dijo, carajo, Nalo, no te apures, aquí estamos en familia.

Nos sentamos los tres junto al fuego, Aida con las manos en los bolsillos y apoyada su espalda en un lateral del escaño, Eneka cortando las llamas con una verdasca y escurriendo el aguacero de su memoria y yo sufriendo en solitario mi vergüenza. El rumor de las palabras de Eneka empezó a correr sin rumbo por la sala, y su cuerpo gigante se estremecía cuando lograba atrapar algún recuerdo efímero para traerlo hasta nosotros reconstituido, y nos habló de cuando los hombres de Carcabal cazaban los jabalíes con las manos, tumbándolos y hundiéndoles una estaca en el corazón, y del miedo que Clío tenía a esos animales, y también nos habló del tiempo de la plaga de langostas, no la de Egipto, que de ésa nos advirtió que ya nos hablaría más adelante, sino de la que había asolado Carcabal, cuando el cielo se nubló de pronto y el campo de escanda y la plantación de maíz y hasta las matas de ortigas desaparecieron del paisaje y la claridad del día se quedó hecha una piltrafa, y del relato de aquella peste pasó a la narración de otra peste aún mayor, la peste del suicidio, cuando cinco hombres, tres mujeres y un niño, en el tiempo que va desde la Virgen de los Dolores hasta la fiesta de San Cosme y San Damián, doce días contados, se fueron quitando la vida uno tras otro, bajo el calor infernal de un viento del sur desconocido, siempre al atardecer, unos colgados por el cuello de los robles de la fuente, otros lanzándose desde la Peña Grande al roquero que llaman de las Ánimas, y el niño arrojándose al pozo de Tena, ésa sí que había sido una peste inexplicable, y a los pocos días ocurrió el desastre de Filipinas, y no es que una cosa tuviera que ver con la otra, pero las crónicas para su acomodo requerían cotejo de acontecimientos, y entre aquellos últimos soldados que resistieron más allá de la rendición había un vecino de Carcabal, y del relato de aquellas pestes pasó Eneka a describirnos su estancia con Clío en el lugar que él llamaba Olimpo, pero que no era otro, según más tarde pude comprobar, que un palacete de dos plantas, caballeriza, jardín y pradera con frutales, en total un terreno de media fanega, que la madre de Clío había heredado de un hermano que se había hecho rico con los negocios del carbón y la caña de azúcar en el estado mexicano de Coahuila, en una villa que llevaba el nombre de un presidente, entre los ríos de Sabinas y Salado, y ese tal lugar, llamado por Eneka Olimpo, andaba situado cerca del monte Calafigar de la Piñera y del Balneario de los Reyes. El fuego se iba consumiendo, pero las palabras de Eneka crecían en la penumbra, y Aida bostezaba, quizá porque ya eran muchas las ocasiones en que había escuchado a su padre contar aquellas historias, y yo sentía que la vergüenza iba saliendo de mí. Contó Eneka cómo había entrado a servir de jardinero en la hacienda del indiano y cómo había sucumbido al poder de la belleza de Clío, contemplándola sin pedirle nada, sin explicarle sus intenciones, mañana y tarde, y por las noches enroscado en las sábanas como un despojo humano, soportando el dolor de aquel amor imposible, cultivando para ella las flores más insólitas, narcisos del aturdimiento, vivaces aquilegias postradas como frailes bocabajo, androsemos sangre de hombre por encima de todo lo imaginable, rosetas de margaritas

gigantes, azules espadas de caballero, ramilletes de mila-
mores u orquídeas amarillas con olor a saúco, y todas las
mañanas y al final de cada tarde iba Eneka a entregarle a
su musa una de aquellas flores, como regalos dementes para expresar con ellos el amor que no se atrevía a confesar,
gracias, decía Clío, sólo decía eso, gracias, con la voz
aflautada por el recato, y se alejaba de Eneka juntando flor
y nariz en un acercamiento mutuo, sin expresar ni una sola letra del lenguaje de los sentimientos, y Eneka, ahogado
en sus anhelos, volvía a sus arriates, a sus parterres, a construir para ella glorietas de colores con arbustos recortados
en figuras expresivas y surtidores y terrazas y cascadas para el agua y grutas y escalinatas para las enredaderas, a re-
torcer y moldear setos y platabandas para conseguir im-
presionar a la dueña de la casa, ablandar su conducta fría,
cortés y distante, y cada palabra gracias de ella era para él
como una punzada en la sien, porque cada vez esperaba
algo más, siquiera una palabra nueva que acompañara al
gracias mil veces repetido. Un día, despejando las dependencias del sótano para habilitarlo como lavadero, encontró una vieja enciclopedia, y buscó la palabra Clío, y leyó,
una de las nueve musas, hija de Zeus y Mnemósine, inspi-
radora de la Historia, que vivía en alguna de las fuentes al
pie del Olimpo. Guardó Eneka los catorce tomos de aquella enciclopedia, cuya existencia nadie conocía, y se los
llevó a su casa, una espaciosa cabaña de piedra que él mismo había construido en vida de sus padres, en un lugar
que llaman La Cueva, y cada noche junto al fuego, desde
aquel día, el sueño lo alcanzaba viajando de palabra en palabra, navegando por los ríos más caudalosos de la tierra,
respirando el aire de las montañas más altas, regresando a
los orígenes de la humanidad para avanzar lentamente
por los más desconocidos arrabales de la historia, sintiendo
el pavor a lo desconocido, aprehendiendo cada conoci-

miento con la inquietud de quien teme que su imprudente curiosidad estropee el rumbo del universo, y muchas fueron las noches en las que el sueño no acudió a rescatarlo de sus andanzas por la enciclopedia o, si acudió, no consiguió su propósito, y hubo Eneka de acudir a su trabajo de jardinero sin haber dormido un sólo minuto. A los catorce meses y diecisiete días de haber encontrado los libros, se puso el traje de pana verde que había heredado de su padre y que sólo se ponía el día de Santa Bárbara para sostener una de las varas de las andas que portaban la imagen de la santa durante la procesión, él que no acababa de creer en Dios, pero que le había prometido a su madre aquella especie de ofrenda, pues así, vestido con el traje de pana verde y soportando en el corazón el peso de las andas de aquel amor imposible, se presentó en la casa del indiano de Coahuila, cortó un ramillete de las flores del cuco que levantó sobre su cabeza como si fuera una lámpara y el jardín estuviera a oscuras y esperó frente a la puerta principal a que Clío apareciera como cada mañana a buscar su flor.

Eneka detuvo su relato y me dijo, es tarde, Nalo, hablando y hablando ya estamos en la medianoche. Aida se había quedado dormida, apoyada en el escaño. Le dije a Eneka, pero quisiera saber qué paso, y él insistió, es tarde, tiempo tendrás de saber cómo sigue la historia, y tomó a su hija en brazos y, suavemente, como quien transportara a un herido, la llevó hasta su cuarto. Tú dormirás allí, me dijo señalándome un hueco cubierto con una cortina. Me sentía tan cansado que me tumbé sobre la cama sin quitarme la ropa. Al instante me quedé dormido.

Por los resquicios del ventano debió de entrar un ramalazo de viento proveniente de más allá de las grietas de los ecos secretos de Carcabal que esparció por el cuarto el rumor de una plegaria o melodía o queja de muchedumbre de almas penando, también llamada estantigua, una rogativa o cantar de gentío que imploraba al unísono por su destino, y era un coro tan considerable y tan armonioso y también tan distante que me parecía a mí, desde la ilusión de aquel sueño sobre hojas de maíz, que el universo entero estaba cantando, que cantaba la luna de ceniza que a veces se posaba sobre el palomar del palacio azul de los belgas, que cantaban las estrellas con nombre propio que a mi hermana Lucía le erizaban la piel y la hacían hablar como el personaje de un libro, que también cantaban las fuentes, las que había en los prados de Zalampernio, junto a la choza que el abuelo Cosme nos había construido a Alipio y a mí, las fuentes de Carcabal que brotaban de las grietas y las divinas fuentes del Olimpo, donde había vivido la musa Clío, y en la consonancia de aquel acervo de voces también estaba la de mi abuelo Cosme diciendo, el enemigo más temible está dentro del propio corazón, y era para mí su voz como un bálsamo dentro de la corrosión general del aquel rumor o quejido o plegaria, y la abuela Angustias gritó desde el refranero de su alma, voces no son razones, y todos aquellos sonidos que conformaban el coro del universo excitaban mi cuerpo como si hubieran quedado reducidos, por el mismo ramalazo de viento corrosivo que los había traído, al sonido de los pechos de la señorita Julia cuando se balanceaban ante mí como las campanas de la iglesia parroquial, y no sólo me sobresaltaban favorablemente, también me inquietaban por momentos porque en aquel coro distinguía yo las voces de los ingenieros belgas y de sus blancas esposas también belgas chillándole al mayordomo Félix órdenes imposibles, y aquella muchedumbre de ecos universal y distante se fue acercando más y más hasta confundirse con el rumor de las hojas del colchón donde yo seguía soñando, y escuché entonces muy cerca de mi nuca unas palabras que ahogaron todas las voces del sueño, Nalo, despierta, y después sentí una caricia suave en la frente, y otra vez la voz, Nalo, despierta, soy yo, Aida, y no sabía si estaba despierto o seguía soñando cuando abrí los ojos y vi la cara de Aida detrás de la llama de una vela que luego dejó sobre la mesilla. Se sentó en la cama y pregunté, qué quieres, y ella respondió, no lo sé, no podía dormir, y volví a preguntar, por qué no puedes dormir, y ella dudó, bajó la cabeza, giró el cuello ligeramente, tomó aire, suspiró y dijo, pienso, eso fue lo que dijo, pienso, y pregunté, qué es lo que piensas, y entonces me miró con violencia, igual que me había mirado la primera vez, y me dijo, pienso que estás aquí. Me incorporé, y todas las voces del sueño huyeron sobresaltadas. Le dije, si quieres puedes quedarte, y ella dijo, bueno, pero sólo un momento, y se sentó a mi lado. Sentí deseos de decirle muchas cosas, pero no sabía qué palabras elegir y el silencio se fue prolongando y también la quietud porque no había nada apropiado que decir ni ningún movimiento adecuado que hacer, y lo único que había era aquel silencio nuevo que tenía su propia energía y que por eso habría de permanecer para siempre en las memorias. Ella se acercó más a mí y apreté su cabeza entre mis manos y la traje hacia mí, y luego me tumbé y la tumbé a ella conmigo, y sentía su respiración agitada junto a la mía, y después de un tiempo ella dijo, espero que no te atrevas a nada más, y dije, estoy bien de esta manera, y ella dijo, gracias, y se acercó aún más a mí y me sentí grande en medio de otro momento feliz, tanto que no quise moverme, no quise volver a ahuyentar la energía de aquel silencio con ninguna palabra, no fui capaz de hacer nada más que aquello que estaba haciendo.

Con su cuerpo pegado al mío me sentía importante, quizá tan importante como el ingeniero Jacob cuando besaba a su esposa Sakia en el cenador de las buganvillas y se palpaba después el bigote con el dedo índice de la mano izquierda, mientras con la derecha sacaba el reloj del bolsillo del chaleco para mirarlo con igual trascendencia que si estuviera mirando la hora del fin del mundo, tan crecido me sentía con Aida acurrucada contra mi pecho inmóvil como mi hermana Lucía cuando paseaba por el camino del puente con su vestido de crespón y encajes con cintas de colores vivos y sombrilla malva desafiando al pueblo. Sus labios estaban cerca de los míos y entonces pensé que había llegado la hora de hacer aquello que los dos parecíamos desear, aquello que mi hermana me había explicado al detalle, pero Aida volvió a decirme, no te atreverás a nada más, me lo dijiste antes, y repliqué, siento necesidad, y ella continuó, lo sé, pero no es posible atreverse a nada más. En aquel momento hubiera querido disponer de un vocabulario dilatado y conveniente, como aquel que utilizaba mi hermana, una forma de expresión precisa como ésta de la que dispongo ahora, después de tantos años abarrotados de circunstancias, y lo hubiera deseado para decirle a Aida palabras que le parecieran nuevas, pero sólo supe decir, me gusta, eso fue lo que dije, esto me gusta, y hube de ser cauteloso y sujetarme la voluntad. Ella decía mi nombre, Nalo, y tenía la vista velada, como si los ojos se le hubieran llenado con el humo de la vela, y ya me disponía yo a besarla cuando se incorporó bruscamente, alisó su ropa, tomó la vela y me dijo, hay secretos que deben permanecer siendo secretos, y luego desapareció detrás de la cortina.

Cuando Eneka vino a llamarme, yo aún no había conciliado el sueño. Arriba, Nalo, que amanece, me dijo, y salté de la cama y fui tras él hasta la sala. Llenó dos tazones de leche y cortó dos rebanadas de pan. Me dijo, Aida ya partió, y pregunté, adónde, y contestó, arriba, al monte, con las cabras, y pregunté sorprendido, qué cabras, y entonces Eneka sonrió y me explicó que su hija tenía un rebaño importante de cabras, y que cuidarlas cada día era su trabajo, el que ella había elegido, que así había leche y carne y que el dinero que iba obteniendo con la venta de los cabritos lo guardaba para comprarse una casa en el valle, una casa como la que durante unos años había poseído su madre, y pensé que una mansión así costaría mucho dinero y que Aida tendría que vender muchos cabritos para poder conseguirla.

Cuando cruzábamos el cordal, un viento sur corría ruidoso sobre las espinas y las flores de las árgomas y cantaba al cruzar las copas de los abedules. Era la hora incierta, ese momento sin colores en que no es de día ni de noche y el cielo no termina de romperse y la tierra no quiere despertar, esa circunstancia en que ya los búhos, los cárabos, los autillos y las lechuzas han interrumpido sus ronquidos chirriantes, sus siseos, sus sordos reclamos y sus alarmas de pájaros traidores, pero aún no había comenzado el rumor de las rapaces, las estrofas nupciales del urogallo, los ásperos timbres de los córvidos o el concierto de los cientos de pájaros cantores. Sobre las casas que salpicaban los collados que bajaban al valle humeaban los primeros fuegos en el cielo, un humo tan tierno que no se sabía si era azul o blanco, y por el camino flotaban cordeles de niebla, gasas errantes de vapor que se escondían en las orillas, huyendo sin duda del sueño de la noche y del sobresalto de la luz del día. Eneka me dijo, mira, Nalo, éstas son hierbas de San Juan, son buenas para cicatrizar las heridas, y vi muchas plantas de aquella especie con sus flores amarillas, unidas por telas de araña cubiertas de rocío. Más adelante me dijo, éstas son madreselvas, las flores calman la tos y los frutos provocan vómitos y favorecen la eliminación de la orina, y tomé una de aquellas flores y la acerqué a la nariz y su aroma me recordó a las infusiones que tomaba la abuela Angustias. Cuando entramos en el valle, el resplan-

73

dor de la luz se levantó de pronto y temblaron las siluetas de los montes, las alondras erizaron sus crestas y levantaron el vuelo, estallaron los reflejos del río y cantaron todos los pájaros ocultos, y pensé que aquello que me rodeaba no sólo era una forma o configuración de las cosas y las sustancias, sino también una expresión, una forma de lenguaje que me estaba comunicando algo. Eneka dijo, es completamente de día, y ya todo estaba lleno de brillo. Y así llegamos frente a los portones de hierro del palacio azul de los ingenieros belgas.

Íbamos hacia la caseta de jardinería cuando llegó la señora Elvira. Traía en la cara el espanto de la calamidad. Me dijo, Nalo, vete a casa, que tu madre no está bien, y la felicidad con la que había llegado aquella mañana al palacio empezó a desbaratarse en pedazos. Miré a Eneka y éste me indicó, anda, vete, que no será nada, y me dio una palmada en la espalda.

A mi madre la llamaban Nata, pero no porque tuviera la piel blanca como la leche, que la tenía, tanto que por las noches su cara resplandecía en la oscuridad, sino porque había nacido el dieciséis de marzo, festividad de Santa Natalia, y mi abuela Angustias había decidido ponerles a todos sus hijos el santo del día de su nacimiento. Mis abuelos maternos tuvieron tres hijas y un hijo. La primera había nacido el diez de junio y por eso se llamó Margarita, una mujer que yo recordaba con los ojos encarnizados y la cabeza llena de tubos de madera para rizar el pelo. Se casó con un castellano oscuro que iba por los pueblos con un cajón a la espalda vendiendo elixires estomacales, fajas de caucho para adelgazar, cuchillas para los afeitados y calcetines de viaje, hasta que emigraron a la ciudad mexicana de Juanacatlán, en el estado de Jalisco, con el dinero que les había tocado en una rifa, eso era lo que ellos decían, aunque la gente dio por hecho que Mauricio, que así se llamaba el castellano, había encontrado una cartera perdida por un tratante con el dinero de la venta de una partida de ganado. Por Navidad mandaban postales con fotografías de ríos y cataratas. En el pueblo dejaron una duda que nunca se podría resolver y un hijo, mi primo Alipio, que prefirió quedarse a vivir con una hermana soltera de su padre que se llamaba Fe y que regentaba una tienda donde se vendía de todo, desde bacalao en salazón hasta piedras para afilar las guadañas. La segunda hija de mis abuelos había sido mi madre, quien siempre había permanecido a su lado, pasando de puntillas por el ineludible universo de los refranes de la abuela y soportando los comportamientos excéntricos del abuelo. El tercero había sido Urbano, único varón, que llevaba ese nombre por haber llegado al mundo el último día de octubre, amarillo como el maíz y con un defecto físico, una pierna más corta que otra. Aprendió el oficio de zapatero y en él trabajaba, bien instalado, en la capital de la provincia, donde se había casado con Matilde, una mujer grande, que pertenecía a una familia influyente y hacía muy bien los pasteles milhojas y cantaba zarzuela. Cuando alguno de la familia nos acercábamos a la ciudad, siempre íbamos a visitarlos y nos sacaban los milhojas y un vino dulce que decía ella que era el mismo con el que consagraban los canónigos en las misas de la catedral. Tenían una hija de mi edad que se llamaba Sabina y también era grande y hablaba sin gestos y con los ojos fijos en el suelo y tocaba el piano. La más joven de las hijas de mis abuelos vivía desde los diecisiete años en el monasterio benedictino de San Pelayo, del cual nunca había vuelto a salir. Profesó con el nombre de sor María de la Adoración y yo la había visto un par de veces, detrás de los barrotes, con la piel aún más blanca que la de mi madre, la voz apagada y lejana y unos ojos atónitos que miraban sin pestañear. El abuelo nunca quiso visitarla y jamás hablaba de ella. La abuela Angustias rezaba rosarios por su hija Lea, que éste era su nombre de pila, y encendía velas a San Benito, quien, según ella, había sido el santo patriarca protector de monjes y monjas. Así pues, mi madre tenía una hermana monja y otra en México, que era como no tener hermanas, y quizás ésa fuera la razón de la adoración que sentía por su hermano Urbano, y de no haber entrado yo a servir de jardinero en el palacio de los belgas ella me habría enviado con mi tío a la capital para que aprendiera el oficio de zapatero.

Y ésta era la familia de mi madre y en ella iba yo pensando camino de la casa. En el puente me encontré con mi hermana. Me abrazó llorando y me dijo, madre se muere, Nalo. Llevaba un vestido gris, el cabello suelto y unas alpargatas blancas, y me pareció más insignificante que cuando paseaba con sus vestidos de muselina de seda o de alpaca, más real, más hermana, y apreté fuerte su cabeza contra mi pecho y luego cogí su mano y así la llevé hasta la casa, y recordé aquel día después del entierro de nuestro padre cuando, después de desnudarse por completo, se sentó exhausta sobre la cama y clavó su mirada en las manchas del cielo raso, por eso le dije, han ocurrido muchas cosas desde la muerte de padre, y ella me miró con los ojos llenos de lágrimas y me dijo, quiá, Nalo, para lo que habrá de pasar todavía no ha pasado casi nada, y no entendía lo que quería decirme, por eso insistí y le dije, tú te casaste y te quedaste viuda y yo entré a trabajar en el palacio de los belgas, y Lucía se detuvo, me miró abatida por una impotencia que yo tardaría varios años en entender y me dijo, escúchame, madre se está muriendo sin haber conocido más que trabajo y amargura, sin saber nada de la felicidad, y sabes por qué, porque nunca creyó que tuviera derecho a ella, y ese argumento nos lo quiso imponer a los demás, y de padre, qué te voy a decir, ya sabes cómo murió, y el abuelo Cosme se niega a luchar, pudo hacerlo un día, pero no sabemos la razón por la que renunció, quizás haya que buscarla en los tiempos de sus ausencias, esos días en los que desaparece diciendo únicamente, no tardaré en volver, y a veces tarda un día y a veces una semana, y a la vuelta siempre comenta, veo que continuáis aquí, y nadie se atreve a preguntarle porque sus respuestas acaban lastimando a quien las pretende, y también puede ser que no entendamos su lucha, y ahí anda, borracho de anís y esperando en silencio la llegada de una revolución extraña que sólo él es capaz de interpretar, y sobre la abuela Angustias poco hay que decir porque vive sin existir, como uno de los árboles del patio, y hasta esa forma suya de hablar con refranes denota su falta de advenimiento, es como si viviera para hacer lo que ya estuviera escrito en alguna parte, y tú, Nalo, qué quieres que te diga, no quisiera desanimarte, pero estás sirviendo desde que te levantas hasta que te acuestas a unos señores que representan el ahogo y la tiranía, y yo, querido hermano, me pudro en este asqueroso pueblo de fantasmas y me estoy quedando sorda y sin voluntad. Y Lucía se echó a llorar de nuevo y arrimó su cara a mi cuerpo y se me acurrucó toda ella buscando alguna protección, y yo sentía que debía protegerla y defenderla contra todos los males del mundo, porque poseía toda la sabiduría y yo no iba a permitir que nadie le hiciera daño.

Nunca había visto al abuelo tan borracho, exhalando eructos como estertores fúnebres, con la baba arroyándole por la barba gris, los círculos de carne blanca entre los pantalones y los calcetines de lana como dos esposas que lo ataran al suelo, con una mano sujetando la botella de anís y con la otra luchando debajo de la camisa por sostener los golpes que le anunciaban una nueva adversidad. Ni siquiera nos vio entrar. Tenía la silla arrimada a la pared de los azulejos y movía una y otra vez la cabeza contra ellos, como si quisiera repetir hasta la muerte alguna vieja e inevitable pregunta. Y aquello que yo estaba viendo también era la expresión de un sentimiento, como la confianza de Eneka o como los lamentos de mi hermana Lucía, y pensé que los sentimientos eran preguntas repentinas e incontestables, que no había respuesta para ningún sentimiento, fueran esperanzas, odios, reniegos, amores, ambiciones o anhelos viejos, y que algunas emociones eran señales de humo, asomos inútiles en el cielo oscuro que no encontraban el objeto merecido. Lloré, pero no por mi madre, como ellos pensaron, sino por mi abuelo, por aquella imagen del abuelo Cosme naufragando en un mar de olas grandes, zarandeado entre la esperanza y la desesperación, reclamando una respuesta que tal vez nunca viniera a rescatarlo, y me pregunté qué secreto guardaba aquel hombre en su memoria, qué pensamientos habrían cambiado tan drásticamente el rumbo de su vida, por qué desde la nada había llegado a obtener el título de capataz con tanto esfuerzo para luego, una vez alcanzado el éxito, abandonarlo todo y dedicarse a criar caballos. La abuela humedecía unos paños en agua fría para la frente de mi madre. Al vernos dijo, con su voz de gorrión, la salud es lo que no se pega, que las enfermedades hasta se heredan, y Lucía preguntó, cómo está, y ella respondió, hija, revive el candil cuando se quiere morir. Y lo que mi abuela expresaba también era un sentimiento, la catástrofe reducida a un formalismo del lenguaje.

Me acerqué a mi madre para besarla, pero me dijo con la voz muy débil, quieto, Nalo, no te vaya a pegar el mal, y no la besé, pero sí acerqué mi cabeza a su cuerpo y puse mi mano en sus manos. Su frente ardía y su piel soltaba un vapor lívido que olía a cebollas en vinagre. Mi hermana se acercó, y mi madre intentó incorporarse para gritarle, me dijeron que otra vez te bañaste desnuda en el río, so zorra, hija del demonio, vete de mi vista, malnacida, y siguió gritando, aunque con la voz cada vez más débil y ronca, hasta que dejó caer la cabeza en la almohada y sólo movió los labios. Estaba en el lecho de muerte y mostraba su desacuerdo con mi hermana hasta el final, por eso lo sentí todo muy desconcertante, y mi abuela gritó, hija, y mi hermana dijo, madre, y yo murmuré, Dios, y mi madre estornudó, quizás el polvo acumulado de algún rencor, y luego quedó flotando en un espacio de inconsciencia, pero moviendo los párpados, con sus ojos sin brillo aferrados a una vida en la que había dejado de creer desde la muerte de mi padre, y quise buscar algún recuerdo bueno que tuviera de mi madre y sólo conseguía imaginarla vagando sin rumbo por la casa, gimiendo y empujando las cosas, gritándoles improperios a las gallinas en el patio, enloquecida por algún dolor que nunca nos había querido confesar, y una imagen se apoderaba en mi memoria de todas las demás, mi madre en el corredor la tarde del entierro de mi padre escarbando con sus uñas en la tierra de los geranios.

Mi madre murió en el mes de mayo, lo recuerdo bien porque terminaba la siembra del maíz y los tordos llenaban los nidos de huevos, y también recuerdo que fue en mayo porque un día de aquel mes mi primo Alipio y el ruso Basilio me llevaron a escuchar un discurso de Manuel Llaneza, y llegué a casa con un labio reventado y, cuando llegué, mi madre ya estaba muerta. El líder del Sindicato Minero tenía un bigote parecido al de los ingenieros belgas, aunque el de él no miraba hacia el cielo sino que apuntaba hacia la tierra. Vasili Kolesnikov decía que el bigote de Llaneza era como el de León Trotski, aquel célebre bolchevique que él había visto arengando a la muchedumbre el día que mataron a su padre, sin embargo, explicaba Basilio que en lo referente a las ideas de ambos políticos ha-

bía notables diferencias, por no decir inconciliables des-
avenencias, a pesar de que los dos, cada uno en su geografía particular, anduvieran enarbolando el estandarte de la
rebelión y echándole bendiciones a la eternidad. A mí me
hubiera gustado tener allí a mi hermana Lucía para preguntarle por las palabras que decía Llaneza y que yo no
entendía, porque mi primo Alipio estaba tan emocionado
que a mis constantes preguntas, qué quiere decir, sólo respondía, pues eso, quiere decir eso, lo que él dice, y al ruso
ya nada le podía preguntar, porque se había aproximado a
la hija del practicante Patricio, la niña Angélica, que andaba entre la multitud enarbolando también un estandarte, éste menos político y más carnal, el de la rebelión de
sus pechos de pera zumosa y de sus labios en exceso y de sus
caderas de niña de rompe y rasga, de digo y hago, de quien
lo quiera mejor que lo pinte, que éstos no eran proverbios
ni aquellos atributos que acomodasen sin sospecha en el
cuerpo de alguien que aún no había cumplido los catorce
años y que por tanto niña debía considerarse, pero la tran-
sición de niña a mujer, en aquel caso, no se había producido con moderación y pacífico traspaso de poderes sino a
través de una revolución brusca y arrebatada, como ya
quedó explicado, y así era esto con respecto a Angélica, al
menos así lo veía yo, y la verdad y la mocita desnuditas, como hubiera dicho mi abuela Angustias, y aquí el refrán tenía dos vertientes, como la misma revolución o como el río
Volga o como la propia hija del practicante, vertiente niña
y vertiente mujer, en la primera se perdía el ruso buscando
a la francesa Blandine cuya muerte lo había dejado incom-
pleto, en la segunda entraba como cualquier hombre bio-
lógicamente necesitado, y a una y a otra vertiente se andaba el ruso asomando aquel día del discurso de Llaneza,
aprovechando las apreturas y los embelesos de la multitud, por lo cual, no podía yo pedirle aclaraciones sobre

palabras y conceptos que salían de la boca de don Manuel y que yo no conseguía entender. Él nos pedía tesón a los trabajadores para realizar alguna obra singular y misteriosa que se nos había encomendado, y yo le preguntaba a Alipio, qué obra, y él respondía, pues ésa, la obra, cuál va a ser, y también decía el diputado de los obreros que debíamos tener serenidad y disciplina para vencer los obstáculos que nos íbamos a encontrar en el camino que había que recorrer, y yo le preguntaba a Alipio, de qué camino habla, y él me decía, pues del camino de la revolución, de cuál va a ser, y seguía don Manuel diciendo que no cabía forjarse ilusiones, que no serían realizables, y entonces yo pensaba que cómo iba a llevarse a cabo una revolución sin ilusiones, y él seguía hablando para decir que la ecuanimidad había sido hasta la fecha la peculiar característica de los mineros y que no tendría sentido que no existiera en los momentos en que era más precisa para hacerla reflejar en un cambio de situación, en una mejoría de las condiciones de vida en todas sus más amplias manifestaciones, y entonces pregunté si eso quería decir que había que consentir con la dictadura de Primo de Rivera que estábamos padeciendo, y mi primo Alipio me miró y no tuve tiempo de interpretar su mirada porque el puño de uno de los asistentes tropezó contra mi cara y me tumbó al suelo. Así que llegué a casa con un labio reventado por no haber entendido las palabras del socialista Manuel Llaneza y la casa estaba llena de velas encendidas y también estaba llena de llantos y comprendí que se había muerto mi madre.

La enterraron junto a mi padre. Fue un mediodía difícil, por la lluvia y por el viento y porque siempre es penoso y turbio dejar bajo la tierra a los seres que quieres sin que hayas tenido tiempo de imaginarlos sin vida. El funeral fue celebrado por el anciano párroco Belio en un latín mortecino parecido a los ladridos de los perros enfermos, y entre responso y responso nos advertía con voz febril que la muerte no era la mayor zozobra de la humanidad, que los mayores tormentos estaban aún por llegar, y me pregunté si aquello a lo que se refería el cura Belio tendría que ver con la premonición de Eneka sobre la repetición en nuestra tierra de las siete plagas de Egipto. Don Belio dio la espalda al sagrario, cerró los ojos y, golpeándose con el puño a la altura del pecho, comenzó a rezar el yopecador, y lo hizo una y otra vez, hasta que su puño se quedó colgando y el rezo se convirtió en un murmullo indescifrable. Uno de los monaguillos le tiró de la casulla para despertarlo porque creyó, al igual que todos los asistentes, que se había dormido, y entonces levantó la cabeza, abrió unos ojos llenos de lágrimas y gritó, dirigiéndose al acólito, no jures, pecador, nunca se interrumpe una conversación con Dios. Sobre el ataúd había una gran corona de flores de todas las especies y colores que había compuesto Eneka con ayuda de Julia, de Elvira y del mayordomo Félix. Al funeral asistieron, desde unos reclinatorios tapizados que llevaban sus nombres, los ingenieros Hendrik y Jacob y la señora Sakia, faltaba la señora Geertghe, ella nunca salía del palacio y en el pueblo se decía que estaba loca, que su razón se había trastornado al no haber sido su cuerpo capaz de engendrar un hijo. Quienes estábamos en el primer banco pudimos oír, cuando el cura Belio reprendió al monaguillo, que la belga Sakia le decía a su esposo, habrá que ocuparse de este hombre, porque era también asunto que enseñoreaba sobremanera a los ricos y poderosos el de meter la hoz en las mieses eclesiásticas. Al finalizar la ceremonia, los belgas me dieron su más sentido pésame y el ingeniero Hendrik me encomendó que trasmitiera sus condolencias más sinceras a mi abuelo Cosme, quien había bebido tanto anís durante el velatorio que no fuimos capaces de recuperarlo para que asistiera al funeral. Con los ojos irritados por la fatiga y la barba endurecida por las babas de anís miraba hacia el techo de la cocina, mientras la abuela Angustias lloraba repitiendo refranes, dolor y desgracia para quien los pasa, que en cada familia hay un Judas y la mejor almohada es una conciencia tranquila y yo llevo el diablo a las espaldas.

Aida asistió al entierro de mi madre y fue aquélla la segunda vez que la vi, cogida del brazo de su padre, vestida de mujer, con una almilla de mangas ajustada a los pechos con cordones de lana, saya de mandilete, esclavina con adornos de terciopelo y un pañuelo de campanillas colocado en forma de velo, todo negro, y me pareció una Aida distinta a la que yo había conocido la noche de los secretos. Mi primo Alipio, camino del cementerio, me golpeó con el codo y me preguntó, te fijaste en esa moza, y le dije, claro, es la hija de Eneka, y él exclamó, tienes que presentármela, y le dije, ahora cállate. Seguía lloviendo, aunque había amainado el viento. Después de que el cura Belio recitara los responsos y el enterrador cerrara la tumba, Aida y Eneka me abrazaron y les presenté a Lucía, y Aida besó a Lucía, y me sorprendió la manera como Eneka saludó a mi hermana, llevando hasta su espalda la mano izquierda, con la que sujetaba la gorra, y tomando con la derecha la mano de ella para besarla, pero sin llegar a besarla, e inclinándose a la vez en una reverencia elegante que no me pareció propia de un jardinero, aunque al instante pensé que él no era un jardinero cualquiera, que era un hombre muy sabio que había estado casado con una de las nueve musas y que seguramente por esa razón tenía aquella forma singular de saludar a las mujeres. Ni que decir tiene que la satisfacción de mi hermana por aquel detalle de Eneka fue grande y que su cara se transformó, que de ella desapareció el gesto de gravedad propio del entierro de una madre para dejarse ocupar por la misma expresión de asombro y fascinación con la que miraba en las revistas las imágenes de los espectáculos teatrales o las noticias de los ecos de sociedad, y estaba yo seguro en aquel momento, el cual, más que en ninguna otra ocasión era a la vez varios momentos, que mi hermana sentía que en el aire del cementerio, cerca de las tumbas de nuestros padres, los dioses del azar, en los que casi había dejado de creer, estaban escribiendo para ella un nuevo y maravilloso poema. Eneka le dijo a Lucía, no exageró su hermano al decirme que es usted muy guapa, le doy mi más sincero pésame y siento conocerla en tan desgraciado momento, y Lucía levantó mejillas y nariz y bajó las cejas y dijo, qué, y yo le hice un gesto a Eneka llevando mi dedo índice al oído para advertirle sobre la relativa sordera de mi hermana, y entonces él, sin soltarle la mano, se acercó más a ella y levantando la voz volvió a repetirle las mismas palabras. Lucía apreció algo bueno en los ojos de Eneka y sonrió y le dijo, gracias, tampoco Nalo se equivocó al decirme que es usted un hombre especial. Me sentí muy feliz por aquel encuentro que estaba teniendo lugar en el cementerio, porque allí estaban juntos y vivos los seres que me importaban, y estaban dos veces vivos porque estaban al lado de los muertos, y la lluvia que caía sobre nosotros no era lluvia sino agua bendita, y pensé que sería muy hermoso y también muy reconfortante que el amor nos sobreviviera, que fuese una fuente de energía que permaneciese después de la muerte. Lucía invitó a Eneka y a Aida a pasar por nuestra casa para comer unas pastas y tomar una copa de vino dulce, porque era costumbre que antes o después de los entierros las personas de confianza pasaran por las casas de los difuntos a dar el pésame a la familia y ésta les expresara su agradecimiento sirviéndoles dulces y bebidas.

Eneka y Lucía se apoyaron en la baranda del corredor y observaron cómo llovía, y unas veces miraban la lluvia y sentían juntos el olor de la tierra encharcada y otras se miraban ellos para reconocer cada uno, en los ojos del otro, alguna sensación o algún movimiento que reafirmara el alcance de aquel momento. Según me contó mi hermana más tarde, hablaron de muchas cosas. Lucía le habló a Eneka de la locura de sus ilusiones, del teatro, de la aversión que le causaban el conformismo y la resignación, de la magia de la poesía y de la satisfacción que suponía para ella poder hablar con un hombre culto y educado. Eneka le dijo a mi hermana que las ilusiones no son nunca síntomas de locura sino de salud física y mental, y le habló de jardinería y de historia, y le explicó que había estado casado con Clío, una de las nueve musas, y mi hermana sentía muchas ganas de reír, pero no podía hacerlo porque estaba en el día del entierro de nuestra madre, y se contenía, y Eneka le dijo que ella podría ser también una de las nueve musas, quizá Calíope, protectora y animadora de la poesía épica, o Erato, a quien correspondía la inspiración de la poesía erótica, o bien Euterpe, salvaguarda de la poesía lírica, y mi hermana se emocionó mucho con aquellas palabras de mi amigo Eneka, el jardinero del palacio azul de los ingenieros belgas, y le dijo, me quedo con Calíope, porque me gustan las aventuras, y en aquel corredor, frente a la lluvia de mayo, la tarde del entierro de mi madre, era como si el mundo entero fuera flores y miradas y palabras amorosas. Desde aquel día, mi hermana, para el jardinero Eneka, fue Calíope, una de las nueve musas.

Mientras esto ocurría en el corredor, Aida y yo pasábamos aquella hora sentados cerca uno del otro junto al ventanal de la sala, comiendo las rosquillas de anís que nos ofrecía la abuela Angustias. Después de un largo silencio me preguntó, qué te pasó en el labio, y se lo expliqué, y ella dijo, ponte unas compresas de árnica, y después de apurar otra rosquilla de anís me preguntó, piensas en lo de aquella noche, y dije, a veces, y volvió a preguntar, qué quiere decir a veces, y aclaré, que unas veces lo pienso y otras veces no lo pienso, y ella continuó preguntando, y las veces que lo piensas qué pasa, y dije, qué pasa de qué, y me miró para que yo también la mirara y me sujetó a ella sin necesidad de tocarme, como te sujetaba el abismo de Peñamera cuando te asomabas a él, y me aclaró, que qué es lo que te ocurre cuando piensas en aquella noche, y sólo dije, pienso que estuvo bien, eso fue lo único que fui capaz de decir. Mi abuela nos trajo una copita con vino dulce, y lo tomamos de un solo trago porque las copas eran muy pequeñas, y Aida me preguntó si echaría de menos a mi madre, y le dije que bueno, que seguro que en algunas cosas sí, pero que como estaba mi abuela no lo iba a notar tanto, y que otra cosa hubiera sido si yo fuera un niño y que además también tenía a mi hermana Lucía, y entonces Aida me habló de su madre, de los pocos recuerdos que tenía de ella y que ya no sabía bien si eran recuerdos propios o transmitidos por las palabras de su padre. Me contó que su madre tenía mucho miedo a los jabalíes, ya que en Carcabal bajaban muchas piaras por las noches a rondar por el pueblo, y que también les tenía mucho pánico a los fantasmas de los muertos, y que sin embargo no temía la llegada de su propia muerte. Una vez vendida la casa del pariente mexicano, Clío fue a refugiarse en la casa de sus padres porque creía que aquellos paisajes le iban a traer consuelo, y así había sido al principio, pero, a medida que su enfermedad avanzaba, su preocupación crecía y también su infelicidad, no por la llegada inminente de la muerte, sino por su debilidad y por los excesivos cuidados a los que la obligaba el mal. Eneka le daba masajes a Clío en los brazos y en las piernas y en el cuello constantemente para que no se le hormigueara la carne y mitigar de esa manera el dolor. Aida me contó que, aunque era muy niña, recordaba de forma nítida el momento de la muerte de su madre. Clío había despertado aquella mañana muy feliz porque durante la noche no había sentido ningún dolor y el fin de los dolores había borrado de su rostro todas las arrugas y todas las manchas que el tormento de tantos meses había dejado en ella. Se lavó sola, desayunó con hambre y luego les dijo, hoy quiero que salgamos los tres a tomar el sol, y eso fue lo último que dijo porque se desplomó sobre las piedras de la cocina. Aida se quedó pegada contra la pared, presa del pánico, observando las pupilas vidriosas de su madre, que ya no miraban a ninguna parte, y Eneka lloró tanto que las lágrimas arrasaron su rostro y gritó tanto que no sólo acudieron los vecinos de Carcabal sino también los cazadores que pateaban el cordal y sufrió tanto que se arrancó los cabellos a puñados. A mí me gustaba escuchar a Aida porque su voz era caliente y me hablaba lento y cerca. Me dijo, mi madre era una dama, vivió en París y en México, educándose, gracias al dinero de su tío, en los mejores colegios. Y también me dijo, mi padre tuvo que estudiar mucho para casarse con mi madre, y entonces le pregunté, y cuánto habrá que estudiar para casarse contigo, y enrojeció y dijo, yo no soy ninguna musa, y no pude seguir hablando porque entraron en la sala mi tío Urbano, el zapatero, y su mujer, Matilde, que habían asistido también al entierro, y me abrazaron y conversaron conmigo y Aida fue en busca de su padre. Y así fue como transcurrió aquel día singular de la muerte de mi madre, que ocurrió en el mes de mayo sin que el sol apareciera por el cielo.

CUATRO

Mi cuerpo dio el último estirón a causa de unas fiebres que me atacaron la garganta y me postraron en cama, fiebres que mi abuela combatió con un tratamiento a base de gargarismos de salvia y orégano, infusiones de tusilago y tisanas de primavera, aquella planta que yo no sabía nombrar y cuyas semillas había traído el ingeniero Jacob de la ciudad de Gante, a la que tanto él como su hermano viajaban con frecuencia, él a veces lo hacía con su esposa Sakia, su hermano siempre solo porque la señora Geertghe se resistía a salir del palacio, sus períodos de lucidez cada vez eran menos frecuentes y, o bien permanecía encerrada en su dormitorio gritando improperios a los criados en la lengua de su país, o bien salía a pasear por el camino de la casa de los sauces acompañada de sus perros a los que, con un mimo digno de la mejor de las madres, alimentaba pacientemente y enseñaba comportamientos afectivos. En una ocasión en la que ella andaba moviéndose a tientas entre los enebros, me dijo, se te está estirando mucho el cuerpo, disfrútalo, que no se vaya de este mundo como vino. Ella me estaba mirando, pero no parecía que hablara conmigo. El tiempo iba marcando sobre mi cuerpo un compás irregular, a veces incluso grotesco, y yo tenía la sensación de que mi crecimiento no era proporcionado, pero las lisonjas poéticas de mi hermana, los devotos cuidados de mi abuela y, sobre todo, nuevas dosis de un tiempo de vértigo que todo lo sahumaba y cuyo transcurso arrebatado me provocaba espeluzno, lograban distraerme de mi discordia interior. Alcancé la altura del jardinero

Eneka, un metro y setenta y nueve centímetros, y en mi cara la barba se hizo más espesa, tanto que cada tres o cuatro días me veía obligado a afeitarme con la navaja del abuelo. Mis cabellos, que se habían vuelto negros como el carbón, también crecían deprisa, y, una vez al mes, acudía a casa del practicante, el señor Patricio, que también era barbero y veterinario y escribía obras de teatro y publicaba necrologías de personajes ilustres en el periódico *El Noroeste*. Mi hermana Lucía decía de lo que escribía el señor Patricio que era ordinario, anodino, lardoso, espeso y muchos adjetivos más, y no me parecía a mí que una inofensiva comedia o la semblanza de algún célebre fallecido pudieran dar lugar a tal profusión de calificativos, pero mi hermana era así de extremada con el lenguaje y a mí me servían sus desmesuras para aprender nuevas palabras. Lo cierto es que el señor Patricio puede que fuera un mediocre con la pluma, pero en lo referente al manejo de las tijeras yo estaba muy satisfecho con su trabajo, y salía de su casa aseado y contento, y llegaba a la mía silbando y la abuela Angustias me recibía sonriente y me decía, qué guapo te dejó Patricio, Nalo, y luego añadía alguno de sus refranes, lo hermoso a todos da gozo, más puede la hermosura que billetes y escrituras, cuerpo bien hecho no ha menester capa, y lisonjas por el estilo, y a mí me gustaba que mi abuela me mirara de aquella manera tan cariñosa. A menudo me dolían los huesos, sobre todo en los días de lluvia, y ella me ponía cataplasmas de mostaza negra y me preparaba cocimientos de harpagofito, que era una planta a la que Eneka le tenía mucho aprecio y que vestía flores púrpura intenso y frutos barbudos que parecían garras del diablo, pero ni con la mostaza negra ni con los harpagofitos se me quitaba el dolor de los huesos. El ruso Basilio, sin embargo, no era amigo de emplastos y sinapismos y decía que el trabajo de jardinero, por el tiempo que se permanecía agachado y con la espalda encorvada, provocaba el desarrollo de algunos músculos y la atrofia de otros, para lo cual, decía él, lo mejor era la natación, nadar a menudo un buen rato, y yo le decía, pero si no sé nadar, y se ponía serio y firme y se daba un golpe en el pecho y decía, aquí está Vasili Kolesnikov para enseñarte, pero allí no teníamos un río limpio y caudaloso como el Volga y el mar estaba lejos, así que no había espacio ni circunstancia que facilitase aquella enseñanza, por lo cual, ni el ruso me aprendió a nadar ni se me fueron los dolores de espalda.

Mi primo Alipio me había puesto al día de los avatares políticos, los cuales observaba yo con una indiferencia que a él le exasperaba, porque decía que no era propia de un individuo de la clase trabajadora, y yo lo intentaba, hacía esfuerzos por entender sus mensajes y asistía con él a reuniones y manifestaciones, pero lo que a mí de verdad me hacía sentirme bien era trabajar en el jardín con mi amigo Eneka. Por aquel entonces, Alipio, que había sido uno de los cuatro mil despedidos en las minas en el año veintiocho, ya había procurado su baja en el Sindicato Minero de Manuel Llaneza para ingresar en la Confederación Nacional del Trabajo de Eleuterio Quintanilla y de José María Martínez, éste último, maestro político de Alipio y con quien ya había participado en algunos sabotajes a las vías del ferrocarril. Cuando mi primo iba a ver al abuelo Cosme, cada vez más encerrado en su botella de anís, éste le imponía las manos como si lo estuviera confirmando y apretaba los labios y sacudía con un fuerte golpe la cabeza, sin duda para mostrarle su apoyo, y la abuela se santiguaba y decía, quien contra el aire quiere mear sin duda se ha de mojar, porque pensaba ella que de la vida no se había de esperar más de lo que ésta caprichosamente nos fuera dando. Yo le preguntaba a mi primo si no echaba de menos a sus padres, que andaban por la ciudad mexicana de Juanacatlán, pero él me respondía, quiá, siempre me respondía, quiá, que era una palabra sin entidad salvo que fuera acompañada de algún gesto, y en el caso de Alipio siempre lo iba, y el gesto era de indiferencia y a la vez de suficiencia, un gesto que quizás ocultara otros gestos más lastimosos y más acordes con aquella circunstancia de abandono, porque lo suyo había sido un abandono en toda regla, mis padres al fin y al cabo se habían muerto, pero lo suyos andaban al otro lado del mundo disfrutando de una fortuna que no les pertenecía y enviando postales de cataratas como única forma de comunicación, pero él sólo decía, quiá, y en esta expresión también había un gesto de agradecimiento hacia su tía Fe, que lo cuidaba como a un hijo y le tejía calcetines y chaquetas de lana gorda para el invierno. A mi primo Alipio le gustaba más comentar sobre las vidas de otros que sobre la suya propia. A menudo me hablaba del orden y del desorden y de la lógica de la rebelión, que era el hecho donde nacía la conciencia, del rechazo de los caminos trazados de antemano y de la utopía, que era para mí una palabra nueva y que Alipio me explicó como la imagen de un mundo global creado de nuevo para que en él se establecieran nuevas relaciones entre los hombres y las cosas. Le pregunté a mi hermana por la palabra utopía y me dijo que le gustaba mucho esa palabra, que en realidad se metía a veces a vivir en ella, y que era algo así, por ponerme un ejemplo muy cercano, como si Eneka un día le pidiera el matrimonio, y fue cuando supe, a través de aquellas aclaraciones que tenían un origen anarcosindicalista, que mi hermana Lucía estaba enamorada del jardinero Eneka, del hombre que me enseñaba todo cuanto él sabía de aquel oficio y que había conseguido que yo no me imaginara haciendo otro trabajo que no fuera aquél de arreglar los jardines. Mi abuela me decía, quien sabe un oficio manual lleva consigo un caudal, y esto lo decía ella por mí, pero también lo decía por su hijo Urbano, el zapatero, quien venía hasta el pueblo para visitar a los abuelos una vez al mes y les traía bombones y caramelos de eucalipto y unas pastillas masticatorias y aromáticas de la marca Adams que limpiaban la dentadura, fortalecían las mandíbulas y hacían agradables los alientos. Lo que más me gustaba de mi oficio era la relación que yo había conseguido mantener con las flores. Tenía la impresión de que todas me hablaban, de que abrían sus axilas, tensaban sus pedúnculos y alargaban hacia mí sus pétalos para agradecerme que las hubiera cultivado, y se me antojaba que dentro de cada flor había un par de ojos que me miraban. Un día en que yo observaba la corona de pelos sobre el cáliz de una vara de oro, Eneka se acercó y me dijo, nada sucede en la naturaleza viva que no esté en relación con la totalidad, y se sentó a mi lado para hablarme de la actividad de las plantas, de cómo la fotosíntesis transformaba el dióxido de carbono y el agua en azúcares, por medio de la energía del sol, y de cómo luego la acción metabólica creaba con el azúcar numerosos compuestos orgánicos secundarios, y me habló de los glucósidos y de los alcaloides y de los polivalentes beneficios de las plantas, médicos y alimenticios, y me dijo que los hombres estábamos hechos de los cuatro elementos y que, cuando uno de éstos abundaba en el cuerpo, otro se constreñía para causarle grandes males, para lo cual la sabia naturaleza en su abundante gracia había concedido toda suerte de virtudes a las plantas para curar y sanar los males causados por esos desequilibrios de los cuatro elementos, y me explicó Eneka aquel día la historia mágica y sagrada de las plantas, y aseguraba él que una planta era como una gran factoría química, de funcionamiento más complejo que la fábrica de hierro colado que dirigían los ingenieros belgas. Y le pregunté a Eneka cómo era que sabía tanto y me

93

contestó, ya te dije que estuve casado con la musa Clío, y le pedí que me hablara del momento en que le había declarado a Clío su amor, porque un día en Carcabal había dejado sin terminar aquella historia, y así lo hizo, con una expresión tan limpia y primitiva que a mí me recordó a la imagen de una lámpara alumbrando en la noche cuando cae la nieve.

Con el traje de pana verde y un ramillete de la flor del cuco en las manos había esperado Eneka, sentado en las escaleras de la casa del indiano de Coahuila, a que Clío saliera, como cada mañana, a buscar su flor. Cuando apareció, él se incorporó, alargó hacia ella el ramillete de flores rosas, clavó su rodilla derecha en tierra y le dijo, dos años y tres meses y diecisiete días llevo sirviéndola, señora, construyendo para usted un mundo lleno de flores, y llegó la hora de confesarle, aunque me cueste el puesto de trabajo y aunque en ello me vaya la vida, que la amo. Y los ojos de Eneka estaban llenos de luz, y los ojos de Clío estaban quietos, fijos en el aire de las flores del cuco, condensando todo lo visto, lo vivido y lo soñado hasta aquel momento. Eneka siguió hablándole a Clío, sufro como un animal furioso y este amor que le tengo a usted me come poco a poco, y Clío exhaló un hondo suspiro que Eneka no supo interpretar, y éste siguió confesándole de rodillas que no había un instante de sus noches y sus días sin pensar en ella, que todas las flores del jardín tenían el olor de ella, que todos los guisos y las frutas y el agua de todas las fuentes tenían el sabor de ella y que ella estaba en el tiempo de todas las cosas y en el espacio de cada hora, como el mismísimo Dios, y que él sería desde aquel momento lo que ella quisiera que fuera, y así se liberó Eneka de aquel pesado secreto que se había hecho viejo en su corazón y que no le permitía vivir. Clío seguía con la mirada quieta y Eneka no se atrevía a mirarla. Hubo un largo silencio

94

donde nada se movió. Al fin Clío dijo, levántate Eneka, y aquellas palabras le sonaron al jardinero a resurrección, y continuó diciéndole, señalando la puerta, entra en casa, pensaba que nunca te ibas a decidir, y él replicó, señora, una hija de dioses se merecía algo más que un jardinero que sólo supiera de flores, y Clío rió y en sus carcajadas había un cántico de acción de gracias. Ya dentro y sin dejar de reír, Clío preguntó, y entonces cómo vas a solucionar esa inconveniencia, y Eneka dijo, he alojado en la memoria las enseñanzas de los catorce tomos de una enciclopedia universal. La emoción embargó a la musa, que pasó su brazo por detrás de la cabeza de su jardinero y le dijo, muéstrame alguno de esos conocimientos que has atesorado para mí, y Eneka suspiró hondo y comenzó a recitar un poema, un extranjero soy que vino hasta tu puerta, acógeme cortés, pues soy un peregrino, delante de tu puerta en el polvo me postro y la visión espero de tu rostro divino, casa de la esperanza, dame, amor, la limosna de tu cara risueña, que avanza hacia la mía, no temas a la noche que ya nos ronda el día, si sólo servir puedo de polvo de tu alfombra, sobre mi triste polvo proyéctese tu sombra. Eneka guardó silencio. Clío preguntó, de quién es, y él respondió, de un poeta persa que no tiene nombre, y ella dijo, y cómo sigue, y Eneka contestó, no sigue, y tomó sus manos y se las llevó a la boca para dejar en ellas un beso largo, y desde aquel momento la musa Clío se abandonó a la suerte del que hasta entonces había sido su jardinero.

De los ojos de Eneka salieron dos lágrimas que interrumpieron el relato y miré hacia el cielo y estaba oscureciendo y miré hacia el último parterre y vi arder en una hoguera las salicarias recién floridas en el final de la tarde, y los ojos de Eneka estaban hinchados y violáceos, como dos flores de brezo, y parecían ciegos, y le dije, me gustaría estudiar esa enciclopedia universal de catorce tomos, esto le dije porque sentía deseos de ser tan sabio como él, pero no me dijo nada, y se levantó y se fue, vacilante, sin saber hacia dónde dirigir sus pasos, y su figura parecía un espectro caminando hacia el ocaso. Fui tras él y le dije, espera, tengo que decirte algo. Se detuvo y esperó a que yo hablara, y le dije, quizá mi hermana Lucía pueda ser la musa que necesitas, y me miró, pero a mí me parecía que no me estaba viendo, y quedé flotando en el vacío de la espera y la vergüenza, porque mis palabras habían sido indiscretas, y pensé de nuevo en la aritmética de los momentos, en cómo había situaciones que parecían vivirse en una nueva e ilusoria dimensión que dejaba entrever su magia por la superposición de muchos tiempos, de muchos momentos o circunstancias, todos concentrados y observados por la mirada de algún ojo invisible, sujetos por algún punto donde la mente y el corazón confluían con todas las interrogaciones y con todas las certezas. Eneka dijo, Calíope, y repitió aquel nombre varias veces, quizá para encontrarle un sentido, luego me explicó, la sabiduría no es el amor, la belleza tampoco es el amor, el amor es éxtasis y lágrima, y se alejó diciendo, Calíope, Calíope.

Me quedé limpiando los semilleros de zinnias y crisantemos, que eran las flores preferidas de la señora Sakia, y entonces vi a lo lejos a la señora Geertghe, paseando en equilibrio con su sombrilla por encima del borde del estanque y me incorporé y me miró sonriendo y se dejó caer en el agua. Fui hacia ella para socorrerla y estaba riendo y chapoteando dentro como una niña pequeña. Tenía fango en la cara y una expresión de locura en los ojos. Me dijo, a veces es bueno caer si hay quien te levante, y su carcajada resonó en el jardín como un redoble de tambores, y su nariz carnosa y ancha se puso roja y los pliegues que unían su nariz con la barbilla ennegrecieron. Me metí en el agua y le di la mano y tiré de ella hasta sacarla del estanque. Sus ropas chorreaban, pero ella seguía riendo y me preguntó, cómo está el caballeroso y brillante capataz, y entendí que se refería a mi abuelo, por eso dije, está bien, señora, y ella levantó su sombrilla y comenzó a dar vueltas sobre sí misma, y yo no sabía qué hacer, pero vi al ingeniero Hendrik correr hacia nosotros. El belga me dijo, vete de aquí y ponte a trabajar, y la cogió a ella y la fue empujando hacia la casa, y le decía, voy a terminar encerrándote como a una loca, y volví a los semilleros de zinnias y crisantemos pensando que aún me faltaba mucho para entender el comportamiento de los señores ricos.

Algún domingo yo subía a Carcabal y pasaba allí el día con Aida y con Eneka. Aida siempre iba vestida de hombre y unas veces cortábamos troncos para el fuego y otras buscábamos rocas con formas de animales o poníamos trampas a los jabalíes. Desde el funeral de mi madre no había vuelto a verla vestida de mujer. Ella me hablaba de su esperanza más importante, la de comprar en el valle una casa con balcones y galerías acristaladas, y yo no decía nada porque no quería contrariarla, no podía estropear aquella ilusión, pero pensaba que se trataba de un sueño que nunca se iba a poder realizar. Un día cogió una llave y abrió un cajón que tenía doble fondo y me mostró un fajo de billetes de veinticinco y de cincuenta y de cien y no sé cuántas pesetas sumaban, pero era mucho dinero el que Aida tenía allí guardado para lograr su sueño, y entonces aquel sueño me pareció menos sueño, y le pregunté, cómo es que me enseñas tu tesoro, y me dijo, porque confío en ti, y le dije que yo también confiaba en ella, y veía en sus ojos cómo era la luz del futuro, una mezcla de esperanza y decisiones que ella renovaba cada día.

Aquél fue un verano con ráfagas calientes de un viento del sur que hacía que los pájaros perdieran el control de sus vuelos, como si fueran a caerse al chocar contra la pared de calor que se formaba sobre los árboles. El otoño dejó por los suelos menos hojas que otros años y apenas trajo novedades, salvo que mi hermana volvió a pintar la fachada de su casa, esta vez del color de la carne cocida del salmón, y que el ruso Basilio le pidió al señor Patricio la mano de su hija Angélica, la cual le fue enérgicamente negada, aludiendo el padre a la inmadurez de la niña y a la condición imprecisa del pretendiente, hombre sin patria estable ni oficio establecido y con ideas extremadas y equívocas.

Luego llegó el invierno, lo hizo durante la noche y en forma de nieve, y con él los rumores de que la dictadura se estaba tambaleando. Fue un día de ese invierno cuando se acercó el mayordomo Félix hasta la caseta de jardinería para decirme, ven conmigo, y le seguí y me llevó hasta el comedor principal del palacio. Había una mesa grande de madera brillante, rodeada de sillas tapizadas de terciopelo verde, el suelo estaba cubierto de alfombras rojas y azules, en las paredes había cuadros enormes con escenas campestres y había cabezas disecadas de venados, de rebecos y de jabalíes, y también había en las paredes muchos espejos que reflejaban la hermosura de aquel ámbito multiplicándola, había jarrones floridos y candelabros que brillaban como si fueran de oro y un reloj enorme encajado en bronce con los números romanos, había una gran chimenea en una de las paredes con la leña preparada para ser encendida y, sobre ella, el retrato de un hombre barbudo vestido de frac. Quién es, le pregunté a Félix, y me dijo, Antoon van Balen, padre de los ingenieros, y luego añadió, fíjate bien en esa mesa, en ella va a ocurrir dentro de unos días un acontecimiento importante en la historia de esta casa y también en la nuestra, vendrán ilustres personalidades a comer en esa mesa y nosotros vamos a servirles, y pregunté, cómo a servirles, pues yo era ayudante de jardinero y nada sabía de servir mesas a señores importantes, y Félix me aclaró, las señoras Sakia y Geertghe quieren que tú, debido a que te consideran un joven muy apuesto, aprendas a servir la mesa, y yo no salía de mi asombro, qué dices, ni siquiera sé comer con los cubiertos, siempre lo hago con la navaja que me regaló mi abuelo, estás mal de la cabeza. Y Félix, sonriendo, me pasó a un cuarto contiguo donde había un armario lleno de trajes. Descolgó uno, negro y rojo, y me pidió que me lo probara, y pregunté, aquí, y dijo, sí, aquí, y así lo hice, pero me quedaba estrecho, y me fue dando a probar varios trajes más, hasta que al fin vestí uno que se ajustaba a la hechura de mi cuerpo, y Félix sonrió, orgulloso y satisfecho, y dijo, con unos arreglos te quedará perfecto, y me colocó una pechera blanca y me puso unos guantes también blancos y me dijo, mírate en ese espejo, y me miré y parecía un actor de teatro, un caballero de frac, y pensaba yo que mi aspecto no encajaba tan mal en aquel mundo de lujo y espejos y colgantes de cristal tallado, pero tenía dudas sobre si mis maneras bruscas y mis ignorantes pensamientos serían los adecuados para aquel súbito e inesperado oficio, por eso le dije a Félix, no basta con un traje, y él me dijo, no te apures, te enseñaré cuanto necesites saber. Me dijo Félix que un buen camarero, como cualquier buen sirviente, nunca debe ver ni oír nada, pero debe saberlo todo de sus amos y debe estar atento siempre a sus gestos, al movimiento de sus cejas, y pensaba yo cómo podría no oír y sin embargo entenderlo todo, cómo podría no ver y averiguar cuanto sucediera a mi alrededor. Durante los días siguientes dejé de trabajar con Eneka, y Félix me enseñó a envolver los cubiertos en la servilleta, a limpiar los ceniceros, a coger el pan con las pinzas de plata, a conocer los diferentes vasos para cada tipo de bebida, los panzudos, los que

tenían facetas poliédricas, los diminutos, las copas de cuello largo, los decorados, las jarras de loza esmaltada con
las iniciales de las empresas de los ingenieros, y me resultó divertida la triquiñuela de mirar los vasos a contraluz
para comprobar su limpieza, y me explicó qué copas eran
las de agua, cuáles las del vino de Burdeos o de Borgoña o
cuáles las de Oporto o de Jerez, y sacó de una vitrina un
ejemplar de cada especie, éstas son las del champaña, me
dijo, y le pregunté, qué sabor tiene el champaña, y me contestó, sabe mal, pero a ellos les gusta porque es un vino ex-
citante y lleva burbujas con aire francés, y me mostró unas
copas diminutas y labradas donde habrían de servirse los
licores. Luego pasó a mostrarme Félix cómo se ayudaba a
los señores y a las señoras a quitarse el abrigo y el sombrero y los guantes y cómo se sostenía todo con una mano y
un brazo haciendo a la vez una suave reverencia. El jardinero Eneka, cuando se topaba conmigo me decía, Nalo,
ahora eres un empleado plurivalente, y soltaba una de sus
blandas carcajadas, y le preguntaba por qué me designaba
con aquella palabra larga y diferente, y me decía, porque
ahora estás laboralmente dotado de varias eficacias. El
mayordomo Félix se esmeraba mucho conmigo, lo mismo
que había hecho antes Eneka para enseñarme el oficio de
jardinero, y me sentía bien por aquella nueva circunstancia de atención y de aprecio, y por eso, aunque seguía sintiendo pánico al imaginarme vestido de frac sirviendo a
señores importantes, me dejaba instruir y me dejaba querer por aquel ser diminuto, de rostro oscuro y rugoso y cuya voz nerviosa me recordaba el sonido de las sierras de la
fábrica cortando las chapas de hierro colado. Me decía,
recuerda que los camareros, aunque no haya nada que hacer, siempre deben estar haciendo algo, y entonces me sugería infinidad de cosas que se podían hacer cuando no
hubiera nada que hacer, como doblar de nuevo las servi-

lletas, alinear los cubiertos en la mesa, descubrir arrugas en los manteles o volver a mirar los vasos a contraluz, sobre todo los de cristal de Bohemia, que eran tan delicados como el ala de una mariposa. Y pasó Félix a enseñarme las diferentes clases de floreros y la disposición de los mismos en la mesa, y me mostró los búcaros, que eran de barro y se colocaban con una sola flor a la derecha del cubierto, y me enseñó los ramilleteros, que se ponían dispersos por la mesa con claveles o margaritas, y los jarrones de cerámica china para las rosas, y también me mostró unos canastillos de mimbre a los que llamaba canéforas y que servían para llenarlos de flores diversas, y entonces, escuchando las explicaciones de Félix, pensé que todos los oficios tienen entre sí algo que ver, y le dije al mayordomo que podríamos hacer algo especial en aquella comida tan importante que iba a suceder, y él se quedó serio y me hizo la pregunta más metálica que él solía hacer, algo como qué, y le expliqué que podríamos poner un búcaro por cada comensal y en cada búcaro una flor diferente, porque yo sabía que en el invernadero de nuestro jardín había especies de flores suficientes para llenar todos los búcaros, y Félix se quedó mirándome muy serio y me dijo, Nalo, en este asunto no tienen cabida los juegos y en este oficio que estás aprendiendo sobran los experimentos, y me quedé muy triste con aquellas palabras de mi nuevo maestro, y pensé que Eneka a buen seguro que hubiera celebrado mi propuesta, y también pensé que Félix era un buen hombre, pero que nunca podría tener la sabiduría y la sensibilidad de mi amigo Eneka porque él nunca había estado casado con una musa, en realidad nunca había estado casado con nadie.

Cuando le hablé a mi hermana Lucía de aquel nuevo oficio, ella se puso contenta y comenzó a danzar en círculo por la sala, y decía, serás el maître del hotel que un día dirigiré, recibiremos allí a los más afamados poetas y a las actrices de más renombre, y tendrá grandes ventanales frente al mar y lo llamaremos, cómo lo llamaremos, Nalo, y le dije a Lucía, no sé, podemos llamarlo Gran Hotel, sin más, y ella me dijo, muy emocionada, no, qué dices, lo llamaremos Hotel Calíope, eso es, el hotel de las nueve musas, y me abrazó y bailó conmigo, como si acabaran de darle la noticia más dichosa de su vida, y me sentí muy bien con aquella nueva locura de mi hermana. Le dije, tienes el maître y tienes el nombre, ahora te falta el resto, y ella dijo, el resto es coser y cantar. Era como si para ella la existencia fuera todo eso que queda cuando desaparece la realidad, las brasas que perduran cuando se han quemado las costumbres, lo habitual, y recordé lo que un día me había dicho Eneka, la gente cree que la realidad de la cebolla son sus capas, pero si las vas quitando hasta quedarte sin nada la cebolla sigue presente y su picor te hace llorar, pues ese efecto perdurable de la cebolla es su auténtica realidad, esto me dijo Eneka porque en la enciclopedia que él había estudiado estaban todos los conocimientos. Mi hermana Lucía tenía un aspecto irreal porque ella había exprimido toda la realidad visible para meterla en sus sueños. Le pregunté, qué hará Eneka en ese hotel de las musas, y ella me dijo, sin sacar los ojos del sueño, Eneka será el dios de los jardines de la sabiduría, y dejó escapar una carcajada llena de coraje, la risa de la ciega obstinación de los borrachos que juran y pelean por aquello que acaban de inventar, y le pregunté, y Aida, qué le reservaremos a Aida en ese lugar, y Lucía me respondió, pero Nalo, cómo me preguntas eso, Aida será una de las nueve musas. Lucía dio varias vueltas sobre sí misma con los brazos levantados sobre la cabeza y luego se dejó caer en el sillón de mimbre donde leía los libros de poemas. Estaba mojada en sudor. Me arrodillé junto a ella y la acaricié y sentí su cuerpo húmedo y blando, como el de alguien que acabara de ahogarse en el mar, empapado de la maleza gomosa de un sueño del que no se podía zafar, y ella gimió y dije su nombre, Lucía, y mordió aquel nombre suyo dicho por mí, lo mordió hasta un suspiro final y luego cerró los ojos, como si pretendiera quedarse dormida.

A veces la señorita Julia presenciaba los ensayos a los que me sometía el mayordomo Félix. Practicábamos las diferentes formas de sostener la bandeja, los movimientos precisos para servir la comida o la bebida sin rozar siquiera a los comensales, con la servilleta terciada siempre sobre la manga. Decía Félix, las bandejas se presentarán a cada comensal por la izquierda, la dama que tenga a su derecha a quien presida la mesa será servida en primer lugar, siguiendo en orden de colocación las señoras, señoritas y, la última, la dueña de la casa, y pregunté quién era la dueña, si la señora Sakia o la señora Geertghe, y el mayordomo respondió, las dos, pero al ser la esposa de Jacob la de más edad será ella la última en ser servida, y continuó diciendo, y después se sirve a los caballeros, primero servimos las ostras y la sopa, después el marisco con los enjuagatorios, y fue relatando Félix la lista y el orden de todos los platos, y también me enseñó a interpretar el movimiento de sus ojos, los de él, a los que debía mirar siempre que yo estuviera con las manos a la espalda en posición de descanso. Me dijo el mayordomo que un criado debe dar la impresión, ante sus amos y los invitados de sus amos, de que es una persona feliz, debe mostrar en sus ojos la ensoñación, el agradecimiento por estar haciendo aquello que más le gusta, y le manifesté al maestro mi incomprensión sobre aquel asunto y entonces él me dijo que un criado es un actor, sí, un actor de teatro, que representa siempre las escenas que los amos necesitan que interprete, y recordé los refranes de la abuela Angustias, aprendiz de mucho,

maestro de nada, y muchos oficios pocos beneficios, y siete oficios, catorce desgracias, porque acababa de añadir
un oficio nuevo, el de actor, a los dos que ya tenía, el de
ayudante de jardinero y el de camarero de mesas con señores importantes. El mayordomo Félix le pidió a Julia
que se sentara a la mesa para que yo practicara con ella como comensal los diferentes movimientos del servicio, y
luego él se fue a atender otros asuntos, y nos dejó solos en
aquella sala grande llena de cabezas de animales y de espejos. Tomé una botella y la sujeté con la mano derecha
alargando el dedo índice sobre el gollete, hice como si es-
canciara el vino en la copa levantando de súbito la botella
y efectuando un pequeño giro, para que no goteara, como
me había enseñado el maestro, y desde arriba vi las curvas
de unos pechos prominentes y una línea de luz amarillen-
ta entró por la ventana y atravesó la mesa y ascendió entre
aquellos pechos que parecían flotar solos en el aire, como
sombras movedizas o señales luminosas que me avisaban
de la llegada de alguna nueva e insólita circunstancia, y se
estrelló aquella línea de luz en la botella verde, que se había quedado quieta sobre la cabeza de la señorita Julia.
Ella dijo, mira qué rayo me está atravesando, y se levantó
y me quitó la botella y la puso sobre la mesa y luego levantó la mano hasta alcanzarme el pelo y empezó a recorrér-
melo con los dedos, como si mi cabeza fuera la masa de
harina que preparaba la señora Elvira para las empanadas,
y me dijo que yo era un alumno excepcional porque era
muy listo y muy obediente y que también ella quería ser mi
maestra, y le pregunté, maestra de qué, y dejó asomar la
punta de su lengua y luego la pasó despacio de un lado a
otro de su labio superior y mientras eso hacía con su lengua dejó de amasarme el pelo y colocó sus manos debajo
de aquellos pechos, que ya no estaban solos flotando y que
ya no recibían la línea de luz, alzándolos aún más de lo que

ya estaban, y emitió un sonido, que era como un lloriqueo o como un gemido parecido a los de las gatas de mi abuela cuando estaban en celo, y en sus ojos apareció un brillo húmedo como el de las hojas de los saúcos del río cuando recibían los rayos del sol, y me dijo, puedo enseñarte algunas cosas, camarero de mis avaricias, y supe lo que quiso decirme, lo supe por las manifestaciones evidentes de su cuerpo, que se estiraba babeando y se abría para devorarme. Las manos se me habían quedado extraviadas colgándome del cuerpo y en ellas y también en la piel que rodeaba mi ombligo comenzó un ligero temblor, parecido al que le entraba al abuelo Cosme cuando se servía el primer trago de la mañana, el corazón aceleró sus pálpitos y mandó la sangre al lugar extremo que todo lo recoge, al miembro más rebelde que se levanta sin pudor ni consideración, como el estandarte de una batalla librada por su cuenta, un sudor frío comenzó a arroyarme por las axilas hasta la cintura y por detrás de las orejas hasta la nuca y un fuego repentino me subió hasta las mejillas, como si en ellas se hubieran concentrado de pronto todos los haces de luz que entraban por la ventana de aquel salón donde yo habría de servir días después a señores muy importantes. Julia me cogió de la mano y me llevó por un pasillo estrecho hasta una entrada diminuta en la que tuve que agacharme para pasar, luego bajamos unas escaleras de piedra y llegamos a las dependencias de los criados, donde abrió una de las puertas. Ya dentro, cerró las contraventanas y encendió una pequeña lamparilla que había en la mesita y también había sobre el mármol de la mesita un frasco de cristal con un ramillete de mimosas secas. Me tumbó en la cama y comenzó a quitarme la ropa, primero la chaqueta del frac, después la pajarita negra y la pechera y luego los zapatos y los pantalones, y todo lo iba haciendo con ternura y paciencia, como lo había hecho siempre mi hermana Lucía cuando yo era niño y mi madre le ordenaba que me vistiera o me desvistiera, y pensé que, en aquella situación nueva o circunstancia de todos modos imprevista, también yo debía hacer algo, si bien como alumno que estaba siendo en lecciones de cosas inverosímiles no me correspondían a mí las iniciativas, y así acudí con cautela hasta las ataduras de su falda y las desprendí suavemente, como quien arranca por puro placer de verlas arrancadas las antenas de un grillo o las alas de una mariposa, y aparecieron sus caderas embutidas en unas medias blancas, igual que poderosas montañas nevadas, pero ella me dijo, tú eres el párvulo, no tienes que hacer nada, y me inundaba la luz rojiza de la sorpresa. Ya desnudos los dos, ella comenzó a tocarme con los dedos donde nadie, salvo mi hermana Lucía, me había tocado y a lamerme con su lengua donde nadie, ni siquiera mi hermana, me había lamido, y parecía que ya tenía que ocurrir aquello que yo sabía que era conveniente e ineludible que sucediera, pero todo salía de ella, de aquel cuerpo dúctil, condescendiente en sus carnes blandas y blancas, que era mucho más grande que cuando estaba vestido con el uniforme de aya, y ella llevó mi boca hasta sus pechos para que los mordiera, y así lo hice, y gimió y abrió las piernas y me indicó con gestos desesperados que entrara en ella, y acomodé mi sangre revuelta en ella, y me dijo, muévete, muévete fuerte como si estuvieras cavando las fosas para los árboles, y con aquella herramienta versátil y flotante que Dios me había entregado me esforcé en abrir una oquedad discreta, suficiente para enterrar en ella aquella nueva circunstancia que era sol y era niebla, que era bálsamo y aguijón, y derramé en ella mi lisura aséptica, y ella temblaba de una manera terrible, y gritaba, y yo no sabía si le estaba haciendo daño, y pregunté, te duele, y ella dijo, cállate y sigue cavando, y tiritaba y me mordía los hombros, y sentía yo que aquel momento era muchos momentos a la vez. Dejó su cabeza muerta en un llanto de placer o de agradecimiento, y observé su vientre blanco y tenso subiendo y bajando junto a mi rostro, y yo estaba fláccido, y me llamó jardinero de sus vicios y me dijo, aún tienes cosas que aprender. Miré hacia el techo lleno de sombras y miré hacia la mesilla y vi las mimosas secas y las cogí y arranqué aquellas bolas con el amarillo gastado y las extendí sobre el cuerpo grande y mantecoso de la señorita Julia para completar aquella primera siembra. Comencé a vestirme y ella dijo, ven aquí, ven a comer estas mimosas, pero yo no quería escucharla, y abrí una de las contraventanas y observé cómo en el horizonte, por detrás de las chimeneas de la fábrica, se estaban formando unas nubes rojas, unas nubes que volaban hacia el cordal, y pensé que aquellas nubes de fuego podrían estar anunciando algo, por eso le pregunté a Julia, que ya se ponía las medias blancas, qué significan las nubes rojas, y ella contestó, que anda Dios calentándoles la cabeza a los ángeles con algún nuevo misterio, y parecía que aquellas manchas rojas quisieran oprimir el cielo para ocupar la tarde.

El día de la reunión de aquellos señores importantes en el palacio de los belgas, me presenté ante el mayordomo Félix a las seis de la mañana, como él me había ordenado. En cuanto me vio me dijo que la señora Sakia había visto con buenos ojos aquella idea mía de colocar un búcaro por cada comensal y en cada búcaro una flor diferente y que ya le había pedido a Eneka que le preparara tantas flores como comensales se iban a sentar a la mesa. Las palabras de Félix, anunciándome la aprobación de aquella idea mía que yo ya tenía olvidada, me llenaron de satisfacción y me infundieron mucho ánimo para comenzar con buen pie aquel día tan singular para mí y tan lleno de nuevas circunstancias.

A las ocho de la mañana el mayordomo Félix convocó en la sala contigua a las cocinas a todos los sirvientes del interior. Nos pusimos alineados frente a él para que fuera revisando nuestro aspecto y nuestros trajes. Miró los zapatos de todos, las ataduras de los delantales, la perfecta rigidez de las cofias almidonadas, las caras afeitadas, quitó pelos invisibles de las solapas de los uniformes, le pidió a la señorita Julia que abrochara el último botón de su bata, ordenó a las planchadoras que volvieran a planchar la camisa de uno de los mozos de cocina y también el pañuelo que llevaba en la cabeza la señora Elvira y a mí me ajustó al cuello la pajarita negra. Luego nos exigió la mayor atención y dedicación para aquel acontecimiento singular, nos gritó con su voz de alambre que no iba a permitir ningún error, ni el más leve descuido, que todo habría de funcionar con la misma precisión del reloj suizo que había en el comedor principal, y terminó diciendo, nos jugamos mucho en el día de hoy, y dio dos palmadas con sus manos rugosas y oscuras que sonaron como el chocar de dos cortezas de árbol, y añadió, vamos, todos sabéis lo que tenéis que hacer, así que cada cual a su faena. Mi mirada se cruzó con la de la señorita Julia, quien parecía muy emocionada, como si estuviera a punto de presenciar el vuelo del primer aeroplano, y me guiñó un ojo, pero yo miré hacia otro lado y fui a cumplir con las indicaciones del jefe de los sirvientes.

La noche anterior, Félix y Eneka, me habían permitido compartir su charla debajo del tendejón de las herramientas. Les gustaba fumar y beber aguardiente mientras hablaban de política. Por ellos supe de algunas circunstancias del momento, narradas de manera diferente a como lo solían hacer el ruso Basilio y mi primo Alipio.

Los ingenieros belgas nunca se habían pronunciado ni a favor ni en contra de la dictadura, ni tampoco habían expresado jamás su opinión sobre la monarquía o sobre el rey, postura ésta que les había sido siempre propicia en medio de aquel fárrago político en el cual nombres importantes de empresarios, diplomáticos, militares y gentes de la cultura iban y venían de unos bandos a otros, se situaban en una u otra tendencia, abrazaban o abandonaban tales o cuales pensamientos, según se mostrara de inestable el régimen, según los cargos políticos a repartir en ese momento o de acuerdo con las posibilidades de éxito de la última conspiración. Al palacio azul habían acudido en los últimos años personajes nacionales y extranjeros de las más diversas condiciones y preferencias, y el mayordomo Félix fue nombrando aquella noche a los más conocidos, y lo hacía con la misma seguridad con la que mi primo Alipio recitaba las alineaciones del Real Sporting, y a cada nombre propio que pronunciaba Félix, le añadía Eneka alguna postilla, bien significando algún detalle de su vida, bien adjetivando positiva o negativamente a la persona referida. Por el palacio habían pasado reconocidos conspiradores que apoyaban el derrocamiento de Primo de Rivera, como el banquero Ignacio Herrero, marqués de Aledo por matrimonio con Teresa Garralda, el diputado reformista Melquíades Álvarez, débil tribuno con la conciencia siempre revuelta, apostillaba Eneka, o el periodista Oliveros, director de *El Noroeste*, pero también frecuentaban el palacio hombres que habían manifestado su entusiasmo con el dictador, como el industrial Tartiere, conde de Santa Bárbara de Lugones, de quien decía el jardinero que tenía la enfermedad de los negocios porque soñaba con barcos, saltos de agua, trenes, pólvora y chimeneas. A las comidas y cenas de los industriales belgas acudían republicanos reconocidos como Indalecio Prieto o Teodomiro Menéndez, alcaldes como Fernández Ladreda o Manuel Prendes, socialistas como Llaneza o González Peña, sindicalistas católicos como Vicente Madera Peña, primo del anterior y de quien Eneka dijo que era un hombre equivocado en sus ideas, pero fiel a sus compañeros mineros pues nunca había abandonado su oficio de picador. La casa de los belgas fue visitada por ex ministros reaccionarios, por médicos ilustres, por catedráticos, por escritores y por militares. Sobre todo acudían con frecuencia al palacio azul hombres de la industria y la economía, como Lucio Villegas, ingeniero y director de Duro Felguera, o como Pedro Massaveu, a quien siempre la señora Geertghe convencía para que interpretara alguna pieza clásica al piano. La mayoría de aquellos nombres a mí no me decían nada, si acaso sabía de algunos de ellos por los improperios que solía dedicarles mi abuelo Cosme cuando leía los periódicos o por las referencias de mi primo Alipio. Las veladas del palacio azul eran famosas en todo el país y algunas habían sido portada de periódicos nacionales y de revistas, como aquélla en la que el señor Jacob y el señor Hendrik habían conseguido sentar en la misma mesa al anciano Policarpo Herrero con las cruces de la Beneficencia y de Carlos III colgadas de su pechera, al socialista Belarmino Tomás, al arqueólogo Howard Carter, que había descubierto la tumba de Tut-ankh-Amen, un egipcio que se había hecho enterrar con muchos y muy valiosos abalorios, al filántropo noruego Magnus Blikstad, al pintor belga de moda en París, Van-Dongen, de quien los ingenieros poseían algunos lienzos, al obispo de Oviedo, que según el mayordomo Félix se llamaba Juan, al siempre presente en todas las celebraciones importantes del palacio, Aniceto Sela y Sampil, y, por último, a Tina de Yzarduy, la perturbadora cíngara de la película *Miguel Strogoff*, que llevaba el apellido de su marido y era hermana de otra actriz, Raquel Meller, a quien admiraba mucho mi hermana Lucía. Aquella cena fue amenizada por una orquesta de violines llegada de Madrid, y en ella se sirvieron dos rebecos asados rellenos de patos, faisanes, huevos cocidos y almendras, y, al término de la misma, el cuarteto Los Cuatro Ases interpretó canciones de la tierra y Obdulia Álvarez, a quien apodaban La Busdonga, cantó *Los corales que me diste*, que era una canción que la señorita Julia entonaba siempre cuando les sacaba brillo a los zapatos de charol de las señoritas, canción que al pintor Van-Dongen le gustó tanto que allí mismo le hizo un retrato a carboncillo a la cantante. Le dije al mayordomo Félix que debía apuntarme en un papel aquellos nombres de personajes importantes con todos sus méritos, cargos y galardones, para que yo pudiera memorizarlos y recitarlos y completar así mi formación de sirviente. Él me dijo, Nalo, son siempre los mismos, esto es más fácil que aprenderse la lista de los hijos de Jacob, y los tres nos echamos a reír.

Al mediodía todo quedó dispuesto. Hacía frío y el cielo estaba tiznado y neblinoso, deslavazado por el humo negro de las fábricas, pero no parecía que fuera a llover. En las chimeneas de la gran sala ardían desde hacía varias horas los troncos de roble y el ambiente se apreciaba caldeado. Cuando la señora Sakia entró en la sala, yo recorría la mesa comprobando la correcta distribución de las diferentes copas, tal como me había ordenado el mayordomo Félix. Ella llevaba un vestido blanco sujeto a la cintura con un gran broche dorado, un capote azul con cuello de piel que le envolvía la espalda y un largo collar de perlas de dos vueltas que llegaba hasta la altura del broche. Me dijo, joven, acompáñame, y me llevó hasta un cuarto donde los señores solían tomar té o café con las visitas. Allí me señaló una pequeña mesa que había en una de las esquinas y me dijo, sube último cuarto parte oeste y coge jarrón porcelana que hay cómoda, pon encima mesa aquélla y llena con flores invernadero, eso me dijo y de esa manera tan singular, porque a la señora belga, esposa del ingeniero Jacob, no le hacían falta los artículos ni las preposiciones para hacerse entender y omitía aquellas palabras que el maestro Silvano llamaba términos sincategoremáticos, porque no tenían entidad, pero yo entendía muy bien a la señora Sakia porque pronunciaba de una forma muy correcta y acompañaba cada palabra con gestos graciosos y muy expresivos, gestos que no eran palabras pero que sí tenían categoría lingüística. Me dispuse a cumplir aquella nueva orden y, cuando ya salía del cuarto, la señora Sakia dijo, ah, Nalo, eh, fue buena, muy buena idea colocar búcaro cada invitado y cada búcaro flor diferente, gracias, muchas gracias, y quedé mirándola sin saber qué decir, porque no me parecía propio decir, sí señora, ya que sería como admitir de manera soberbia que aquella idea mía había sido genial, y tampoco me parecía ocurrente decir, no señora, porque podría parecer que le estaba llevando la contraria, así que no dije nada, sólo me quedé mirándola, y ella hizo un gesto con las dos manos a la vez que emitió un leve silbido, un movimiento y un sonido como los que hacía mi abuela Angustias para espantar a las gallinas, y di la vuelta y salí en dirección a la escalera principal, ascendí y tomé el pasillo que daba a la galería occidental, me detuve ante la puerta del último de los cuartos, giré la manilla y entré sin llamar, porque yo aún era un ayudante de jardinero y en los jardines no había puertas en las que se debiera llamar y al mayordomo Félix se le había pasado por alto advertirme de aquella costumbre tan trascendental, y así, sin llamar, entré en aquel cuarto en cuya decoración predominaban hasta la exageración los colores de tonos rosas, despreocupado de quién pudiera haber en su interior, con la única idea de cumplir la orden de la señora Sakia y saboreando aún el cumplido que me había dedicado. Pero de pie frente al espejo de la cómoda, desnuda de cintura hacia arriba y acariciándose unos pechos menudos, pero firmes, estaba la señorita Elena, que debía de ser la dueña de aquel cuarto, una de las hijas del señor Jacob y de la señora Sakia, para mí, hasta un instante antes de entrar en aquella habitación, una más de las niñas que corrían alborotando por los pasillos del palacio, una niña a quien yo acababa de convertir, a causa de mi torpeza y mis escasos conocimientos como sirviente de interior, en una mujer, una mujer tan deseable como mi hermana, como Aida, como la niña Angélica o como la señorita Julia, salvando todas las distancias, que en aquello de la comparación de las geografías femeninas comenzaba yo a advertir que aunque las poblaciones principales, las colinas, las zonas boscosas, los cabos y los golfos, por decirlo de alguna forma, andaban colocados en latitudes parecidas en los mapas de los diferentes cuerpos, las distancias entre accidentes o circunstancias no eran las mismas, ni era idéntico el clima, y tampoco era la misma la luz que irradiaban, lo cual provocaba impresiones de intensidad diversa e intenciones de fuerza variable, aunque en aquel instante, en aquel cuarto rosa donde yo había entrado sin llamar a la puerta, la impresión y la intención que el cuerpo semidesnudo y también rosa de la señorita Elena pudieran en mí haber provocado quedaron anuladas por el miedo y la vergüenza al haber violado yo la sagrada intimidad de una de las hijas del ingeniero Jacob, lo cual era asunto de igual o mayor gravedad que haber tomado la hostia consagrada con las manos y haberla pisoteado delante del altar. Ella había sentido el ruido de la puerta, pero no había vuelto la cabeza, sólo había quitado las manos de sus pechos para dejarlas colgando y había dicho, mamá, no sé cuál combinación ponerme, porque pensaba ella que quien había entrado en su cuarto había sido su madre. Me había quedado clavado a dos pasos de la puerta y la tenía a ella a unos tres metros a mi izquierda, y me parecía que alguien me había atravesado los brazos y las piernas y el cuerpo entero con varillas de hierro como las que producían las fábricas de los ingenieros, y quería retroceder hacia la puerta, pero el miedo me había sujetado los pies a las tablas del suelo, porque yo había acudido allí a cumplir una orden y sin embargo estaba violando la parte más sagrada del reglamento, había ido a buscar un jarrón de porcelana para las flores y había descubierto el escondite secreto de la primavera, y hacía un instante que yo estaba feliz por las circunstancias nuevas que habían ocurrido y por aquellas que iban a ocurrir y me había tropezado sin querer con una circunstancia que podría a simple vista parecer diminuta, pero que sin duda iba a estropear el resto de las circunstancias, y no sabía yo si aquello que estaba ocurriendo era algo o no era nada, o era algo y nada al mismo tiempo, pero la diferencia entre algo y nada siempre era nada, así que me quedé vacío de intenciones y de movimientos, y hacia donde quiera que yo mirara, el hueco de las ventanas enmarcando el cielo manchado, el jarrón de la discordia sobre la cómoda o los pechos de la señorita Elena muy cerca del jarrón y a contraluz de una de las ventanas, todo me sugería la negación del movimiento, la suspensión de toda clase de intenciones, y, sintiéndome integrado en el vacío que yo mismo había creado, tuve la sensación, primero de forma muy débil y después de una manera atormentadamente febril, de que el paisaje de aquel cuarto estaba lleno de jarrones de porcelana, de pechos menudos pero firmes, de cuadros de cielos borrosos, y todo se movía delante de mis ojos, giraba a mi alrededor mientras yo permanecía quieto como la muerte. La señorita Elena, al advertir que su madre no le había contestado, volvió a repetir, esta vez preguntando, qué combinación me pongo, y la rueda del paisaje giró más deprisa, y ella volvió la cabeza hacia mí y sus manos retornaron a sus pechos, pero no para acariciarlos, sino para cubrirlos y protegerlos de mi mirada, que ya no era mirada, sino vértigo metido en los ojos, y quiso gritar, pero su grito se quedó atravesado en el movimiento del paisaje que comenzó a girar de costado para que yo me cayera, y ella corrió a esconderse detrás de un sofá de orejas que también era rosa y allí se quedó envuelta en sí misma como un ovillo de lana, y sentí una música de campanillas, como aquella que se oía al abrir la puerta de la tienda de la casa del practicante, una música que no era otra cosa que el ruido de mi sangre y era también el ruido de los ejes de aquel paisaje equivocado, el bramido de la nada que escucha la conciencia cuando se siente caer en el abismo.

Cuando desperté y abrí los ojos ella me sostenía la cabeza. En mi mente no existía un tiempo mensurable sino numerosos tiempos que discurrían a la vez y formaban una maraña que envolvía aquel universo en el que yo había despertado. Dije, perdón, señorita, la madre de usted me había enviado a buscar un jarrón, eso le dije y observé que tenía los ojos tan azules y vidriosos como los de las muñecas que había sobre el piano de mi prima Sabina, la hija de mi tío Urbano. Me preguntó, Nalo, estás bien, y dije, sabe usted mi nombre, y respondió, claro, todas sabemos tu nombre, y no sabía yo cuánta gente había dentro de aquel todas, y volvió a preguntar, estás bien, y sentí sus cabellos claros flotando muy cerca de mí, como un puñado de paja, y respondí, estoy perdido, y ella sonrió y dijo, nunca te había visto tan cerca, y yo no sabía por qué me decía aquello. Me levanté y fui hacia el jarrón, lo cogí y agaché la cabeza ante ella, porque eso me parecía lo correcto, y con la ilustración y el aplomo con que lo hubiera hecho el maestro Eneka le expuse, solicito su perdón por mi torpeza y le ruego que silencie este incidente, si es que entiende que no era mi intención molestarla, porque ello podría suponer mi expulsión de esta casa, y dejé la cabeza agachada, esperando una respuesta, mirando al suelo que ya no se movía, y ella dijo, vete, sólo dijo eso, vete, y me fui estrujando el jarrón, con la expresión perdida y con un dolor no localizable, una aflicción que me abarcaba entero y no me permitía poner en orden los pensamientos.

Al cerrar la puerta de la habitación de la señorita Elena, otra puerta se abrió en el cuarto de enfrente y vi una cara asomándose al pasillo, y era la cara coloreada de la señora Geertghe, y luego vi las sortijas y las pulseras de una de sus manos tintineando frente a mí y observé su puño cerrado y el dedo índice escapándose de aquel puño y estirándose hacia mí y doblándose hacia ella, una y otra vez y con suavidad, lo cual, en el universal lenguaje de los gestos, quería decir que se exigía de mí una aproximación inmediata, y así lo hice, y ella me tomó de un brazo y me empujó hacia el interior del cuarto.

A la esposa del ingeniero Hendrik los sirvientes la tomaban por loca, especialmente la señorita Julia, que decía de ella que un día acabaría asesinando a su lacónico marido, al que no quería, o prendiendo fuego al palacio, pero la señorita Julia era muy vehemente en sus consideraciones, más generosa sin embargo era la opinión de la señora Elvira, quien aseguraba que el comportamiento de la señora era propio de quien ha deseado algo toda su vida y por fin se ha rendido a la evidencia de no tenerlo, y esto lo decía Elvira refiriéndose a la infertilidad de la belga, y otros decían que el problema de la esposa de Hendrik era que nunca se había adaptado a la vida en aquella región tan lluviosa y húmeda, y tampoco faltaban lenguas que pregonaran sin reparos que la belga había tenido una juventud libertina y que ahora la vida se lo estaba cobrando, aunque más sabia me parecía a mí la opinión de Eneka, que por algo había estudiado la enciclopedia del mundo, ya que él decía que la locura era una forma agradable de construirse universos propios cuando no nos gustaba el que teníamos alrededor, y era éste un pensamiento acertado, porque eso era lo que de igual manera le ocurría a mi hermana Lucía, a quien algunas gentes también consideraban enferma de locura. Así que sobre la señora Geertghe había opiniones dispares y todas muy libres, porque la verdad nadie la conocía. Quien nunca opinaba sobre la señora era el mayordomo Félix, manteniéndose así fiel al principio de no pronunciar palabras de murmuración o encono referidas a quienes de alguna manera nos procuraban los alimentos.

La señora Geertghe me miraba y me sujetaba sin que yo supiera lo que quería de mí. Me llevó junto al ventanal para que me diera la luz y luego fue rodeándome para verme mejor desde todos los ángulos, y sonreía feliz y parecía que yo fuera un objeto que ella hubiera adquirido y ella una dueña satisfecha por la adquisición, y murmuró, cada día te pareces más a él, y le dije, señora, estoy a su disposición para lo que quiera mandarme, y me preguntó, para quién es ese jarrón, porque llevaba en la mano el jarrón que me había encargado la señora Sakia, y le contesté, es para la señora hermana de usted, y dijo, ella siempre pendiente de todos los detalles, y luego añadió, te sienta bien ese traje, pero mejor te sentaría el uniforme de capitán, o de almirante, qué te parece el uniforme de almirante, y pensé que lo decía por aquello que yo le había contado a su marido el día en que entré en el palacio cuando él me preguntó qué quería ser de mayor y le dije que capitán de un barco, y por eso le expliqué a la señora Geertghe, aquello fue una broma, y entonces ella se puso seria y abrió aún más sus ojos grandes y azules y me dijo gritando, de ninguna manera pudo ser una broma, tú no sabes nada, podía haber sido maravilloso, pero él fue un obstinado, terco como las mulas que trabajan en las minas, nada fue una broma, y gritaba tanto la señora Geertghe que la saliva le formaba burbujas blancas en las comisuras de los labios, y yo no sabía qué quería decirme, aunque supuse que sus palabras no guardaban relación con aquel pensamiento que yo había tenido, y entonces pensé que la belga ciertamente era una mujer con la razón trastornada, y le dije, mil perdones, señora, si la he ofendido, estoy aquí para servirla, y ella, con una voz sinuosa, dijo, vete, anda vete de aquí que tú sí que eres una broma, y fui hacia la puerta con cierta desazón y antes de que saliera me preguntó, no andarás cortejando a mi sobrina Elena, y le dije, señora, sólo vine a buscar un jarrón, y me fui huyendo de sus carcajadas.

Al llegar a la sala, la señora Sakia me dijo, tardaste mucho, y le dije, sí señora, es que estuve esperando a que la hija de usted pudiera abrirme la puerta, y me volvió a espantar como se espantaba a las gallinas y me dijo, anda, recoge flores, y fui donde estaba Eneka y me senté junto a él y me dijo, tienes floja la pajarita y estás sudando, y le conté a mi amigo lo que me había sucedido, el incidente con la señorita Elena, que le provocó mucha risa, y el encuentro con la señora Geertghe. Sobre la belga me dijo, ella no está tan loca, sólo habla con otro lenguaje y dice cosas que ahora no entiendes porque no llegó la hora de que las entiendas.

El ambiente era cálido porque ardían los fuegos y fuera se habían marchado algunas nubes y los rayos de sol entraban por las ventanas trayendo un aire de fiesta y cayendo como lluvias eléctricas sobre los manteles de damasco y sobre las vajillas de limo fino y cenizas de corteza de caraipo traídas del Brasil. La esposa del ingeniero Jacob, que además de ser belga también era baronesa de una ciudad que se llamaba Gante y hablaba el español cortando las palabras en rodajas como si no fueran palabras sino trozos de manzana que le fueran cayendo de la boca, había acomodado en sus puestos a todos los comensales. Yo tenía la creencia de que en semejantes reuniones se tratarían asuntos esenciales para el desarrollo del país y el bienestar de los hombres y, sin embargo, a pesar de que el banquete aún no había comenzado, ya en el trasiego de las salutaciones y los cumplidos y en el desprenderse de sombreros, capas, tules y crespones, comencé a apreciar que aquello que allí se ventilaba sobremanera no era más que las bahorrinas e imperfecciones de quienes no estaban e incluso alguna que otra apología enconosa de quienes sí estaban.

El mayordomo Félix dio un chasquido con sus dedos de alambre y comenzó el desfile de las bandejas de plata repletas de ostras traídas de Río de Coina, sustento que yo nunca había probado y del cual decía Eneka, porque era un hombre sabio que había leído una enciclopedia, que era pábulo afrodisíaco que excitaba los sentidos y apetitos sexuales, asunto que según él nunca se había demostrado, pero que la mayoría de la gente pudiente creía a pies juntillas, ya desde los tiempos de un escritor latino llamado Juvenal, porque, al parecer, tal índole de personas, acaudaladas y ociosas, necesitaban ingerir sustancias que les removieran las pasiones, por su natural tendencia a la desidia, no así las gentes humildes, las cuales se dejaban llevar únicamente por aquellas enjundias que el propio cuerpo fabricaba para esos menesteres venéreos e íntimos y que parecían traer por sí solas buenos resultados sin necesidad de recurrir a sufragios externos, y también decía Eneka que eran las ostras comida de emperadores, y que su ingestión a más de uno le había ocasionado serios disgustos, como a Carlos de Habsburgo, el que vivió sus últimos años en el Monasterio de Yuste, adonde se hacía llevar en acémilas y ocultas entre calderos de nieve las ostras que le enviaba su hermana Catalina desde Lisboa, y que no siempre llegaban en las mejores condiciones de frescura, a pesar de lo cual eran engullidas sin vacilar por el anciano emperador, enfermo de gota, comezones, almorranas, tercianas y paludismo, lo cual hacía bueno el refrán de mi abuela Angustias, a quien come muchos manjares no le faltarán enfermedades, y todo esto que me había enseñado Eneka sobre los pábulos o viandas de la gente importante y sus consecuencias, lo pensaba yo mientras servía los babosos moluscos, traídos de las costas gallegas, a los invitados del señor Hendrik y del señor Jacob. Hubo quienes se aplicaron en la engullición de las ostras de manera sobresaliente, como fue el caso de un facultativo de minas, que había sido diputado y ejercía el periodismo en el diario *Región*, diario que yo conocía bien, no por frecuentar su lectura, sino por la aversión que le provocaba a mi abuelo Cosme cuando mi tío Urbano traía algún ejemplar a casa en sus visitas mensuales, si lo traes para prender la lumbre, vale, si es para que yo lo lea, vas listo, decía mi abuelo, y mi tío replicaba, padre, cada uno escribe lo que quiere y lee lo que le apetece, y mi abuelo se enfurecía y se levantaba de la silla de los silencios y alzaba la voz para decir, apuntando con el dedo índice al cielo, dos cosas te voy a decir, Urbano, una, que eso que llamas diario no es más que un libelo de los católicos reaccionarios, y otra, que hay muchos que están en la cárcel por escribir lo que piensan o leer lo que necesitan. Pues el señor periodista del referido diario, cada vez que engullía una ostra, dejaba suspendida unos segundos la mano con el tenedor de dos púas y en ese momento observaba a los demás a través de unas gafitas redondas que se parecían a las del maestro Silvano, y su esposa lo molestaba ligeramente con el codo, quizá por vergüenza de la avidez de su marido o tal vez por temer a corto plazo las consecuencias de aquel afrodisíaco. Enfrente del periodista y facultativo, se sentaba un señor conde, que también era ministro de Fomento y accionista de varias fábricas, y éste apenas probaba las ostras, sólo un par y regadas con mucho limón. Las señoras se mostraban muy recatadas con el asunto de las ostras, quizá porque al ser notoria su fama como alimento afrodisíaco no querían ellas mostrar públicamente sus íntimas necesidades y, bien tomaban un trozo de sardina en escabeche, una aceituna, una anchoa o un rizo de remolacha, bien mojaban los labios con el vino de Madeira a la vez que recriminaban los usos y costumbres de los ausentes, la afición de la actriz Marcela Bregy a los gatos de angora, el empalago de las novelas de la condesa de Baillehache, el perfil de camafeo de la hija de los condes de Polentinos, la poca feminidad del cuerpo de la atleta Gertrude Ederle, que había atravesado a nado el Canal de la Mancha, la dicción y los andares de Aurorita Redondo, los viajes a Nueva York de la marquesa de Comillas o los esfuerzos por mejorar el físico de la vizcondesa del Cerro de las Palomas, que andaba tomando incluso Hipofosfitos Salud y Píldoras Circasianas. La condesa Marta Guilhou le explicaba a la señora Sakia los métodos de Elizabeth Arden, capaces de conservar la eterna belleza, mientras mordían ambas unos rabanillos, y la esposa del Presidente de la Unión Patriótica ponía en duda la elegancia de los sombreros de Cora Marson ante la indiferente mirada de la señora Geertghe.

Los chasquidos del mayordomo Félix con los dedos eran como tañidos militares de trompeta. Retiramos los enjuagatorios, las bandejas de ostras, los entremeses y las copas donde se había tomado el vino de Madeira, y nos dispusimos a servir el pescado. Un permiso especial del general Zubillaga, Gobernador Militar presente en el festín, permitió levantar la veda para capturar en Niserias aquellos doce salmones, algunos de más de ocho kilos, que nos disponíamos a servir. Iban rellenos de colas de langostas de Luarca, jalea de frutas, huevos duros de codorniz y lonchas de jamón dulce traído del condado inglés de Yorkshire, y estaban aquellos peces del Cares rociados con vino gallego de Godello y rodeados con guarnición de cangrejos del río Orandi, setas de Muniellos y espárragos murcianos, que a la gente importante le gustaba aludir a la genealogía de todo cuanto comía, tal vez por dejar constancia de que en esta vida para que algo destaque debe tener su linaje y diferenciarse así de aquella otra clase social de hambrientos e indocumentados, para los cuales, con respecto a la comida, los más cercanos parientes eran los dientes. Y aquellos salmones debían de estar deliciosos porque los comensales dejaron de hablar y pusieron muecas de entusiasmo y sus pómulos enrojecieron y se enardecieron sus mejillas hinchadas, y yo estaba allí plantado de espaldas a la ventana, estrenando aquel nuevo oficio de camarero, con la servilleta terciada en mi brazo izquierdo, la mirada al frente, derecho como un militar delante de la bandera, expectante como un futuro contrayente esperando a su novia junto al altar, y pensaba yo que aquellos seres inflados parecían estar almacenando la salud, tragándola ansiosos para preservar su existencia, y con la salud engullían todo el oxígeno y también la felicidad, para no dejar nada a los indignos, y en aquel acto de comer y beber lo mejor, en las vajillas y copas más fastuosas y con los más valiosos cubiertos, querían ellos resumir sus alegrías y sus desvelos y tomar conciencia de su dominio, haciéndonos sentir a nosotros, al mismo tiempo, frágiles y desgraciados por no haber alcanzado la gracia divina de tener un cerebro tan iluminado y un alma tan privativa como la de ellos y por no disponer de una genealogía, heráldica y abolengo, que nos hicieran al menos alcanzar la importancia de los salmones del Cares, las langostas de Luarca o el jamón de Yorkshire, pero todo aquello se me antojaba a mí como una suerte de esclavitud, y veía yo más salud en los pechos de la señorita Julia, que desafiaban el almidón para irradiar poderío, que en todos los cuerpos de las linajudas comensales puestos unos encima de los otros, por muy aristocráticos que fueran, y, más que en los apellidos circunspectos y en los títulos y en los ademanes ceremoniosos de los invitados, presentía yo el abolengo en las pupilas de la aya de las niñas del palacio, que a buen seguro descendían, no las niñas sino las pupilas de Julia, de una de aquellas diosas que Eneka me contaba que eran tan hermosas, aunque hicieran cosas extrañas, de Juno, por ejemplo, que era una diosa que amaestraba gansos, y por todo esto que yo sentía en aquel intermedio entre plato y plato, de espaldas al paisaje del mediodía, me acerqué a la señorita Julia con mucho sigilo y le dije, tienes ojos de diosa viva, eso le dije, y los abrió aún más para mirarme sorprendida, y añadí, y todas esas que están comiendo salmón llevan la muerte en las pupilas, y la señorita Julia me dijo, cállate rufián, eso me dijeron sus labios gruesos y carnosos, pero los humores de su cuerpo, esos que corren por dentro en forma de violentas cataratas cuando el cerebro inficiona las carnes con el deseo, ésos me estaban diciendo otra cosa, y ya iba yo a proceder a la materialización de otra tontería cuando sonaron de nuevo los tañidos de alambre del mayordomo Félix anunciando la enmienda del zafarrancho provocado por los salmones del Cares. Servimos la carne. Un ciervo de Pigüeña, asado a fuego lento, había sido cuidadosamente troceado, regado con orujo de miel y adornado con puré de castañas. La cornamenta del desafortunado ejemplar fue colocada sobre la chimenea principal con el aplauso de los comensales y las bromas del señor Oliveros, director de *El Noroeste*, quien refirió a la mesa una anécdota sobre el simbólico atributo de la infidelidad que tenía como protagonista a la esposa de un diputado conservador, lo que provocó la carcajada en unos y muecas de desaprobación en otros, según la adopción política de cada cual, circunstancia que venía a reforzar aquel pensamiento que yo iba alimentando de que la adhesión a las ideas de un grupo determinado terminaba por apoderarse de uno, de sus sentimientos, de su singularidad y hasta de su sentido del humor, así ocurría con el abuelo Cosme y con mi primo Alipio, y también con aquellos señores importantes, generales, nobles, diputados, escritores y banqueros, a los cuales me disponía a servir las carnes del ciervo de Pigüeña, éste sí que no entendía de ideologías, tampoco eso le sirvió de manumisión, acabó como acababan muchos, hombres y bichos, con sus fundamentos en manos de otros y perdido por completo el sentido de sus atributos. Serví a la condesa de Mieres, quien le decía a la señora Geertghe, en esto de la política, como en el matrimonio, lo más aconsejable es siempre el silencio, y también serví a un anciano de barba blanca de nombre Aniceto, que me dijo, suficiente, y extendió la mano sobre el plato, y a poco le pongo en ella una costilla del ciervo, y serví a una señora que era tan anciana y veía tan poco que no me dijo nada, y tuve el honor de servir también a un banquero, Nicanor de las Alas Pumariño, que había sido diputado y senador y también había sido presidente de la Diputación y por entonces era un banquero completamente calvo, de ojos cavernosos y bigote invisible, y el tal Nicanor me preguntó, muchacho, de dónde eres, a lo cual contesté, de donde usted quiera, señor, y el brillo de su calva no lo había yo visto jamás, y serví varios platos más hasta llegar al de la señora Sakia, quien me dijo, sólo poquito puré, y mientras le servía, al momento en que me inclinaba para dejar la comida en su plato, acercó su boca a mi cara y me dijo, tú haces bien bastante, y dije, gracias, señora, y ella continuó diciéndome en voz muy baja, también buena idea búcaros, a mí toca primavera, y me sentí muy agradecido por aquellas palabras de la esposa del señor Jacob, y luego fui a servir a la señora Geertghe y dejó la mano suspendida sobre el plato y me miró muy seria y me dijo, no broma, nada es broma, y me fui con los trozos del ciervo de Pigüeña hasta donde estaba el mayordomo Félix.

El murmullo de las conversaciones fue subiendo de tono porque el alcohol de los diferentes vinos fue apoderándose de los cerebros y las palabras engordaron y perdieron el pudor y había tantas conversaciones como individuos, cada uno doblado hacia sí mismo, entumidos los tímpanos, velados los ojos por cataratas de presunción, y el mayordomo Félix dio la orden de no echar más leña a los fuegos, de las pequeñas chispas nacen los grandes incendios, se me antojaba que todos andaban huyendo, algunas mujeres se habían vuelto profetisas, vaticinaban en qué momento todo sería más espeso, algunos hombres solemnizaban sus propios vicios y renegaban de sus fracasos, vi la carne del ciervo despegándose de los huesos, la luz empezó a parecerme ominosa y la servilleta me pesaba en el brazo como una piedra de moler. El Gobernador estaba vestido de militar y sus palabras eran las más gordas y las más rotundas. Le pregunté a Félix qué eran aquellos colgajos que llevaba en el pecho, y me dijo, son medallas, la de la Paz de Marruecos, la Gran Cruz de San Hermenegildo, y no pudo seguir con la relación de las condecoraciones porque un invitado se levantó para proponer un brindis por la salud de los ingenieros y de sus maravillosas esposas, y el periodista Oliveros le dijo a su vecino de mesa, es un ruin adulador, lo único que quiere es la concesión del transporte del carbón de los belgas, un rastrero cobista, eso es lo que es, hablaré de ello en la edición de mañana, y su vecino le dijo, y encima su mujer se entiende con la hija del conde, y Oliveros preguntó, de qué conde, a lo que el vecino contestó moviendo la cabeza y dirigiendo la mirada hacia el otro extremo de la mesa. Después de aquel brindis de segundas intenciones, al menos según la prensa republicana, todos siguieron comiendo y bebiendo con igual ansiedad, comían aquellos señores importantes como si hubieran pasado hambres también importantes, y de pronto se levantaron de sus asientos y prorrumpieron en cerrada ovación, y no había sido el general Primo de Rivera quien había entrado en el comedor, tampoco el rey Alfonso, que de ser así a más de uno se le hubiera atragantado la carne del ciervo de Pigüeña, lo que aquellos comensales insaciables recibían con vítores y aplausos no era otra cosa que una gran cazuela con el guiso del jabalí. Había sido asado sobre leña de roble y relleno después con salchichas de Fráncfort del Oder, que era una ciudad alemana a donde los ingenieros acudían dos veces al año porque allí tenían talleres de maquinaria y fábricas de cuero, a Eneka le trajo de allí el ingeniero Jacob unas botas de piel de carnero con el escudo de la ciudad grabado en lo alto de la caña, dos torretas y un gallo, pues de allí mismo venían las salchichas que preñaban al jabalí, que ya se dijo que la genealogía era siempre un asunto a considerar, por eso también se hizo público que el jabato había sido cazado a lo alto del río Aller, en un lugar llamado Llananzanes. El vino que servimos fue un Mont-Rachet, de la Alta Borgoña, que estar atento a la intendencia de aquellos señores traía consigo el aprendizaje de la geografía y yo tenía el empeño de convertirme en un hombre instruido, igual que mi amigo Eneka, y me acordé entonces del maestro jardinero y miré por la ventana por ver si andaba por el jardín, pero no eran horas de faena, andaría por las cocinas saboreando los restos de los salmones del Cares. Observando cómo comían y gozaban aquellas gentes tan bien vestidas, recordé las palabras de Eneka cuando decía que los ricos cuando se dedican a ser felices se parecen a los niños, pues como niños pequeños se me antojaban a mí aquellos seres polimórficos que llevaban sobre sus hombros la responsabilidad de decisiones de las cuales dependían muchas vidas, incluidas las nuestras, y en la perversión de su inconsciencia y en medio de verborreas alcohólicas de pronto un político le preguntaba a un industrial, en cuánto estimas el aumento de producción para el próximo ejercicio, y el empresario le preguntaba al político, en cuánto estima el Gobierno que aumentará la jornada laboral este año, y los periodistas hablaban del reparto de las comisiones, que eran las retribuciones derivadas de las facultades que unas personas dan a otras para que entiendan en algún negocio, y este asunto molestaba a los militares, que se rascaban con preocupación las medallas, y una señora que había perdido sus originales colores le refería a la condesa Guilhou que su marido había comprado cinco vagones de pieles de vaca en Miranda de Ebro y los había vendido en Hendaya, y entre estación y estación había ganado cincuenta mil francos, descontadas, claro, las múltiples comisiones, a lo que Marta Guilhou añadió, siempre dije que sería un buen político, y todos y todas se sentían más jóvenes y más felices a medida que se vaciaban las botellas de Mont-Rachet. A una señal de la señora Sakia se abrieron los cortinajes de terciopelo azul del fondo de la sala y una orquesta de violines comenzó a interpretar una sonata de un alemán llamado Strauss, y el anciano Aniceto Sela le dijo al señor Adaro y Pórcel, que también era ingeniero pero que no era belga, aunque hablaba perfectamente el alemán, mejor hubieran sido unas gaitas. Y entre música de violines llegaron los postres, pastelillos de albaricoque, suspiros de Pajares, arroz con leche y crema tostada y un *brazo de gitana* que más bien parecía el brazo de Hércules. El mayordomo Félix me dijo, baja a la bodega y trae más botellas de licores, y así lo hice, y agradecí salir por un momento de aquella sala en la que el aire ya se había vuelto espeso, tanto que se estaban arrugando las flores de los búcaros.

Descendí por las escalinatas de piedra hacia la bodega. El frescor me devolvió agilidad y desalojó la presión de mi cabeza. Se escuchaba el murmullo en la planta de arriba, como el rezo acelerado y penoso de la estantigua grosera e innoble del reino del poder y del dinero, y mastiqué la humedad del sótano y experimenté un cierto éxtasis por aquella soledad, extendí los brazos y di vueltas sobre mí mismo. El brillo de las botellas conformaba un paisaje de estrellas en movimiento, un cielo de estantes verdosos y polvorientos, cariñenas, borgoñas, amontillados, vintages, riojas, condados, jumillas, albariños, burdeos, champañas, cuatro mil botellas decía el mayordomo Félix que contenía aquella bodega, era sencilla la cuenta, como un problema de los que nos planteaba el maestro Silvano, dieciocho estantes centrales por noventa botellas y doce armazones adosados a las paredes conteniendo doscientos veinte envases, total, sumando el resultado de las dos multiplicaciones y restando los huecos de las botellas bebidas y no repuestas, la cuenta cuadraba con la estimación del mayordomo, y eso sin contar los licores que había encerrados en una vitrina y colocados sobre plúteos de roble, hacia ellos me dirigí para cumplir el encargo, cuánto alcohol esperando un destino, reserva, envejecido, crianza escogida, gran reserva, néctar para mendigos profesionales de la anestesia o sal que reavivaba las llagas, líquido de un mar lujoso de náufragos, el abuelo Cosme lo resolvía con una botella de anís corriente, a granel, siempre de la mis-

ma forma, alcohol sin edad conocida ni lugar de nacimiento, pero en aquel palacio todo era distinto, apéndices
y ornamentaciones, mobiliarios y atmósferas, tejados alam-
bicados y enmaderamientos desbordantes, símbolos fami-
liares y maneras de decir, entrantes y salientes, alcobas y
acomodos, y bodegas repletas de vinos de todas las edades
y procedencias, de olores y aromas diferentes, que decía
Félix que unos y otros no eran lo mismo, los primeros entraban por las células olfativas, los segundos vía retronasal
una vez que el vino se hallaba en la boca, pimientos verdes, almendra, camuesa o pan de higo, eso entre los olores, frutas, flores o animales con respecto a los aromas,
que el mayordomo no había estado casado con una musa
ni tampoco era probable que hubiera estudiado una enciclopedia y por eso su sabiduría no era universal, como la
de Eneka, pero también él era un sabio en lo referente a su
oficio, y yo andaba en la tarea de aprenderlo, como aprendiz que era, y parecía que aquello de los vinos era lección
incuestionable en el manual de los camareros de alifaras
importantes, no tanto para beberlos como para saber apre-
ciarlos y elegirlos de forma conveniente para que otros los
disfrutaran.

Ya había elegido varias botellas de licores y las había
colocado en una cesta, cuando sentí que alguien descendía
por las escaleras, será Félix que viene a dirigirme en la
elección de los licores, eso pensé, y volví la cabeza, pero
no era Félix quien estaba parado al final de la escalera, era
la señorita Elena, qué querrá, me pregunté, y fui hacia ella
para mostrarle mi disposición de sirviente y quedarme a la
espera de sus órdenes, determinaciones, urgencias o apetitos, porque tal era mi encomienda en aquel palacio azul
del cual la recién aparecida era una de las principales prin-
cesas. La luz salía partida por un ajimez que se abría, en la
única pared sin estantes, a ras del suelo del patio, y caía es-

parcida sobre la señorita Elena como un baño de paja, como las ramas colgantes de un árbol, y ella me dijo desde el penúltimo de los escalones, no diré nada a mis padres sobre el asunto de esta mañana, e incliné un poco la cabeza y le di las gracias, y estaba yo comenzando a tener la sensación de que aquel inesperado momento tenía mucho de secreto y algo de prohibido, que era un momento placentero y hermoso, pero al mismo tiempo comprometedor e incómodo, de nuevo una circunstancia que era varias circunstancias a la vez. Ella descendió hasta el último de los escalones y alargó el brazo y su mano se abrió camino entre las ramas de luz y me empezó a acariciar el pelo y a preguntarme si me gustaba, no el hecho mismo de la caricia sino toda ella entera, te gusto, ésa fue la pregunta, y ya no sentía yo el frescor de aquella bodega, más bien tenía calor, porque aquel día singular me estaban sucediendo demasiadas cosas, tantas que pensé que no iba a poder acomodarlas todas en la memoria, como si aquel día fuera muchos días, incluso meses, y volvió a preguntarme, esta vez con un relativo delante que no debía de ser relativo porque la respuesta requerida era muy concreta, más bien conjunción completiva que denotaba reiteración o insistencia, que si te gusto, y dije, sí señorita, y volvió a preguntar, cuánto te gusto, y respondí, mucho, señorita Elena, me gusta usted mucho, y como una habitante de aquel Olimpo que me describía Eneka donde se decidía el destino de los hombres, la diosa Elena mostró su magnanimidad y me dijo, en adelante y siempre que estemos solos puedes tutearme y llamarme Elena, y apretó mi cabeza contra sus pechos y los sentí perfumados y cerré los ojos para dormirme y no despertar de aquel sueño que había quedado estrujado entre mi cara y su cuerpo, para escapar de mi condición de sirviente, pero todo era demasiado prohibido y yo estaba tembloroso, me temblaban los brazos, colgados en la duda sin atreverse a ejecutar avaricias de la voluntad, me temblaba la montaña entera del Olimpo, y dije, arriba están esperando por los licores, como un zorro que encubriera en el verdor de las uvas su manifiesta inutilidad, y mis palabras se deslizaron por su vientre también prohibido, y me dijo, en cualquier momento tendrás noticias mías, y desapareció como desaparecen los relámpagos que provocan las tormentas, y me dejó allí perdido entre los haces de luz de aquel ajimez que yo deseé que fuera el ojo de buey de un barco para arrojarme por él a la mar.

Cuando me disponía a abrir la puerta escuché conversar a dos periodistas, uno de ellos era Oliveros, la dimisión está cantada, le decía a su compañero, me acabo de enterar de que Benjumea parte mañana a primera hora para Madrid, pero él no será el elegido, se habla de Dámaso Berenguer, es un hombre culto y equilibrado, pero no deja de ser un palatino de ideas anacrónicas. El compañero de Olivares decía, por fin se termina la pesadilla, se abrirán las fronteras al regreso de los expatriados, se abrirán las puertas de las cárceles a los presos políticos, se restituirán las cátedras y empleos de los perseguidos. Sin duda hablaban de la dictadura y parecía, según aquellas personas, que comenzaba una nueva época de libertades donde todo sería posible, así que pensé, puestos a pedir, también podrían abrirse las puertas del Olimpo a los mortales, hacer posibles los sueños prohibidos, beber de todas las fuentes de la vida en compañía del cortejo de las nueve musas, convertirse en cisne para unirse a Elena, la más bella hija de Zeus, ingeniero mayor del Olimpo. Oliveros, al verme, dijo, parece que llegan los licores, frase que no supe interpretar, porque bien podría ser expresión de disimulo o bien una forma sutil de criticar el retraso, que verdad era que se había producido, primero en el éxtasis contempla-

tivo del surtido de los vinos y después en el encuentro imprevisto con quien entró en la bodega de princesa y salió
con el título de diosa, y recordé una vez más las palabras
de mi hermana antes de que yo entrara a trabajar en el palacio, lo que vas a ver allí dentro no son cosas sino circunstancias, accidentes de modo y de espacio y de tiempo
que alteran el orden natural de lo conocido hasta ese momento, y así de distraído llegué ante el mayordomo Félix
con la cesta cargada de licores y de circunstancias, vamos,
Nalo, que ya están los cafés en la mesa, me dijo, y frunció
los alambres de su rostro enjuto para mostrarme la evidencia de su reproche.

El alcohol había hecho mella en el carácter de algunos
comensales, a unos les había ahogado la tristeza y los había privado de ese sentimiento o estimación de la propia
dignidad que se suele llamar vergüenza, y por eso expresaban regocijos excesivos o a destiempo y componían
muecas en los rostros arrebolados para producir estruendos primitivos, a otros el alcohol les había robado el silencio y no sólo emitían de forma alterna sonidos guturales
que formaban palabras gruesas sino que andaban flotando
en un discurso inacabable en el cual las frases se arracimaban unas a las otras con la ayuda de babas y suspiros, y
también había a quienes la circunstancia de haber bebido
en exceso no sólo les había afanado la vergüenza y la tristeza y el silencio, también se había apoderado de su soledad y con ella se habían ido la templanza y la adulación y
los ruegos y los temores y los fingimientos, porque quien
pierde la referencia de la soledad ya no posee la defensa de
creerse recién llegado a este mundo, ya se cree parte sustancial de este mundo e intenta hacerlo girar, al mundo,
con la palanca de su soberbia, y por eso andaban algunos
derrocando todas las monarquías de la tierra o fundando
las dictaduras más cruentas, firmando penas de muerte o

impartiendo lecciones al mismísimo Dios, enamorando a la más hermosa de las hijas de Eva o dictando leyes inapelables sobre el ordenamiento natural de los sexos, pero bien es verdad que a todos ellos, aunque el alcohol fuera capaz de privarlos de la tristeza, la vergüenza, el silencio y la soledad, por este orden, nunca conseguiría redimirlos del peso de ciertos recuerdos, porque no hay alcohol suficiente sobre la tierra para anegar la memoria, así me lo había transmitido en no pocas ocasiones mi abuelo Cosme, quien andaba en ese intento del olvido selectivo desde hacía años, y cuanto más alcohol se ingería para olvidar más imposible resultaba el olvido y más desnudos se quedaban los recuerdos, y, de esta manera, lo que en el momento previo a la embriaguez sólo habían sido representaciones figurativas, presencias más o menos molestas de imágenes en la mente, adquirían con ciertas dosis de alcohol naturaleza física, y así los recuerdos se materializaban por el poder de la desinhibición implacable, ya no eran reverberaciones esporádicas del ánimo, sino pájaros desorientados y molestos que se estrellaban como pedruscos contra las paredes y rompían los cristales de las ventanas y resucitaban a los muertos, los cuales caminaban luciendo su engreimiento por encima de las mesas, y mostraban sin reparo y a gritos su descontento y dejaban sobre el azumbrado todas las culpas, las viejas y las de nueva crianza, con lo cual, en esa carrera frenética del alcohol, la meta era el principio de los más expuestos caminos, y esto, como ya dije, lo había aprendido de mi abuelo Cosme, que hablaba poco, pero cuando lo hacía, quizá por el hecho de mantener las palabras durante largo tiempo fermentando en la bodega del silencio, sus pensamientos se mostraban diáfanos y sus dictámenes precisos y definitivos, el anís no ahoga, sólo encharca y destapa las alcantarillas, les decía al cantinero Colino y al ruso Basilio, con quienes se juntaba algunas veces para beber en los bancos de la estación, y Colino siempre remataba las conversaciones asegurando, vamos a morir de todas formas, y el ruso Basilio sólo decía, qué bien se está cuando se está bien. En este enredo de meditaciones andaba yo, en pie y de espaldas a los violinistas, con la mano derecha colgando y la izquierda doblada y aguantando el trozo de mantel, a la espera de las órdenes de Félix o los requerimientos directos de algún comensal, cuando una señora que se tambaleaba detrás de la condesa Marta Guilhou y llevaba un vestido que no parecía traje de criatura humana, me llamó, como llaman los pastores a sus perros, y acudí solícito a ella, sintiéndola no pastora sino oveja descarriada, llena esta copa de licor, me dijo, y tomé la botella y fui a cumplir su deseo ejecutando con precisión cada uno de los movimientos que para tal servicio me había enseñado Félix, pero con tan mala fortuna que, al ir a verter el líquido en la copa, la señora perdió el equilibrio y hube de soltar la botella y el licor se derramó por aquel vestido que no era vestido sino arbitraria y ridícula presunción y agarré con fuerza uno de los pliegues de su blusa para evitar su desplome y, aunque la seda se rasgó y parte de los interiores de la infausta quedaron al aire, conseguí sujetarla, y hubo interjecciones varias y algún reniego que otro, los violines dejaron de sonar y se hizo el silencio, y los alambres del rostro de Félix, que corría hacia nosotros, se oxidaron de repente, y miré a la señora e intenté pedirle disculpas, pero su bofetada ya estaba adornando mi cara, con lo cual, por puro acto reflejo y no por desconsideración, la solté y se fue al suelo envuelta en aquel vestido que cada vez se me antojaba menos vestido y, en aquel instante, a la vez que escuchaba las palabras de Félix, bien la jodiste, Nalo, di por concluida mi corta carrera como camarero de acontecimientos importantes, al menos en aquel palacio azul de los ingenieros belgas.

Pero, una vez que la señora, visiblemente conmocionada, fue sacada de la sala para ser atendida de forma más aplicada y discreta, la esposa del ingeniero Jacob, la señora Sakia, se acercó a mí y me dijo, tú no preocupas, ella toma mucho vino y licor, hiciste correctamente lo bueno, y aquellas palabras me parecieron incoherentes, no por estar mal pronunciadas, que lo estaban, aunque en asuntos del lenguaje más importante que el inmueble era el aforo, sino por provocar efectos contradictorios, como si cada palabra de la señora Sakia en realidad fueran dos palabras, y así me aliviaban en un sentido, el de la tranquilidad que proporcionaba el saberse comprendido y disculpado por alguien que poseía el arbitrio del castigo, pero me estaban rompiendo aquellas palabras el hilo de los acontecimientos, pues yo era un siervo, un criado ayudante de todo y titular de nada, sin derecho a disfrutar de ninguna razón en medio de tanto poder y tan manifiesta riqueza, y me sentí vulnerable, como debe de sentirse un perro acariciado por el amo al que acaba de morder, y una vez más otro momento no se limitaba a ser únicamente un simple y comprensible momento, y bien es cierto que acabé pensando, como lo había hecho instantes antes en la bodega, que también el perdón era un privilegio de los dioses, quizá el gesto donde de forma más contundente manifestaban su poder, más incluso que en el acto del castigo. Y a pesar de aquellas palabras de la señora Sakia me encontré flotando en el penoso estado de la vergüenza, sintiendo el soplo devastador de todos los alientos, la lluvia de escombros de todas las miradas, y con toda seguridad hubiera sido el centro de atención y el objeto de la mayoría de los comentarios para el resto de la velada, compartido el protagonismo, eso sí, con la autora de la bofetada y del desmayo, si no se hubiera producido, en aquel mismo instante, un acontecimiento de máxima importancia, una circunstancia capaz de eclipsar cada una de las demás circunstancias. El ingeniero Hendrik, acompañado del conde que también era ministro, entró en la sala procedente de su despacho, tocó dos veces las palmas para exigir silencio, se colocó delante de los músicos para ser visto por todos y con una voz intensa y metálica, como la de un predicador en el púlpito de una iglesia, anunció, acabamos de conferenciar por telefonía con un miembro del Gobierno, quien nos ha informado que el general Primo de Rivera, marqués de Estella, acaba de presentar la renuncia ante el rey don Alfonso con el único motivo de equilibrar y reponer su salud. Hubo un silencio, grave y espeso, esos segundos en que cada uno piensa cuál será el gesto o la palabra más conveniente, ese tiempo vacío en el que, en todo caso, uno siempre espera que sean otros quienes lo alimenten. Fue entonces, en ese espacio y en ese tiempo detenidos, cuando la señora Geertghe, con la voz perturbada por el alcohol, arrebolada y espectral en el silencio de la sala caliente, alzando su copa llena del líquido de las burbujas, se levantó tambaleante de su asiento y, acrecentando hasta lo inhumano el dolor de su soledad, emitió un grito lacerante que me erizó la piel, a la mierda los dictadores, dijo, sean prelados, gobernantes o maridos, sean marqueses o miserables, a la mierda todos ellos, brindo por su destrucción. Ofuscado por aquella dolorosa visión volví la mirada hacia el ventanal y vi al jardinero Eneka podando los sauces, jóvenes y desnudos, y en aquel instante hubiera querido estar con él, ajeno al mundo de aquella sala llena de circunstancias que yo no necesitaba conocer. Sacudida por el soplo de la incomprensión, aquella mujer misteriosa para mí, bebió un último trago antes de su definitivo derrumbamiento, y cayó de bruces sobre aquella mesa ilustre poblada de valiosas piezas de cristal de Bohemia y vajillas de limo fino y cenizas de corteza de caraipo.

Nadie planta un pino para que le hagan el ataúd, pero el dictador lo hizo, él mismo fue anunciando su muerte, y en política anunciar la muerte es morir, el endurecimiento de sus resoluciones fue visto como un gesto de debilidad, y como cada día es discípulo del anterior, aunque el discípulo salga rebelde, el general contempló un buen día cómo aquellos que le habían ayudado a sembrar el pino no sólo lo tenían ya cortado y escoscado sino que andaban serrando y cepillando las tablas y preparando los clavos. Pero antes de que terminaran de construirle un ataúd, cambió los planos que a tal efecto habían confeccionado tanto los eruditos como los ventajistas de ese método confuso consistente en la utilización de estrategias y la aplicación de doctrinas para la gobernación de los pueblos y que se viene llamando política, y el dictador se procuró para su huida una patera, que es embarcación sencilla y muy adecuada para cruzar fronteras, antes de que los perros economistas descuartizaran a mordiscos los lomos de su poder con el falso menguado de la peseta, antes de que sus propios validos le hicieran tomar conciencia de las catástrofes provocadas por sus decisiones intempestivas, antes de que las conspiraciones militares convirtieran en chatarra sus estrellas de general, antes de que el rey viniera en persona a certificar su muerte y a colocar la bandera a modo de mortaja sobre el referido ataúd, antes de que los gritos del pueblo oprimido le reventaran los tímpanos, antes de todo esto, aquel hombre que había tomado el poder, según pregonaba él mismo, por tener, entre otras cosas, la masculinidad completamente caracterizada, se subió a la patera de las renuncias y se alejó escuchando el rumor corrosivo de otros sables y dejando al rey sin estar preparado para actuar de forma determinada, que es una manera suave de traducir una expresión, que hace referencia a una prenda femenina de vestir, mucho más popular y poco adecuada cuando de quien se habla es de un señor monarca cuyo poder le viene del Olimpo o al menos de sus alrededores. Y ahora a descansar un poco, lo indispensable para reponer y equilibrar la salud, éstas fueron las palabras del dictador dimisionario, subido ya a la citada patera rumbo a un sencillo hotelito de la vecina Francia.

Éstas fueron descripciones extraídas de los argumentos que el jardinero Eneka y el mayordomo Félix pusieron en común en un descanso de sus actividades respectivas, cuando se juntaron al atardecer a fumar un cigarro debajo de la morera, una vez que los invitados se hubieran retirado, los restos del convite hubieran sido recogidos, los muebles y ornamentos vueltos a su posición original y cuando ya el aire que alborotaba las plantas del jardín se había vuelto frío, como correspondía al día y mes en que nos encontrábamos, veinte de enero para ser exactos, un día señalado para una sorpresa importante, si sorpresa podía llamarse a lo que ya se esperaba desde hacía tiempo, porque Eneka decía que el saber con certeza que algo va a ocurrir nos libra del sentimiento de asombro cuando por fin ocurre, y no fueron asombros lo que pude observar aquel día, después de conocida la noticia, sino más bien apresuramientos y urgencias por situarse cada cual en el lugar exacto para recibir de forma propicia los posteriores acontecimientos. Hubo quien fue a celebrarlo por todo lo alto y también quienes lloraron con aflicción de huérfanos, los periodistas afilaron las noticias con la piedra de la oportunidad, los políticos descolgaron del armario de las ideas la chaqueta más conveniente para lucir en las nuevas fotografías que preparaba la historia, los empresarios declinaron de nuevo la palabra economía y dotaron al nominativo de más universalidad y pusieron serpentinas de colores en el vocativo y al genitivo le apuntalaron aún más su sentido de pertenencia y al ablativo le ocultaron las procedencias y al dativo lo dejaron en suspenso por lo que pudiera pasar. El pueblo llano andaba suspirando bajo las sombras, con esa rara desazón de quien espera un tren que nunca se detiene, se miraban unos a otros y se decían agudezas o consignas transmitidas oralmente por muchas generaciones, como un continuo lamento que más que dolor expresaba indiferencia, ni calvo ni con dos pelucas, el rey quedó compuesto y sin novia, le va a costar la corona, el espantajo sólo dos días engaña a los pájaros, hay palabras torcidas que a una parte miran y a otra tiran, muchas son las artes que el lunes enseña al martes, cada medalla tiene dos caras, ya veremos dijo un ciego, lo que a la fuerza se da nadie lo agradecerá, el prometer no empobrece y cosa de ricos parece y muerto el perro se acabó la rabia.

Aquel día me fui a casa tarde. Anduve comentando con Eneka el desafortunado percance con la señora invitada. Se rió mucho y en su risa también apreciaba yo su sabiduría. Y con respecto al incidente de la señora Geertghe, Eneka se puso serio y me dijo, esa mujer esconde un sufrimiento grande. Fue en aquel momento cuando me habló por primera vez de la mariposa que todos llevamos dentro, la de cada uno es única, tiene colores distintos y revolotea de forma diferente, algunos se mueren sin haberla sentido jamás, el quid está en descubrirla a tiempo, y le pregunté, qué pasará cuando la encuentre, y me respondió, lo sabrás cuando llegue ese momento. Le dije que me acercaría a ver a mi hermana, pues tenía un libro de poemas para ella que había cogido en la biblioteca, y Eneka me preguntó, de quién es ese libro de poemas, y le respondí, de los ingenieros, supongo, y él dijo, Nalo, te pregunto que quién es el poeta, y le dije, ah, no sé cómo decirlo, es un nombre extranjero, y Eneka me preguntó si conocía Félix lo de los libros, y le expliqué que no, que no lo conocía, porque un día le había preguntado si podía tomarlos prestados y él me había dicho que los ingenieros no verían bien que sus sirvientes anduvieran leyendo poemas, ni poemas ni otras literaturas, así que los cogía sin que nadie me viera y una vez leídos por Lucía volvía a dejarlos en los estantes, y Eneka me dijo, ten cuidado, no me gustaría que tuvieras problemas por culpa de unos cuantos versos, y también me dijo, dile a Lucía que el domingo me acercaré a visitarla.

Mi hermana recibió el libro con entusiasmo, me dijo, gracias Nalo, eres un sol, y me besó de la forma en que ella siempre lo hacía y pensé que merecía la pena hacer de ladrón para Lucía y robar aquellos libros, pues probablemente nadie disfrutaría de su lectura como lo hacía ella. Le dije, hace más frío que de costumbre, y me pidió que me quedara a cenar, tengo guiso de patatas, dije que sí, que me quedaba con ella, y me volvió a besar, porque a mi hermana le gustaba mucho besarme con besos ágiles y sonoros, y me dijo, mientras dispongo la mesa sal al corral a por un poco de leña y enciende el fuego. El cielo estaba quieto, silencioso, entregado al tránsito de una muchedumbre de estrellas, y el aire iba dejando el rocío sobre todas las cosas para que lo enfriara la noche hasta convertirlo en hielo. Recordé la vida de mi hermana mientras recogía la leña, sus entusiasmos, sus soledades, sus disturbios espirituales, sus locuras y sus silencios, recordé la atormentada forma que tenía de asistir al espectáculo del universo. Mientras cenábamos le pregunté si conocía la noticia, y me respondió, claro, me lo dijo Angélica, que vino a traerme unas sales timoladas que le encargué a su padre, pero eso a nosotros nos da igual, Nalo, a ti y a mí nos da lo mismo quien dirija todo esto, y le expliqué a Lucía que Eneka había dicho que el rey tendría problemas, pero ella se rió y me dijo, los reyes nunca tienen problemas. Me vino entonces a la memoria el recado que me había encomendado Eneka y le dije a mi hermana, el domingo vendrá a visitarte, y me preguntó, el rey, y respondí, no, Eneka, y nos reímos los dos, y me sentí vinculado a ella por sentimientos sin duda contradictorios, porque la veía como hermana, pero también la veía como mujer, por eso le dije, no sé cuál es la forma en que te quiero, y no debió de oírme porque dije aquello sin levantar mucho la voz y a ella había que hablarle en un tono elevado y a ser posible mirándola de frente para que te viera los labios. Se levantó y tomó el libro que yo había robado para ella y lo abrió al azar y comenzó a leer un poema, «aquí abajo todas las lilas mueren y todos los trinos de los pájaros son breves, yo sueño con estíos que no terminen jamás, aquí abajo los labios rozan sin dejar nada de su dulzura, yo sueño con besos que no terminen jamás, aquí abajo todos los hombres lloran sus afectos o sus amores, yo sueño con lazos que no se rompan jamás». Le pedí que pronunciara para mí el nombre de aquel poeta extranjero, y lo hizo, Sully Prudhomme, es francés, cómo me gustaría saber hablar el francés, y me siguió leyendo poemas, y pensé que el tiempo de la poesía era un tiempo distinto, porque era tiempo del interior, tiempo que quizá nacía en el mismo lugar donde revoloteaba aquella mariposa que Eneka decía que todos llevábamos dentro. Estaba seguro de que mi hermana hacía tiempo que había encontrado su mariposa, por eso le pregunté, cómo es tu mariposa, y ella dijo, vaya, Nalo, Eneka ya te habló de eso, luego guardó silencio, pero sólo fue un instante, se estiró por completo, tanto que sus pechos estaban a punto de hacer saltar los botones de la blusa, y me dijo, me ocupa entera, es tan grande como yo. Le pregunté, cuándo lo supiste, y dijo, cuándo supe qué, y le dije, cuándo descubriste esa mariposa o lo que sea, y dejó los cubiertos sobre el plato, bebió un poco de vino, se secó los labios y fue a sentarse junto al fuego, y me senté junto a ella y me mostró unos ojos inmensos en los que se reflejaban la luz y el movimiento de las llamas, los fijó en mí y comenzó a hablar con la voz pausada y sin hacer ningún gesto, fue cuando murió Julián, porque te voy a decir algo, Nalo, algo que nadie sabe ni sabrá nunca, yo maté a Julián, sí, yo lo maté, y calla, por favor, calla y no digas nada hasta que te lo cuente todo, tú recuerdas aquella noche, la recuerdas bien porque estabas aquí esperándome cuando regresé, te habías quedado dormido, ahora se cumplen dos años de aquello porque fue en el mes de enero, él me golpeaba muy fuerte, Nalo, lo hacía con las cinchas de las caballerías o con las varas de sacudir los colchones, y también con las manos, con aquellas manos grandes como palas de cocer el pan y esto era lo que más daño me hacía porque me golpeaba aquí, en los oídos, y me hacía sangre, así que aquella noche lo decidí, primero intenté cortarme otra vez las venas, pero con la navaja en la mano me miré al espejo, y, puedes creerme, me salvaron mis ojos, sí, estos ojos, intenté mirarme por dentro a través de ellos, me dije, a ver qué hay ahí detrás, y allí estaba esa fuerza, el coraje, una llama que permanece siempre, eso que Eneka llama la mariposa, y a mí me gusta esa forma de llamar al alma cuando se hace grande, y decidí salvarme a mí misma porque lo tenía todo perdido, la dignidad y la vida, así que me abrigué y cogí el candil, hacía mucho frío aquella noche, yo sabía que él pasaría junto al barranco de Peñamera cuando saliera de la cantina de la estación y que vendría borracho, siempre volvía borracho, pero ya no me pegaría más, nunca más, coloqué el candil donde comienza el despeñadero, busqué un palo y me escondí, no sé lo que tardó porque el tiempo de aquella espera no fue un tiempo que pueda contarse en horas o minutos porque había vida y había muerte a la vez y todo estaba detenido y en silencio, recuerdo que pensé que si aquello salía mal sería yo quien acabaría arrojándome por el barranco, llegó tamba-leándose y susurrando una canción, al ver la luz del candil se detuvo y dijo, quién anda ahí, y se aproximó a ella, a la luz, no fue difícil, me acerqué por detrás y lo empujé con el palo, se desplomó al vacío, pude ver un instante el ale-teo de sus brazos y escuché el golpe de su cuerpo de gi-gante contra las piedras, tomé el candil y regresé a casa, y aquí estabas tú, dormido y con un libro de poemas en las manos, y aquel día la mariposa empezó a crecer hasta ocu-parme entera, y ahora ya puedes hablar, puedes ya decir-me lo que quieras. Hubo un silencio largo. Tardé en mi-rarla a los ojos y cuando lo hice vi que estaba llorando. Me dijo, fue como arrancarme una costra fea y apestosa, pero en ocasiones no puedo evitar sentirme en carne viva. Ella hablaba así y a mí a veces me costaba entender lo que de-cía. Me senté cerca de ella y pasé un brazo por detrás de su cabeza y ella se enroscó para hacerse más pequeña, y así permanecimos, sin hablar, hasta que comenzó a extinguir-se el fuego, entonces me dijo, quédate a dormir conmigo.

CINCO

Mi vida se iba llenando de asombros y una permanente sorpresa por cuanto me rodeaba brillaba ante mí como una estrella que me guiaba. Aprendí que era bueno hacerse pequeño para calibrar lo grande de las cosas grandes y que había que abrir los ojos y los oídos hasta debilitarlos para ver y escuchar cuanto acontecía y para conocerlo todo y llegar a ser sabio, como lo era mi amigo Eneka, como lo era mi hermana Lucía o como lo era mi abuelo Cosme, y me consideraba a mí mismo un ser afortunado porque todo pasaba ante mí para que yo lo observara. Así me iban las cosas cuando, sentado en el poyo de la casa rosa de mi hermana, esperando a que ella me entregara un queso y unos dulces para llevarle a mi abuelo, presencié la llegada de la República. Ella llegó adornada de cánticos, banderas y alborozos, y se reía y miraba hacia los cipreses del cementerio y hacia la torre de la iglesia descubriéndose uno de los pechos, lo hacía como por equivocación, dejando que el manto púrpura se deslizara provocativamente, y aquel pecho apretado se mostraba ante mis ojos debilitados y abiertos como el pecho blanco de las mimosas de la señorita Julia, como el pecho disimulado de los secretos de Aida, cómo el pecho divino de las mieles olímpicas de Elena, como el pecho tórrido de los incestos de mi hermana Lucía y como todos los pechos que mi complaciente cerebro podía imaginar y que alternativamente se iban situando ante mis ojos, y todo estaba perfumado por aquel pecho pétreo y grande de la República, que iba goteando fiesta. Parecía que el mundo empezara de nuevo y que los hombres y las mujeres de aquel nuevo mundo, con gran alboroto de tambores y trompetas, corrieran a celebrar el bautismo de todas las cosas. Los músicos de la banda municipal, sin tiempo para vestirse los uniformes, improvisaron todo tipo de composiciones, extranjeras y autóctonas, pasodobles de pomarada y paraguas, cariocas brasileños, fantasías de ópera, mazurcas húngaras o tangos argentinos, y quien tenía una gaita o una flauta la sacaba y la hacía sonar, y había clarinetes y saxofones y trompas y platillos, y también había mujeres tocando las panderetas y danzando alrededor de los hórreos como si éstos fueran hogueras de la noche de San Juan, «por sobre la verde oliva, por sobre la verde rama», y cantaban unos el himno de Riego, «volemos, que el libre por siempre ha sabido del siervo vendido la audacia humillar», y entonaban otros la Internacional o los himnos al triunfo de la revolución del trabajo, «gloriosos proletarios, al fin llegó la hora en que con vuestra fuerza consigáis la victoria», y la República avanzaba por los callejones en los que el mes de abril había hecho crecer desmesuradamente las ortigas, y pude observar la balanza que colgaba de su mano izquierda, parecida a la que utilizaba el señor Patricio para pesar los polvos de talco o las hierbas medicinales, y en la otra mano llevaba la inmensa señora una cesta llena de flores prematuras, y cuando dobló la esquina del hórreo de las higueras parecía que me miraba y me preguntaba, cuántos años tienes, Nalo, y tremolaban sus pechos erectos y las banderas y las gorras y los sombreros que volaban sobre la multitud, como si todo lo que en el aire tremolaba estuviera hablando entre sí, y respondí, tengo diecinueve años, y mi primo Alipio gritó a mi lado, quién te pregunta los años, mueve tu culo de ahí y vente a celebrarlo, y le dije, estoy esperando un queso y unos dulces para el abuelo, y me miró como si yo estuviera loco y me dijo, todo ciudadano es rey, ellos son ahora reyes porque tienen la plenitud del poder, y Lucía apareció con el queso que ella misma había elaborado con leche de vaca, hacía uno cada mes para los abuelos, también Aida sabía hacer quesos, pero los hacía con leche de cabra, y me dijo mi hermana, vete si quieres con ellos, y pregunté, tú no vienes, y me contestó que aquélla no era su revolución, que la suya aún estaba por llegar, y entonces dije que no, que no iría, que me acercaría a casa a llevar el queso y los dulces al abuelo porque los estaría esperando, y Alipio me dijo, lo que el abuelo espera ya lo tenemos aquí, y Lucía sonrió, porque sabía lo que Alipio quería decir, y en la cara de mi hermana había dos claveles encarnados y una luz que caía por todo su cuerpo.

En aquel momento de máximo alborozo, encaramado en la talanquera del hórreo de las higueras, apareció un joven con un violín. Según mi primo Alipio se trataba de Mariposa, el saboteador más buscado por los somatenes, un anarquista tan enloquecido por la revolución como por la música. Mi hermana dijo que lo conocía, que se llamaba Juan Jacobo Varela Caparina y que en cierta ocasión el abuelo Cosme lo había mantenido oculto hasta que pudo huir a la aldea de Peñafonte, donde tenía un tío que era maestro, y allí había permanecido hasta que lo detuvo la guardia civil. Así que se fugó de la cárcel, le dije a Lucía, y ella me explicó, claro, seguro que hoy muchos carceleros se han olvidado de echar los cerrojos, y qué es lo que toca, pregunté, y me dijo, son sonatas, y yo no entendía a qué venían aquellas músicas refinadas en aquel día de expresión popular y revolución, pero cierto es que los dedos de aquel recién llegado y los movimientos desesperados que hacía con la varilla sobre las cuerdas generaban una melodía tan especial que en unos minutos fue capaz de acabar con la algarabía general, y se detuvieron las comitivas y los grupos se apiñaron frente a la talanquera y la República extendió las flores de su cesta por el aire para que cesara el trueno de los voladores, y mi hermana se sentó junto a mí en el poyo de piedra y me dijo, va a hablar. Con el violín en una mano y el arco en la otra, Juan Jacobo Varela comenzó su discurso, y recordé aquel relato del ruso Vasili Kolesnikov, cuando nos describió la noche en que había escuchado las palabras de León Trotski sobre la felicidad del hombre abstracto. Estamos en la alborada de la auténtica revolución, comenzó diciendo Mariposa, y las causas de las revoluciones no deben buscarse en la cabeza de los hombres, ni en la idea que ellos se forjen de la verdad eterna ni de la eterna justicia, sino en las transformaciones operadas en el modo de producción y de cambio, la utopía tiene cabida entre nosotros, podemos olerla, palparla, ella será la encargada de destruir la realidad, de hacerla pedazos para que reconstruyamos con ellos una idea nueva de la vida colectiva, hay que terminar con el antiguo régimen del espíritu. Y el anarquista siguió hablando de la expresión de la vida colectiva, de la supresión del Estado y la religión, del arte de vivir despreciando las convenciones y rechazando los caminos trazados de antemano y del orden de la anarquía. Le pregunté a mi hermana, entiendes lo que dice, y ella me contestó, más o menos, dice que ya no sabemos qué aventuras apagaron nuestros ojos, ni desde cuándo nos había abandonado la esperanza, dice que no es todavía ni de día ni de noche, dice que cantarán de nuevo los gallos para que perdamos el miedo a despertar, y le dije a mi hermana, estás loca, ya no soy un niño para que me andes tomando el pelo, y ella sonrió y me besó y me dijo, anda a llevarle esto al abuelo, y así lo hice, y el anarquista volvió a tocar su violín y la República mostró de nuevo su pecho desnudo, y enseguida supe en aquel nuevo momento desdoblado lo que movía a las personas y en lo que creía la gente y supe también de lo que eran capaces los hombres y las mujeres por respirar el aire que respiraban los dioses y me fui con el queso y los dulces en la mano como la material ofrenda de aquella nueva realidad pensando que quizá fuera posible la libertad que brotaba de aquellos pezones hinchados si la balanza de la justicia alcanzara a pesar los actos humanos con la misma precisión con que la báscula del señor Patricio pesaba los polvos de talco. Toda la gente se saludaba como si llegara de un largo y accidentado viaje y se besaban en la boca y se miraban con ensoñación y en verdad parecían reyes, como había dicho mi primo Alipio, pero no reyes vestidos de húsares o de almirantes, ésos iban camino del destierro, sino reyes desnudos que se tocaban unos a otros con la misma devoción con la que el cura Belio tocaba las hostias consagradas, reyes que respiraban un aire tan fresco que bien pudiera recogerse en copas, y todo aquello me llenaba de asombro porque era como si todos acabaran de casarse con todos, o como si todos se hubieran casado con alguna de las nueve musas y vinieran a celebrarlo, y alguien gritó, destruyamos las cruces, pero otra voz más enérgica contestó, la libertad debe ser para todos, viva la anarquía positiva, y averigüe aquel día del mes de abril del año treinta y uno que la sensación de victoria es determinante, más aún que la propia victoria, que cuando un hombre se ilusiona es capaz de tirar un muro grande de piedras y de construir otro muro de piedras más grande, y las sombras que aquellas gentes, a las que yo iba reconociendo, proyectaban sobre las paredes y sobre el suelo de los callejones eran enormes y alargadas porque el sol se estaba aún elevando, y esas sombras juntaban las manos entre ellas, como en una oración colectiva, y unos niños intentaban dibujar con trozos de teja los perfiles de aquellas sombras para atraparlas.

Así llegué a casa y, al abrir la puerta, mi abuela Angustias se santiguó para expresar su miedo y me dijo, no hay plazo que no se cumpla ni deuda que no se pague, y también dijo mi abuela, tras un tiempo viene otro, y luego en voz muy baja, como desvelándome algún secreto, me dijo, tu abuelo se ha vuelto loco, está en el corredor riéndose y hablando solo. Dejé lo que traía sobre la mesa y fui hacia el corredor. Parecía estar espantando moscas con las manos en abanico y hablaba sin cesar y entre sus palabras se oían los silbidos pulmonares y paseaba atrás y adelante con una manera de andar que semejaba la de un hombre que pretendiera evitar la entrada de intrusos en su hacienda y su expresión era la de rabia contenida por algún dolor indeterminado. De pronto se detuvo y dijo, ahora veréis, eso dijo y parecía un desafío, se hurgó en la bragueta y vi el chorro de su orina estrellándose contra los barrotes y presentí de cuerpo entero que aquella locura repentina del abuelo estaba anunciando algo y por eso me atreví a decirle, abuelo, así recibes a la República, pero él pareció ignorarme y continuó orinando y carcajeándose y su orina salpicó la tierra de los geranios, la misma tierra que mi madre se había llevado a la boca el día de la muerte de mi padre, y lo vi todo más oscuro y más grande que aquel otro día lejano, el corredor, las voces que venían de la calle, los geranios, el cielo, el cuerpo del abuelo, mis propias manos, y permanecí inmóvil con las manos cogidas y el corazón asustado, sin fuerzas para expresar nada, sin poder para plantear ni una sola de todo un tropel de preguntas que me asediaban. Al fin, el abuelo me miró y me dijo, siéntate conmigo, y nos sentamos los dos en el suelo del corredor y enfrente teníamos los barrotes torneados y detrás de ellos el paisaje alborotado de una muchedumbre que se desgañitaba a lo lejos, y me dijo, son fantasmas, y pregunté, quiénes, y volvió a decir, son los fantasmas de la guerra, y volví a preguntar, de qué guerra, y él dijo, de la guerra que nadie quiere evitar, y se soltó a llorar con unas lágrimas que se parecían a la orina caliente con la que probablemente él había desafiado a aquellos fantasmas, con unas lágrimas de huérfano grande que me hicieron sentir lástima por él y por mí mismo y por todos los hombres de la tierra, y no pude evitar acariciar su cabeza con la yema de mis dedos y sentí cómo mi caricia lo estremecía, y fue entonces, en aquel singular momento, cuando por fin mi abuelo Cosme me habló de sí mismo, de las contradicciones de la condición humana, de las visiones de una patria de miseria y de las pesadumbres de una vida tal vez equivocada.

Él recordaba con especial nostalgia los baños lentos al atardecer, al volver con doce años del lavadero de la mina Clavelina, en el abrevadero del patio. Su madre, una mujer flaca e infatigable que nunca se sentaba, ni siquiera para coser, ponía piedras calientes en las aguas gélidas del manantial para que a su hijo no se le cortara el respirar y le enjabonaba el cuello y las orejas y le frotaba los brazos y la espalda y a veces le decía, aún te quedan dos palmos por crecer, o también le aseguraba, te saldrá la barba hasta cubrirte el mentón o este diente se te acabará dislocando, como si tuviera en la cabeza la fotografía de su hijo adulto. El abuelo me decía, es como si aquellas sesiones de baño no me hubieran sucedido a mí o como si el camino recorrido desde entonces estuviera cubierto de ortigas y hierbajos, como si fuera un camino que nadie hubiera transitado, ni siquiera yo. Mientras restregaba las carnes de su hijo hasta eliminar cualquier rastro del polvo del carbón, ella le hablaba del hombre que había sido su padre. Todo lo que sé de mi padre, decía el abuelo, lo escuché metido en las aguas del abrevadero. Era barrenista y le llamaban Dinamita por su maestría en el manejo de los explosivos. Trabajaba por cuenta propia en todo tipo de minas, en canteras y en la voladura de puentes y edificios. Durante la segunda guerra carlista se enroló en el Batallón de Cazadores, a las órdenes del guerrillero José Faes, y perdió la vida en un lugar llamado Flor de Acebo, en un encuentro con una columna liberal. En la vida hay acontecimientos que te sitúan frente a ti mismo en la posición correcta, me decía el abuelo. Aquellos baños lentos de la adolescencia con su madre arrancándole el carbón de la piel y las imágenes de la vida del padre al que apenas había conocido invadiendo cada rincón del patio, habían curtido su conciencia y su voluntad. También fueron importantes, me decía él, los tazones de café puro al amanecer y el viento caliente del sur levantando las hojas secas mientras clavábamos los raíles en las traviesas para el ferrocarril y también los tragos de agua fría al salir del calor de los hornos. De lavar carbón, el abuelo pasó a trabajar en la mina de cinabrio como ayudante en la cámara de destilación, rodeado de frascos de azogue, pero tuvo un enfrentamiento con un obrero veterano que le hacía la vida imposible y decidió abandonar el mercurio para participar como peón de un herrero en la construcción del ferrocarril del carbón. Antes de cumplir los dieciocho años ya trabajaba en los talleres de calderería de la Fábrica de Hierro, donde pronto destacó como oficial de fragua y, cumplidos los veinte años, el señor Guilhou, patrono mayor, un anciano de ojos claros y barba blanca que hablaba amortiguando las palabras como si tuviera algodones en los labios, lo eligió como beneficiario de una prebenda para ingresar en la Escuela de Capataces de Minas, Hornos y Máquinas, a la que asistió los sábados y domingos de los dos años siguientes, sin abandonar su trabajo, para cursar los estudios de aquella especialidad a los que se entregó con entusiasmo destacando sobremanera en Mineralogía, Metalurgia y Preparación Mecánica. Pronto lo nombraron jefe de uno de los hornos, pero a él no le gustaba mandar, y esta circunstancia quedaba de manifiesto cuando se encontraba en la obligación de amonestar o despedir a algún obrero, facultad que procuraba ignorar o delegar en los demás capataces, aunque tal carencia nunca fue tomada en consideración por sus superiores debido a sus eminentes conocimientos técnicos. Su madre le dijo un día, ya tienes edad de casarte, y él respondió, falta con quién, y entonces ella le sugirió un nombre, una prima lejana que servía en la casa de una de las hijas de su benefactor, es limpia, bien parecida, trabajadora, sumisa y se llama Angustias, le dijo, y él asintió y le contestó a su madre, me parece bien, creo que sé de quién se trata. Se citaron por las Fiestas de Pascua, bailaron, comieron del mismo pan de escanda, bebieron la sidra del mismo vaso y en un descanso del baile él le dijo, a mí me gusta hablar poco, y ella le confesó, yo tampoco hablo demasiado. Se fueron a sentar en unas piedras, debajo de las moreras, y a él se le cayó la montera. Ella la recogió, le sacudió el polvo con suavidad, se la colocó y mirándolo a los ojos le dijo, llevo sirviendo desde los diez años a señores importantes y nunca debo mirarlos de frente, siempre tengo que hacerlo echando la mirada al suelo, así está convenido, y él le dijo, si tú quieres ya no tendrás que afanarte en ninguna otra casa que no sea la nuestra, y ella, con un temblor en los labios que delataba su emoción, confesó, quiero, pero no sé leer ni escribir y tú, por lo que dicen, eres un hombre estudiado, y él aclaró, levantando y soltando los hombros, digamos que tuve suerte. Volvieron a sonar las músicas de la romería y de nuevo se juntaron para bailar y él apretó su cuerpo al de ella y le dijo, te enseñaré a leer y a escribir. Tu abuela, me confesó el abuelo, tenía diecisiete años y no era guapa, pero no lo era porque nunca se había atrevido a serlo, era fuerte y constante y ponía mucho amor en todo lo que hacía, así que según fueron pasando los años su aspecto fue cambiando y un día descubrí, ya después de que pariera los cuatro hijos que tuvimos, que no había otra esposa mejor que ella. Aquellas palabras del abuelo me sorprendieron y no encontraba yo ninguna correspondencia entre ellas y la realidad, porque él nunca había dado muestras de sentir por la abuela otra cosa que no fuera piedad, una especie de lástima provocada por la costumbre, y era como si aquel hombre estuviera desmontándose para mí en sus piezas esenciales y yo saboreaba aquella nueva significación, y me dijo, una vez una húngara me leyó la palma de la mano y me pronosticó una curiosa enfermedad, una especie de peste del silencio que la contagian los muertos, y el abuelo pronunció estas palabras con la voz tan extinguida y a la vez tan tensa que parecían verdad. Tras varios años dirigiendo el trabajo de uno de los hornos, llegaron los belgas, que hicieron algunos cambios, y él les pidió un trabajo en el exterior, al aire libre, aunque fuera de peón. Sin él pretenderlo se había convertido en un personaje extraño para sus compañeros y para todo el pueblo, apático, distante, retraído a pesar de sus evidentes esfuerzos por parecer sociable y cordial. Vivía entre la gente, asistía a las reuniones de los capataces, recorría con frecuencia los nuevos barrios construidos para los obreros, visitaba las tabernas, pero siempre parecía distanciado, agobiado por la sensación de que todo estaba mal planificado y a él no se le ocurría nada para evitarlo, mortificado por la impotencia y a la vez inmovilizado contra cualquier tentativa de rectificación. En el pueblo se le empezó a mirar con curiosidad porque fue descuidando su aspecto y porque a veces parecía caminar sin ver a quienes pasaban a su lado, como un presidiario que hubiera permanecido durante mucho tiempo en la oscuridad y reapareciera extrañando la luz y comportándose de una forma que los demás no podían considerar sino como equivocada y turbia. La abuela le cosía ropas nuevas y le cocinaba platos desconocidos y cambiaba las flores de los jarrones y movía los muebles de la casa y hasta por las noches ponía en práctica caricias atrevidas e insólitas que había aprendido en sueños, pero él la miraba y cogía su cara entre las manos y decía, no tienes que andar siempre inventando distracciones como si yo fuera un niño enfermo, a mí no me pasa nada, es ahí fuera donde está todo confundido, y ella iba probando a pasarle por la frente y por la espalda la esponja mojada cada día en agua de flores diferentes. Regresaba de la fábrica al atardecer y siempre pasaba junto a los palacios del patrón y de los ingenieros antes de ir a casa. Allí estaba el poder, me decía el abuelo, y yo sentía la tentación de cogerlo, de pedirlo o de robarlo, porque sabía que únicamente con el poder podían cambiarse las cosas, porque creía que sólo desde el poder podía acabarse con el poder, y así pasé algunos años, y una vez entré en el palacio en el que tú sirves ahora, recién llegados los belgas, y fui hacia ellos, pero no pude robarles nada, nada que a mí me sirviera, sólo le dije al señor Hendrik, tengo entendido que quieren buscar nuevos puntos de explotación, y él me dijo que así era y me habló de los nuevos proyectos mineros y entonces le expuse mi plan. A los pocos meses el abuelo dejó los hornos, se subió a un caballo y recorrió los montes y los valles, desde Brañagallones hasta el Cordal de la Mesa, observó cada pliegue del terreno, registró hasta el más diminuto de los arroyos, analizó las coloraciones especiales de la tierra y cualquier señal de erupción, saboreó el agua de todos los manantiales, arañó cada trozo de roca con su navaja, atendió las indicaciones de su aguja imanada y llenó más de cincuenta libretas con dibujos y anotaciones. A los siete meses de cabalgar en solitario presentó un informe a los belgas y éstos, después de estudiarlo a fondo, lo llamaron y le dijeron, ahora veremos si tus conclusiones son ciertas, y formaron un equipo de geólogos, topógrafos, dibujantes, barrenistas, mineralogistas y especialistas en labores y explosivos, y comenzaron los trabajos de sondeo por el orden de preferencia que había señalado el abuelo y utilizando un tren de sonda con barrenas hidráulicas que él mismo había diseñado. Resuelto con rapidez el asunto legal de las concesiones, se decidió la explotación de cuatro pozos de hulla, dos criaderos de mineral de hierro, una mina de cobre y otra de cinabrio, quedando otros yacimientos a la espera de resolver las dificultades de acceso. Los ingenieros quisieron felicitar al artífice de la nueva expansión de la empresa con todos los honores y para ello lo invitaron a él y a la abuela a una cena privada en el palacio. Ella no asistió por más que él se empeñó en que lo hiciera, no verás tú la hora en que yo me siente a la mesa con los importantes, decía la abuela, cada cual en su sitial, tú vete que algo te querrán ofrecer y, además, obra hecha, recompensa espera, y déjame a mí aquí, que me conozco bien y del atrevimiento viene el arrepentimiento. El abuelo la disculpó y cenó con el señor Hendrik, con su joven esposa, la señora Geertghe, y con el señor Jacob, cuya esposa, la señora Sakia, permanecía en la ciudad de Gante esperando traer al mundo a su primera hija. La cena fue ligera, a base de verduras y trozos de gallina con setas, y la recompensa fue anunciada a los postres, consistía en una casa de dos plantas con patio y un huerto, que los ingenieros habían comprado al marqués de Comillas expresamente para regalársela al abuelo, y también en una cantidad de dinero importante y una oferta de empleo permanente cuyo contenido estaban dispuestos a negociar, y el abuelo dijo, gracias, sólo dijo eso, gracias, son ustedes muy amables, y después de cenar pasaron a la biblioteca, y allí tomaron café sin achicoria, y entró un mayordomo muy anciano que se llamaba Tomás y les dijo a los ingenieros, unos señores reclaman su presencia, y ellos se disculparon con el abuelo, quien quedó sólo con la señora Geertghe. Es usted un hombre interesante, dijo la joven en un español muy elemental, y él no dijo nada porque no entendía las intenciones de aquellas palabras a medias, y ella volvió a insistir, a mí me gustan mucho los hombres interesantes, y el abuelo preguntó, qué quiere usted decir, señora, y ella se acercó a él y le dijo, acabo de llegar a esta tierra y no conozco nada, ni lugares ni costumbres, usted podría enseñarme muchas cosas, y observó el abuelo que aquella joven belga, que lo había tomado por un maestro, a la vez que hablaba, hacía movimientos extraños, encogía los hombros, estiraba los pechos, cruzaba y descruzaba las piernas, retorcía los brazos, como si quisiera parecerse a una culebra, o como si tuviera algún picor molesto por todo el cuerpo, y la recién casada pasaba suavemente la lengua por los labios para recoger la saliva que, debido a su dificultosa pronunciación, producían sus palabras, y también observó el abuelo que tenía ella los ojos más claros que él jamás había visto y que tenía la nariz grande y que su cuerpo era inmenso en sus contornos, demasiado inmenso para un hombre diminuto como el señor Hendrik, y el abuelo dijo, no sé qué decir, y dijo esto porque tampoco sabía qué pensar, y se levantó y fue a ver unos libros de mineralogía que había sobre una mesa, para desviar la atención, y algo quiso decirle ella, pero no lo dijo porque entraron en ese momento los ingenieros. La mudanza a la nueva casa fue rápida porque los abuelos tenían poco que trasladar y la nueva casa estaba limpia y tenía muchos muebles y enseres que la abuela fue examinando con regocijo. Mientras ella recomponía aquella casa que era más que una casa, él se quedaba en la galería para ver cómo salía el sol, se sentaba después en la mecedora que había en la antojana para protegerse del sol y acababa el día apoyado en el muro del huerto observando la forma en que se ponía el sol, y cuando el sol no salía cogía una alforja con un trozo de queso y otro de pan, se subía al caballo y desaparecía por el camino de los castañeros de Foz, y cuando llovía se ponía un gabán y bajaba hasta el río y observaba el movimiento de las corrientes, medía la crecida de los manantiales y estudiaba el curso que tomaba el agua en cada nueva embestida del río. La abuela le preguntaba, qué andas discurriendo ahora, y él respondía, examino lo que ocurre por ahí, y las palabras de la abuela formaban preguntas que no esperaban respuesta porque eran como expresiones de admiración ocultas en el disfraz de un interrogante, muestras de confianza en aquel hombre que la había enseñado a leer y a escribir y que para ella era el hombre más inteligente de la tierra, por eso siempre se vestía y se peinaba para él, se ponía los mandiles y los pañuelos limpios y planchados para él, se lavaba la cara y el cuerpo con jabones olorosos para atender con la debida dignidad a aquel hombre de pensamientos imprevistos que andaba en la tarea de ordenar las cosas del mundo. Él se resistió unas semanas a los avisos insistentes que le mandaban los ingenieros, y no lo hacía por dejadez, ni tampoco por arrogancia, sino porque necesitaba tiempo para dar forma a la idea que rondaba por su cabeza y no quería presentarse en el palacio azul hasta no tener apuntadas todas las soluciones posibles a los interrogantes del nuevo proyecto. A la gente del pueblo se le formó en la cabeza un confuso revoltijo de interpretaciones, no siempre libres de envidia, malos presagios y perversas conclusiones, y no faltaba quien, aprovechando sus cada vez menos frecuentes visitas a la taberna y en la esperanza de recibir alguna indicación sobre la dirección que podían tomar sus pensamientos, se atrevía a preguntarle, cómo vamos, Cosme, a lo cual él solía contestar con un simple, vamos, que nos es poco, para seguir saboreando en silencio los tragos de aguardiente. Una tarde, pasados cuarenta días desde la cena del agasajo y después de haber recibido aquella mañana dos recados apremiantes del palacio azul, se sentó en el corredor a esperar que dejara de llover y, una vez que la lluvia dejó la tarde lavada y nueva, se levantó, miró por encima de los fresnos la torreta del palacio azul a lo lejos, se puso las botas nuevas, cogió las libretas, le dijo a la abuela, voy para allá, deséame suerte, y atravesó los charcos en dirección al puente enredado en un manglar de sueños y evidencias. Lo recibió el anciano mayordomo, quien lo condujo a la biblioteca, donde la señora Geertghe observaba unos mapas de la zona. Ella, sin apartar los ojos de las láminas coloreadas, dijo, tardó usted mucho en decidirse, a lo que él respondió, las ideas necesitan tiempo para su desarrollo, y ella se acercó a él hasta casi rozarlo y con un pañuelo que extrajo del fondo de la espetera enjugó en su cuello un fingido sofoco, iluminó sus ojos claros de abnegación y preguntó, qué hay de lo mío. Durante la cuarentena, el abuelo apenas había dedicado más que un par de pensamientos al sofoco imprevisto de la señora Geertghe, incluso en los últimos días había llegado a convencerse de que aquel incidente no había existido, al menos no como él en un principio lo había querido interpretar. Pero de nuevo aquella mujer exuberante de facciones desarregladas y gestos ambiguos se mostraba ante él con todo un tropel de intenciones inapropiadas para su estado y su posición, y él miró hacia abajo y vio el surco profundo que se abría entre aquellos dos pechos atormentados por la estrechez de la camisa y miró después hacia la ventana y vio un cielo azul y tranquilo, un cielo que no parecía el mismo que había soltado la lluvia hacía apenas una hora, como si fuera el cielo de otro lugar diferente, y un mordisco en la sien lo advirtió sobre el conflicto en el que estaba sumido y sintió pavor porque aquella nueva circunstancia podía arruinar su proyecto y vio a la señora Geertghe subiendo hacia él como una babosa y de su cerebro confundido rescató una respuesta de supervivencia y dijo, señora, me halaga su interés, pero le aseguro que no lo merezco, y ella sonrió y puso su índice trémulo en los labios de él y se dio la vuelta y fue hacia la salida y el abuelo apretó con fuerza sus libretas y sintió la flojera de su voluntad cuando hubo de guardar en la memoria el recuerdo de aquella náusea. El ingeniero Hendrik lo invitó a un paseo por los alrededores del palacio y le habló del proyecto de construir un jardín con toda clase de flores y también le habló de los nuevos nombramientos que se habían producido en la fábrica y pasaron después a la biblioteca y allí el abuelo sacó sus libretas e inició la explicación de sus nuevos proyectos. Comenzó exponiéndole al ingeniero sus ideas sobre el aprovechamiento de los muchos manantiales que brotaban por las laderas de los montes, a veces de manera inapreciable, formando regueros diminutos, por separado no son nada, apenas unas manchas de humedad, decía el abuelo, pero juntos pueden formar torrentes. La idea consistía en dirigir esos hilos de agua continua de forma artificial a través de tuberías y canales hasta un punto donde la concentración del caudal fuera importante para luego conducirlo a donde fuera necesario, de tal manera que no hubiera explotación, taller o barriada que no dispusiera de un salto de agua que, por medio de diferentes turbinas, que él había dibujado al detalle en sus libretas, generara energía, y expuso con precisión y entusiasmo sus ideas sobre las formas de los canales, sobre la derivación de corrientes, sobre la distribución de pequeñas presas que dieran uniformidad a los caudales, y le habló al ingeniero Hendrik de la construcción de galerías para llegar, en algunos casos, a la capa de agua subterránea donde tuvieran su origen diferentes manantiales. El segundo gran proyecto que el abuelo expuso aquel día en la biblioteca del palacio azul se refería al alumbramiento higiénico de algunas aguas manantiales mediante perforación y construcción de cajas de decantación para de esa forma contar en cada uno de los lugares destinados a vivienda o trabajo de suficiente agua potable. Por último, sacó el abuelo las libretas en las que explicaba sus ideas sobre la purificación de los ríos sucios por minas y fábricas y sobre la depuración de las aguas residuales que estaban siendo portadoras de pestes y enfermedades, y le habló al belga de acequias de fertilización y riego, de depósitos de sedimentación donde se utilizaran el cloruro o el sulfato de hierro, el polvo fino de lignito o la cal viva, y también le habló de un nuevo sistema de sanitarios y duchas con aguas calentadas y purificadas que traerían a las gentes trabajadoras más limpieza y más salud y por lo tanto más dignidad y seguridad en su vida y en su trabajo, y concluyó su exposición hablando sobre el aprovechamiento de la condensación de las fábricas. El abuelo había estado hablando durante cerca de tres horas. Al principio el joven Hendrik hacía comentarios, propios de un facultativo industrial, planteaba preguntas, discutía algunos aspectos y se movía inquieto por la biblioteca, pero a medida que el abuelo se extendía con entusiasmo y convicción en los detalles de sus proyectos, el belga, quien disfrutaba de conocimientos suficientes para entender el alcance de los pensamientos y esbozos de su capataz, se fue quedando en silencio y la admiración que suscitaba en él aquel hombre de gestos rudos y palabras sólidas se hacía visible en el escaso pestañeo de sus ojos y en su inmovilidad general, y por eso, cuando el abuelo terminó su exposición y el mayordomo Tomás entró en la biblioteca para encender las luces, el señor Hendrik se levantó, le estrechó la mano al abuelo y le dijo, Cosme, no sé si habrá dinero suficiente para realizar todo lo que llevas en la cabeza, pero desde mañana mismo puedes ponerte a trabajar en ello, tienes a tu disposición esta biblioteca para que resuelvas cuantos problemas teóricos se te presenten y puedes ir elaborando una lista de primeros componentes para determinar al detalle cada uno de los proyectos y su rentabilidad, y añade cien duros más al salario que habíamos convenido. Las semanas que siguieron fueron intensas para el abuelo, quien se entregó en cuerpo y alma a la tarea de hacer realidad lo que hasta entonces no había sido más que fantasía, y le pidió a la abuela que le comprara ropas especiales para protegerse del barro y del agua, adquirió un nuevo caballo de raza frisona y confeccionó planos minuciosos sobre los itinerarios que habría de seguir en los meses siguientes, y no tuvo el abuelo aquellos días de los preparativos ninguna incertidumbre, no dejó ningún resquicio a la improvisación, se apoyó en sus conocimientos y en el placer que le producía trabajar libre y en solitario y también en la seguridad y la confianza que le transmitía la abuela, siempre al acecho de todas sus necesidades. Decidió visitar la biblioteca del palacio al menos dos veces por semana y el resto del tiempo montaba en su caballo para recorrer ríos y torrentes, para reconocer y registrar cada uno de los manantiales, y en los días de lluvia intensa observaba los lugares donde se reunían los arroyos que formaban las aguas caídas y dejaba marcas en el suelo y en los árboles cercanos y dibujaba los mapas en sus libretas siguiendo aquel principio que postulaba que las aguas interiores seguían las mismas direcciones que las que discurrían por la superficie, y en los días en que la tierra estaba seca por el sol o por el aire del sur escarbaba con la piqueta en la parte baja de las montañas que miraban al septentrión, allí donde crecía el musgo o las piedras estaban cubiertas de verde, y, una vez encontrada la humedad de la tierra, clavaba señales numeradas y registraba en su memoria y en las libretas el descubrimiento, y en los amaneceres despejados, después de varios días de calor y en aquellos lugares que parecían más áridos, se tumbaba bocabajo mirando al oriente a esperar que una columna de vapor se elevara del suelo, y, si esto ocurría, clavaba un poste en el que colgaba una chapa que decía, agua, y también se guiaba para seguir los cursos de las aguas subterráneas por las colonias de mosquitos y por las concentraciones de juncos y zarzas, y al volver cada día a su casa componía los planos de los lugares visitados y trazaba en ellos un laberinto de canales imaginarios. En las visitas a la biblioteca del palacio tuvo algún encuentro con la señora Geertghe que el azar resolvió por él, bien porque la cercanía de los ingenieros hubiera dejado en evidencia cualquier intento de la joven belga por demostrarle su interés, bien porque él procuraba hacerse acompañar por el mayordomo Tomás con la disculpa de disponer de ayuda para localizar los libros o desplegar las láminas, pero los asaltos de aquella mujer cada vez eran más apremiantes y, si bien no encontraba ella ocasión para dar rienda suelta a sus deseos, se las ingeniaba para dejarle cartas perfumadas escritas en cuartillas de colores indiscretos y con letras dibujadas en tinta china en las cuales expresaba sin ninguna reserva cuáles eran sus tormentos de amor y en qué parte del cuerpo le dolían las nostalgias. Él no leía las cartas, pero tampoco se atrevía a destruirlas, como si aquella pasión ajena e insensata ejerciera sobre él el poder de las cosas sagradas y las iba dejando, las cartas, en un cántaro que guardaba en un rincón de la cuadra, cerca del caballo frisón al que había bautizado con el nombre de Lucero, el único a quien le confesaba las inconveniencias del asedio, a su mujer no quería importunarla con algo que para ella, una vez escuchado, y a causa de las limitaciones propias del lenguaje, a buen seguro que ocuparía en su cerebro y en su corazón dimensiones desproporcionadas, así que guardaba para sí el acoso de una mujer impetuosa quien, a causa de las fiebres amorosas, andaba con la razón aturdida y las humedades revueltas. Elaborados al detalle los dos primeros proyectos sobre el aprovechamiento de las aguas manantiales y el alumbramiento higiénico de las mismas, el abuelo trabajó en el desarrollo de aquellas otras ideas que se referían explícitamente a la salud. Visitó las antiguas cabañas de piedra y las casas de reciente construcción, recorrió las barriadas, entró en viviendas de una sola pieza, desprovistas de suelo y de aberturas, donde al lado de las ropas colgadas a secar se balanceaban las tiras de carne en salazón y los embutidos, recintos viciados y ennegrecidos por el humo donde al lado de los camastros de hoja de maíz fermentaban el pan y la leche, sin más muebles que una mala mesa, un banco, un caldero y algunos trebejos de barro, contabilizó las viviendas construidas cerca de las minas y de las fábricas de forma espontánea por los propios obreros a base de chatarra, tablas, cascotes, estacas, alambres y viejas planchas, y dejó constancia en los detallados informes de su exigüidad y de su insalubridad, y apuntó como causas de infecciones graves que provocaban el aumento de la siniestralidad y de las ausencias al trabajo, la falta de aireación de esas viviendas, la cohabitación con animales domésticos, las chimeneas sin tiros, el amontonamiento de toda la familia en una sola pieza, la humedad, la falta de agua corriente, la constante cercanía de las personas con sus excreciones, y otras muchas situaciones de las que dejó constancia como causas principales de escrófulas, tuberculosis, supuraciones, abscesos y enfermedades de los huesos, disentería, tifus, cólera, viruelas y hasta casos de lepra, y habló con los enfermos y también habló con los médicos, y a algunos de estos facultativos los percibió tan alejados de la realidad que acabó por incluir también esta negligencia como una más entre las causas de la propagación de pestes y enfermedades. Una vez recopilados los datos, pasó a trabajar en la elaboración de proyectos sobre edificación de viviendas e ingeniería hidráulica.

La mayoría de los mineros y de los operarios de las fábricas conservaban aún su doble condición de obreros y campesinos, de asalariados que se resistían a convertirse enteramente en proletarios, y a los ingenieros les preocupaba esta circunstancia por el absentismo que ocasionaba, ausencias estacionales al trabajo con ocasión de siembras y recolecciones, accidentes provocados y enfermedades fingidas que servían de pretexto para, sin perder el empleo, dedicarse temporalmente a las labores ganaderas y agrícolas. El trabajo del obrero no ofrecía continuidad y por ello el operario no abandonaba la huerta ni se desprendía de las vacas o los cerdos porque sabía que sin ellos no comería cuando cerraran el pozo o lo despidieran del taller. Tampoco los nuevos trabajos ofrecían seguridad, y los accidentes eran frecuentes, muchos de ellos mortales, y traían la ruina a las familias, y las enfermedades se multiplicaban, sobre todo las respiratorias y los reumatismos, y también se incrementaron las inflamaciones callosas, antracosis, bronquitis y tuberculosis. Patronos e ingenieros, preocupados por la escasez de la mano de obra y por la baja calidad de la ya existente, comenzaron a elaborar estrategias encaminadas a favorecer la atracción de trabajadores foráneos, propiciar el abandono definitivo del campo en los obreros mixtos y elevar la productividad. Así se crearon los economatos para procurar una mejor alimentación que acrecentara la salud de los obreros, se levantaron viviendas de ladrillo cerca de los centros de trabajo para me-

jorar las condiciones higiénicas y obligar a los trabajadores a cambiar sus hábitos sociales, se construyeron escuelas para inculcar a los niños de las nuevas barriadas
una educación religiosa y social más acorde con los intereses patronales, se fundaron orfanatos para que el minero
no bajara al pozo con el sentimiento de culpa de dejar a
sus hijos huérfanos en caso de accidentes mortales, se edi-
ficaron iglesias y se emprendieron campañas contra el alcohol y las tabernas, se instituyeron cajas de socorros para
cubrir algunos gastos médicos y atender a los imposibili-
tados y hubo quien empezó a plantear la necesidad de
montepíos que garantizaran unas pensiones para cuando
el obrero no pudiera trabajar como la única forma de conseguir continuidad en la mano de obra y evitar que muchos vecinos, aun viviendo en la escasez y la miseria, pre-
firieran embarcarse buscando la incertidumbre de las
Américas antes que aceptar la evidencia de un trabajo inestable, peligroso, mal pagado, penoso e inhumano. Los
patronos, apoyados por un clero adepto siempre al poder
económico y por unos políticos que en la mayoría de los
casos procedían de las grandes familias financieras e industriales, cuando no de la nobleza, y ayudados por la circunstancia de no contar aún con unos sindicatos fuertes
que encauzaran y aprovecharan estas estrategias empresa-
riales, adornaron sus nombres con un noble sentimiento
de humanidad y filantropía, que en la mayoría de los casos
no era más que fría conveniencia, para procurar que tanto
el obrero como su familia se hallaran convenientemente
alimentados, vestidos, alojados y educados, para evitar revueltas y a la vez conseguir un trabajo más productivo y
eficaz, y así los señores poderosos iban haciendo de la hi-
pocresía una virtud y los asalariados convertían sus iniciativas en agradecimiento.

Ésta era la situación en el tiempo en que el abuelo Cosme concluyó sus trabajos, y por eso quizá fueron tan bien recibidos por los ingenieros belgas, y así, los proyectos cuya implantación tenía una relación directa con la mejora en la calidad del proceso productivo fueron ejecutados de inmediato y, sin embargo, aquellos que no incidían de manera tan evidente, al menos para los ingenieros, en el aumento de la mano de obra y de la producción, fueron aplazados, tal fue el caso del aprovechamiento de los manantiales, del saneamiento de los ríos o del tratamiento de las aguas residuales.

El día del estreno del edificio anexo a la fábrica donde se habían instalado duchas de agua caliente, lavabos, servicios y armarios roperos, el abuelo Cosme acudió al palacio azul para recoger unos planos en la biblioteca y desde allí acompañar a los ingenieros para el acto de inauguración. Sentado de espaldas al ventanal, repasaba un estudio sobre lámparas de incandescencia cuando lo abordó la señora Geertghe. Llevaba un vestido largo de gasa azul y el pelo suelto sin orden sobre la espalda, la voz la tenía apagada y cálida, perturbada quizá por los efectos de una noche de insomnio o de malos sueños. Se sentó frente a él y acercó la silla hasta que sus rodillas se tocaron. La luz que se filtraba a través de los visillos restregaba la cara de la belga que parecía irisada de pequeñas estrellas. Aquel día me pareció hermosa, me confesó el abuelo, y había remordimiento en sus palabras, como si hubiera preferido que aquella visión nunca hubiera tenido lugar. Mañana es el día de mi onomástica, allá en mi ciudad es un día grande y a los agasajados se nos permite una locura, yo ya escogí la mía, toda la noche la estuve imaginando, esto decía Geertghe con brillo lascivo en los ojos, y el abuelo comía su rabia, tragaba a sorbos lentos aquella incómoda visión, soportaba en las sienes el martilleo de las decisiones súbitas, aquellas que era preciso tomar cuando ya el fuego estaba a punto de derrumbar el edificio, aquellas que dejaban huellas irreparables en la voluntad. La belga se mostraba extrañamente hermosa y desplegaba su influencia sobre el hombre confuso, quien contemplaba asombrado la magnitud del incendio, y con mimo en la voz le decía, sólo tiene usted que dejarse llevar, no lo voy a comprometer a nada, mañana lo espero al amanecer en la casa de los sauces, es la locura que elijo para celebrar mi onomástica, y el abuelo Cosme dominaba la respiración e insistía, señora, me hace usted mil honores con su manifiesta disposición, pero ni soy digno de ella ni la creo conveniente por su bien y por el del señor Hendrik, a quien aprecio de veras, pero la belga acercaba su cara a la de él y con sus manos apretaba los brazos de él y le decía, qué educado es usted, y le dedicaba una sonrisa de admiración y locura. El abuelo realizó un movimiento difícil para incorporarse y dijo, será mejor que me vaya, pero ella se estremeció en un quejido y apareció la sangre en sus ojos y, suprimiendo de su expresión el tratamiento de usted, le dijo, ese señor respetable al que tú honras es un ser cruel e inhabilitado para el amor, un hombre sin hombría, ya sabes, sin los atributos que un hombre debe tener para ser enteramente hombre, cierto es que lo sabía cuando llegué al matrimonio, pero no es menos cierto que hubo acuerdos que no se cumplieron, no merezco este castigo, quiero poseer y ser poseída, y tú me despiertas la memoria que me queda de otros hombres, él me arrastró hasta estos confines para hacerme cautiva de su vergüenza, porque soy su prisionera, vigilada siempre en mis intenciones más íntimas, no merezco esta soledad, siempre su aliento reseco cayéndome encima y ni siquiera una caricia, hasta sus perros son más afortunados que yo, él no merece mi respeto ni tampoco tu consideración, ven mañana a la casa de los sauces y te juro que no te arrepentirás. El abuelo Cosme sintió terror porque ella parecía enloquecer por momentos y no controlaba sus manos ni el tono de su voz y su cara estaba pálida como los lirios, azulada como el vestido de gasa que flotaba en el aire de la sala, y también el abuelo sintió lástima porque entendió que aquella mujer necesitaba ayuda, pero él no podía ni quería ser el asidero de su desesperación y por eso le dijo, señora, la ayuda que usted necesita no puede encontrarla en mí, a buen seguro que su marido la quiere y es a él a quien debe recurrir, y ella levantó su mano derecha como si empuñara un cuchillo y rajó el aire con todas sus fuerzas y los haces de luz que entraban por el ventanal quedaron partidos y desperdigados, y fue entonces cuando se escuchó la voz del ingeniero Hendrik, tu locura es una vergüenza para esta casa, y detrás de su voz apareció él, encogido dentro de su traje de ceremonia, y su cuerpo le pareció al abuelo más diminuto que su voz, tenía el aire de un cazador señalando una alimaña, por la cara le caían riachuelos de sudor, y le gritó a su mujer, cómo te atreves a hablar así, vete a tus aposentos, y sin poder ocultar su vergüenza le dijo a su capataz, siento lo ocurrido y agradezco tu conducta de caballero, en otro momento te explicaré el comportamiento de la señora, pero hasta entonces te suplico una absoluta discreción, y el abuelo no dijo nada, sólo asintió con la cabeza en señal de conformidad y salió al jardín y se sentó en uno de los bancos a esperar a los belgas para acudir con ellos a la inauguración del nuevo edificio de las duchas y los lavabos y los servicios y los armarios roperos que él mismo había ideado y diseñado para los obreros de la fábrica, y pensó que el aire de aquel jardín del palacio azul estaba demasiado espeso.

Los días siguientes fueron tensos y la tensión se prolongó hasta que el señor Hendrik se decidió a llamar al abuelo a su despacho, y allí, el ingeniero bajó la cabeza y frunció la frente, ensimismado, y el abuelo miraba el péndulo del reloj que parecía ser lo único que se movía en aquel momento quieto y tenso, hasta que el ingeniero sacudió la cabeza y se irguió y con las manos a la espalda comenzó a pasear por el despacho, desde el ventanal hasta los sillones, desde su mesa hasta los estantes, y el abuelo pensó que ya había dos péndulos en aquella sala, uno que marcaba el tiempo y otro la dubitación, y aquel primer péndulo forzó el toque de algunas campanadas y el segundo se detuvo y dijo, gracias, Cosme, gracias, y desató el lazo que sujetaba el cuello de su camisa y comenzó la explicación.

Un accidente con agua hirviendo ocurrido en la adolescencia había dejado el cuerpo del ingeniero belga inutilizado para las relaciones sexuales y su carácter señalado por la mansedumbre de los cabestros, su matrimonio había resultado de un avenimiento interesado entre las dos familias, un segundo acuerdo, posterior al enlace entre el primogénito de los hijos de Antoon von Balen y la hija menor de la baronesa de Gante, por medio del cual se emparejaba a un joven impotente pero inteligente y heredero de una gran fortuna con una noble y alocada señorita cuya notoriedad como casquivana y protagonista de múltiples andanzas amorosas en las noches de todas las ciudades de Flandes haría difícil su casamiento, una alianza marcada desde el comienzo con la desconfianza de cualquier transacción mercantil y con el oprobio inicial de saberse cada uno indigno del otro, a pesar de que ambos explicitaron las condiciones propias y consintieron en las expuestas por el cónyuge, tú, querida y apetecida Geertghe me respetarás y guardarás mi secreto y olvidarás tus devaneos públicos y ejercerás de esposa esmerada y agradecida, si bien, a cambio, gozarás de todas las holguras y opulencias y se te permitirán ciertos desahogos pasionales siempre que éstos ocurran en la más estricta moderación y reserva al objeto de no castigar tu cuerpo con abstinencias que no merece, y tú, querido y codiciado Hendrik no me harás nunca partícipe de tu desgracia ni permitirás que tu condena sea también la mía y guardarás el secreto de mis necesidades y nunca exigirás de mí lo que en lo referente a la intimidad es propio de cualquier esposa ya que tú no podrás ser completamente un esposo, si bien, a cambio, encontrarás en mí a la mejor amiga y compañera posible y nunca saldrá de mi boca una palabra que pueda herir tu orgullo de hombre, y así comenzó aquel singular matrimonio de conveniencia, si es que entre aquellas gentes había alguno que no lo fuera, aunque aquél lo era por circunstancias no habituales en comunes uniones entre varones y hembras, y, si cierto es que la joven novia nunca estuvo convencida de su buena suerte y que el ingeniero guardaba en el corazón deseos incinerados que resurgían de sus cenizas transformados en gravosas culpas, la pareja vivió los primeros años en envidiable sintonía con su destino y las atenciones de él se parecían a las de cualquier esposo enamorado y las infidelidades de ella eran tan espaciadas y discretas que ni los hombres elegidos para tal menester acertaban a identificar a la benefactora, pero las tensiones brotaron como resalvos en campo abonado en exceso y el marido se olvidaba con frecuencia del acuerdo y enturbiaba la conformidad inicial con ataques de rabia, celos, desaires y hasta exigencias violentas en aquellas cuestiones corporales relativas a la intimidad en las que él nada podía ofrecer a cambio. El ingeniero hablaba y el abuelo escuchaba e interpretaba, pues una cosa y otra van siempre a la par, y como decía la abuela, de las palabras no el sonido sino el sentido, y también decía, hay elocuentes silencios y palabras con siete entendimientos, y por eso cuanto el abuelo me refería no era tanto aquello que el ingeniero había contado como lo que él había interpretado, y, volviendo de nuevo a lo acontecido en el despacho de Hendrik von Balen, llegado el monólogo del belga a un punto en apariencia terminante, el abuelo se levantó y dijo, señor Hendrik, agradezco esta confianza y sinceridad que me ofrece, si bien no eran precisas tantas explicaciones, en realidad no existía por mi parte demanda de explicación alguna, y el ingeniero le pidió que se sentara de nuevo, y le dijo que todo lo expresado por él había sido necesario para decir lo que venía a continuación. Hendrik se enderezó y se alejó del abuelo para dejar más espacio al eco de sus palabras, y le propuso encuentros discretos con la señora Geertghe para satisfacer la penalidad de los deseos de ella, y aquel extraño ofrecimiento era una súplica, un favor tan desinteresado como necesario, quién mejor que tú, amigo Cosme, para devolver la armonía a mi matrimonio, le decía el ingeniero a su capataz, y éste, en su aturdimiento, no era capaz de ver más allá de la luz que alumbraba los estantes repletos de libros, asperjados de un brillo que parecía rocío entre la gris mañana de aquel día singular.

El abuelo se fue en silencio tras rechazar con educación el ofrecimiento y a los pocos días volvió para pedir la liquidación de sus emolumentos y dejó de trabajar para los ingenieros belgas del palacio azul sin que nadie nunca, salvo el joven Hendrik y su esposa Geertghe, conociera los motivos de aquella deserción, y ni los intentos de Jacob por recuperarlo para llevar a buen término las obras previstas a cambio de una suma importante de dinero, ni la súplica de Hendrik para que olvidara todo lo ocurrido aquel día en su despacho, consiguieron del abuelo otras palabras que no fueran, señores, han sido ustedes muy considerados conmigo y siempre les estaré agradecido, pero la vida a veces anda con los engranajes secos y no gira para donde sopla el viento. Aquel suceso llevó al pueblo a resolver de forma definitiva el dilema sobre la salud mental del abuelo, determinando como diagnóstico una locura propia de quien, salido del humilde fango de los arroyos, no había sido capaz de acomodarse al fasto de los poderosos.

No habían sido muchas las palabras que yo había escuchado de mi abuelo en diecinueve años. Aquéllas, que él juntó para mí el día en que llegó la República, resonaron en mi vida con un aliento primitivo y aprecié en la voz que las pronunciaba el rito de un estreno. Recibí su sentido y su sonido como quien recibe el agua de un bautismo. Le pregunté cómo habían sido los años siguientes, y me dijo, comencé a apreciar el mundo de otra forma, me hice con una manada de yeguas para vivir sin depender de nadie y me entretuve estudiando los pensamientos anarquistas y otras cavilaciones similares, porque me proponía encontrar una doctrina basada en la libertad del hombre y en el libre acuerdo de unos con otros, y me acostumbré a vivir varias vidas a la vez, y cuando no vivía ninguna guardaba silencio. Y quizá como un recurso que nos devolviera al presente, le dije, y hoy llegó la República, y él me explicó, Nalo, éstas son fiestas inútiles, el poder sigue ahí, con otros trajes y con otros nombres, pero con todos los vicios que siempre tuvo el poder. Vi a mi abuelo muy triste y le pregunté, qué tiene que pasar entonces, y me respondió, no lo sé, quizá una rebelión de todos, una revolución que acabe con cualquier signo de poder, o un incendio que lo arrase todo, tal vez un milagro, pero ya sabes que no creo en los milagros, si todas las cosas pudieran condensarse en un solo momento, si hubiera una palabra que lo nombrara todo a la vez, si al escuchar una historia se comprendieran todas las historias, entonces el mundo sería más fácil y podríamos dedicarnos a contemplar las cosas y a mirar a los otros como realmente son, sin tener miedo de nada y sin preocuparnos de lo que pueda ser.

El corredor estaba lleno de geranios, unos en latas, otros en macetas de barro. En un extremo había una pila de libros y periódicos viejos, en el otro avellanas extendidas. Él estaba sentado en una silla, yo en el suelo. Olía a los bosques donde nunca entraba la luz. La abuela llegó con un plato de rosquillas recién hechas para que las probáramos. Trae un poco de anís para que entren mejor, dijo el abuelo. Bebimos anís y comimos rosquillas y él me dijo, sabía que acabaría contándoselo a alguien, aunque aún queda mucho por contar, nunca acaba uno de contarlo todo. Afuera seguían cantando y bailando para celebrar la llegada de la República.

SEIS

La influencia de los ingenieros me libró de los reclutamientos militares y pude completar mis conocimientos de
jardinería al lado del maestro Eneka. Aprendí al detalle
cada una de las labores y a determinar el momento de su
ejecución, apocaduras, drenajes, acondicionamiento de
los bancales, estratificaciones y trasplantes. Entendí las
diferentes reacciones químicas de los suelos y cómo procurar la más adecuada fertilización de los mismos y ma-
nejé los abonos en función de las reservas nutritivas de la
tierra. Aprovechando algunas ideas que me suscitaron
aquellos proyectos del abuelo, transformé un tímido manantial que corría libre bajo el cascajal de los salgueros
en un nuevo estanque, un bebedero para mariposas y pájaros, una cascada, un surtidor y una fuente, todo a base de
conducciones ocultas o riachuelos vistos que discurrían
entre salicarias y matas de tomillo, debido a lo cual obtu-
ve la felicitación de las señoras del palacio, quienes, para
agradecer mi ocurrencia y dedicación, me regalaron un reloj de bolsillo con incrustaciones de plata procedente de la
fábrica alemana de Schramberg, de la cual los ingenieros
poseían algunas participaciones de capital, y al entregarme el obsequio, en presencia de los demás sirvientes del
palacio, la señora Sakia me dijo, para que recuerdes siempre
importancia trabajo hecho bueno, y la señora Geertghe,
cada vez más pálida y ausente, me besó y al oído me dijo,
aprovecha cada minuto de tu vida, y todos mis compañeros aplaudieron con entusiasmo, y me sentí bien porque
ya no era un pequeño ayudante de jardinero sin importan-

cia y era honrado y valorado por todos, y en los ojos de Eneka y de Félix había emoción porque se sentían parte importante en lo que había sido mi aprendizaje. Aquel acontecimiento me infundió nuevos ánimos y, a ambos lados de la entrada principal, conseguí cultivar unos setos espléndidos, mezclando tuyas, enebros y glicinas, que luego recorté creando formas que imitaban a las que yo había visto en unos dibujos que Eneka me había mostrado de los jardines franceses de Versalles, que no eran jardines sino ciudades de agua y flores, de los cuales había mucho escrito en la enciclopedia que él había estudiado para obtener el amor de una musa, y Eneka, que era un hombre bueno y un maestro sabio, me prestó unos días aquel tomo donde se describían los jardines de André le Nôtre, un arquitecto galo que había sido nieto, hijo, cuñado y hermano de jardineros y jardineras y que había nacido y crecido en las Tullerías, viendo desarrollarse a los rododendros y respirando el aroma de los naranjales, y así fue como aprendí que hasta el más humilde e insignificante de los oficios escondía la posibilidad de la creación de formas y circunstancias nuevas a partir de las que ya nos eran mostradas, para lo cual era preciso que existiera al menos alguno de los elementos que nos ofrecía la naturaleza, un poco de apego hacia la tarea que teníamos en encomienda, cierto disgusto ante la heredada situación que se apreciaba y el deseo y el convencimiento de que siempre había algo que se podía mejorar, y por eso a partir del estudio de aquellas páginas de la enciclopedia universal de Eneka, comencé a verlo todo de otra manera en el jardín del palacio azul de los ingenieros belgas, y retenía los dibujos de Versalles en mi cabeza y los descomponía y los arreglaba, y me sentaba bajo la morera y, mientras Eneka y el mayordomo Félix fumaban y hablaban de los nuevos políticos, yo imaginaba que en los montones del estiércol para el abono estaba el Parterre del Mediodía, y en la subida al cenador la escalera de los Cien Peldaños, y en lugar de los saúcos que caían hacia el río veía los Naranjales, y en el pequeño charco que yo había creado conduciendo el agua del manantial estaba el Estanque de las Estaciones, y el Laberinto se extendía en toda su hermosura y complejidad debajo del tendejón de las herramientas, y también imaginaba la Sala de Baile y el Tapiz Verde y el Estanque de Apolo y la Arboleda de las Cúpulas y la Fuente de Neptuno, y a todo esto le encontraba acomodo y aplicación en aquel jardín del palacio azul del cual yo hubiera querido ser el jardinero mayor y el botánico y el arquitecto, porque me parecía a mí que aquello podría ser la representación simbólica del Paraíso, y que la combinación del agua, corriendo y saltando y emanando de fuentes, y de las flores y plantas de todas las formas y colores, podía dotar a aquel lugar de un aire de frescura y vitalidad que representara la armonía de un mundo apacible y fértil. A mi hermana le contaba estas cavilaciones y ella las escuchaba con entusiasmo y después de escucharme me decía, es una pena que esos jardines sean de unos viejos extranjeros y no del pueblo. Pero a mí no me importaba, porque yo trabajaba esos jardines y los disfrutaba y creaba en ellos composiciones y circunstancias nuevas de igual manera que si fueran de mi propiedad. A mi primo Alipio, sin embargo, no podía contarle mis pensamientos sobre los jardines porque él entendía aquel asunto como una degeneración absurda de la opulencia y, además, a él no le gustaba ceñir y apretar a la naturaleza sino dejarla que creciera salvaje y libre, porque tanto al ser humano como a la naturaleza, decía él, fiel a los principios del anarquismo, había que dejarla que resplandeciera en toda su magnitud, libre de cualquier tipo de cadenas tradicionales impuestas por la moral burguesa y la opresión de los poderosos, y a mí no me parecía que lo que Alipio decía estuviera en contradicción con lo que yo pensaba, salvo en lo referente a la propiedad de los jardines y a su uso público, y así, cada vez que yo creaba una forma nueva en aquel jardín del palacio azul, lo hacía pensando que quizás algún día todo aquello pudiera servir para uso y disfrute del pueblo entero, aunque no imaginaba de qué manera esto pudiera llegar a suceder, como no fuera con el retorno de todos los belgas y sus familias a la ciudad de Gante, de donde habían venido, y con la donación de sus propiedades al pueblo que tantas riquezas les había proporcionado con su trabajo y con el sacrificio de la salud, incluso a veces de la vida, pero éstas eran fantasías parecidas a las de imaginar el Parterre del Mediodía en los montones de estiércol. Cada vez que recortaba un seto o podaba un rosal pensaba si no estaría hiriendo la naturaleza, como decía Alipio, pero me alejaba tres pasos y al contemplar tanta belleza concluía que no podía haber nada malo en aquella idea mía de crear nuevas circunstancias de belleza a partir de la belleza misma. Todo lo que yo creaba no tenía otra utilidad que la de servir de complacencia a los sentidos, el agua saltando en el aire, los dibujos de la luz y de las sombras, las formas caprichosas de los setos o el aroma de las flores, y entonces pensaba que bien pudiera ser que la belleza estuviera en aquello que no servía para nada, como los poemas que leía Lucía, como las pinturas de los flamencos Jordaens o Teniers el Joven que llenaban de belleza muchos rincones del palacio, como los amores que el ruso Basilio sentía por la niña Angélica o como las puestas de sol en el mes de junio, porque lo útil siempre era más feo, el azadón, el estiércol, las chimeneas de la fábrica, los pozos negros, los lavaderos del carbón o los animales degollados y listos para ser asados, quizá porque esa utilidad expresaba una necesidad y las del hombre andaban alejadas de la belleza, algunas incluso parecían innobles y grotescas, por eso yo me consideraba un ser privilegiado porque trabajaba en asuntos relativos a la belleza y además lo hacía al lado de un hombre sabio.

Un mediodía en que yo dirigía por el muro las ramas de una buganvilla, se acercó hasta mí la señorita Elena, quien ya en diversas ocasiones había intentado atraer mi atención sin resultados favorables para ella, no porque la hija del ingeniero Jacob no me gustara, que sí me gustaba, Dios, vaya si me gustaba, porque era blanca y armoniosa y rubia, como un ramillete de margaritas recibiendo el sol, porque su cuerpo resplandecía y palpitaba, porque era una diosa a la que yo había visto desnuda, no, no era esa la razón de que yo eludiera sus apremios, sino más bien porque a mí se me hacía inalcanzable su belleza, y además se me hacía prohibida, y en su mundo había maravillas que yo no entendía y había pensamientos que no tenían cabida en el mío, y en ese mundo suyo que yo tenía tan cerca pero a la vez tan lejos amanecía distinto cada día porque era posible modificar los amaneceres, sin embargo en el mío amanecía siempre a la misma hora y para hacer las mismas cosas, el suyo era un mundo preparado a capricho en el encargo de cada día, el mío era inmutable en su miserabilidad, y además sentía yo vergüenza en presencia de la señorita Elena, un sentimiento lastimoso de pérdida de la propia identidad cuando ella me miraba y toda su persona desprendía impaciencia, una gran ansiedad, un desasosiego tenso que me hacía dudar de mi dignidad. Y aquel día en que yo acomodaba en el muro una buganvilla, ella me dijo, desde la ventana vi tu cuerpo brillando por el sudor, y aquéllas no me parecían palabras de conversación, aunque ésta fuera entre una diosa y aquél que cuidaba sus jardines, más bien me parecían aquellas palabras de Elena la estrofa de una canción, pero eso fue lo que me dijo, y añadió, es curioso cómo brilla el sudor, y yo dije, el agua brilla y el sudor es agua, y ella continuó diciendo, pero es algo más que agua, dicen que contiene sales y grasas y además tiene olor y el agua no huele, y yo insistí, pues la sal brilla y las grasas brillan, así que ya tiene el sudor tres razones para brillar, y ella se rió y acercó su nariz a uno de mis brazos para oler el sudor que arroyaba por él y dijo, huele bien tu sudor, y recordé uno de los refranes de la abuela y dije, lo que otro suda a mí poco me dura, y ella preguntó, es eso un reproche, y contesté, no, por Dios, cómo puedo reprocharos nada si me permitís trabajar rodeado de belleza y además me compensáis por ello, no es un reproche, es sólo un refrán, y ella apoyó la espalda en el muro, dejó que le colgaran las manos y estranguló una sonrisa en el lado izquierdo de su cara, el pómulo se hinchó y tiró hacia arriba de la comisura de los labios dejando al aire unos dientes alineados y blancos, unas franjas de luz azul cruzaron su cara y dejaron en ella el gesto de la arrogancia. Me dijo, eres un sirviente muy descarado, y yo sabía que lo de sirviente lo decía para satisfacer su soberbia y lo de descarado para provocarme, porque nunca me había mostrado ante ella con descaro, y abrió sus ojos cuanto pudo y con una mano peinó su pelo rubio y llevó la otra hasta su lengua para que despacio y en círculo lamiera los dedos, y luego llevó la mano ensalivada hasta su cuello y lo fue acariciando, como si quisiera aliviarlo de un sofoco, y aquella visión arrolladora me arrastró y me dejé llevar, porque Elena poseía el arte de la cautivación y su estrategia consistía en crear en mí la ilusión de un fácil dominio y en el último instante arruinar esa ilusión y convertirla en sentimiento de fracaso, lo cual a mí me hacía más indigno y a ella más deseable, y la señorita Elena, con su lengua revoltosa y sus miradas burlonas acompañando a una voz partida en infinitas voces, me dijo, todavía soy virgen, y en aquel equilibrio que ella mostraba podía yo adivinar una discordancia futura, como se adivina la borrachera en la merced de los primeros tragos, y dejé que en mi cuerpo sudoroso prendieran todas las hogueras posibles y me parecía el de ella como el jardín del rey Sol, sus hombros la Arboleda de la Girándula, sus piernas surgiendo del Gran Canal como las Calles de los Festines, su cintura como el Parterre del Mediodía y su voz como una cascada del Estanque del Dragón, soy virgen, me repetía con la voz cada vez más rota, y pensé, Dios mío, se está apoderando de mí, y cuando terminé de pensarlo la expugnación ya había tenido lugar, y fui a besarla, directo hacia sus labios, porque el jardín y el palacio y los muros y todo cuanto me rodeaba, menos ella, acabó por desaparecer de la realidad y porque hay momentos, fracciones de segundo, que en su compacta lentitud son capaces de multiplicarse tanto que pueden derribar muros, enterrar edificios o hacer que se mueran los jardines, momentos que en su ductilidad pueden hacerte sentir un ser diferente existiendo en un mundo diferente, y en ese transporte engañoso me abalancé sobre Elena para tocarla, para sentirla y tomarla, y ella me empujó contra las buganvillas y me dijo, estás loco, pueden vernos, y entonces miré alrededor y vi que el momento se iba y dejaba los muros y los edificios y los jardines en el lugar en el que antes habían estado, y ella volvió a utilizar el sortilegio de todo su cuerpo para mantener la ilusión y me dijo, este mediodía, a la hora de las comidas, me esperas en la casa de los sauces, y se fue saltando alegre porque ella era la belleza que había triunfado, y quedé tirado contra el muro de las buganvillas buscando mi dignidad y recordando aquella historia que Eneka me había contado, porque la había leído en su enciclopedia universal, en la que Zeus concedía los cuernos al toro, los cascos al caballo, las patas ligeras a la liebre, la boca armada de dientes al león, las espinas a los peces, las alas rápidas a los pájaros y al hombre la razón, y nada le quedó a Zeus para ser concedido a la mujer, y entonces le otorgó la belleza, para que dispusiera de ella en lugar de las garras, las alas o cualquier otra cosa, y allí estaba la explicación, según el inventor de la historia, que era un poeta griego que se llamaba Anacreonte, de por qué las mujeres hermosas vencen incluso al hierro y al fuego, y también vencen a la razón de los hombres. Cuando Eneka me contó esta historia, le pregunté, qué pasa con las mujeres que no tienen la belleza, y me explicó, todas las mujeres poseen alma de diosas y en esa divinidad está a veces su belleza y por eso cuando todo se hace pequeño ellas muestran más su esplendor, y escuché al maestro Eneka hablarme de las mujeres y de la belleza con el respeto y la admiración de siempre, porque él sabía todas las cosas por haber estado casado con la musa Clío.

Sobre asuntos de belleza, buganvillas y mujeres, andaba yo aquel mediodía de la aparición de la flor Elena, meditando y argumentando y retorciendo la voluntad, y limpiaba las malas hierbas de los parterres y me decía, no voy a ir a la casa de los sauces, y tomaba una rama del gran rosal y cortaba, injertaba y vendaba y me decía, voy a ir a la casa de los sauces, y era como si la savia del rosal me corriera por los dedos, como si Elena fuera el rosal original y yo el injerto, y decía, no voy a ir, y apretaba el retoño con la cuerda y con aquel retoño también ataba la luz que se filtraba entre las ramas, y pensaba que pudiera suceder que todo lo bueno me estuviera siendo injertado, y decía, claro que iré, y, al instante, en aquella esperanza advertía yo un infierno porque todos los infiernos comenzaban con la esperanza de que las cosas podían ser mejores, y me preguntaba, para qué voy a ir, y advertí que los argumentos sobre los infiernos también servían para hablar de los paraísos, como los argumentos sobre la belleza servían de igual manera para mujeres y flores, y miré las rosas Gloria Dei y las que Eneka llamaba Lili Marleen y los lirios Variegata y las campanillas de la Yucca y también miré las aguileñas y las bellas peonías, que para la señorita Julia eran las reinas de las flores, y pensé que, fuera cual fuera el color y la forma del rostro de la flor, al margen de las proporciones y armonías del cuerpo de la mujer, estigmas o labios, pétalos o caderas, cálices o cintura, pechos o limbos enteros, en cierto momento, todas ellas, flores o mujeres, poseían aquel poder de la belleza que en el origen de la vida les había sido otorgado, y a veces esos momentos eran breves y otras eternos, en ocasiones ni siquiera sabíamos que estaban allí, mira ese vientre delicado y tensado desde el ombligo, parece una orquídea blanca, fíjate en el equilibrio de esas caderas, son como adelfas meciéndose, y allí estaban en mi cabeza los enormes pechos de la señorita Julia regados de mimosas amarillas, y también estaba la parte viva y sangrante del sexo de mi hermana Lucía abriéndose como una petunia escarlata, y dije, a la hora de las comidas me acercaré hasta la casa de los sauces y le llevaré a Elena unas flores, como hizo Eneka cuando se decidió a conquistar a la musa Clío.

El camino que iba hasta los sauces nacía en una puerta de hierro que había al sur, junto a los leñeros, y seguía el curso de un arroyo, entre avellanos, abedules y algún lilo. Por él paseaban a caballo las señoritas del palacio y las amigas que a veces venían a visitarlas, y las señoras frecuentaban aquel lugar en la primavera para disfrutar del aroma de los lilos en flor. Después de un trecho de senda cuidadosamente empedrada, el camino, ya de tierra, se empinaba para llegar, entre castaños milenarios, hasta una llanada donde se alzaba la casa, custodiada por dos grandes sauces. Yo conocía bien el lugar porque en varias ocasiones había acudido con Eneka para limpiar las malezas y podar los sauces. Se había construido a la vez que el palacio, como lugar de descanso para los señores, cuando éstos se entretenían en la caza o la pesca. Los primeros dueños del palacio la habían utilizado poco y los belgas únicamente para ofrecer alguna merienda a aquellos invitados que decidían probar el arte de la pesca.

Llegué junto a la casa cuando el sol estaba en lo más alto y como el corazón me latía fuerte y no quería pensar en lo que más tarde iba a suceder, dejé las flores junto a la puerta y cogí un azadón del cobertizo y me entretuve arrancando las ortigas. A veces me ocurría. El mundo se me reducía a un solo espacio, apretado y diminuto, un espacio asfixiante que apenas me dejaba aire para respirar, y esto ocurría cuando no me movía en el tiempo y en el espacio exteriores, sino cuando habitaba en el ámbito farragoso de la conciencia y cuando los episodios de la memoria eran los episodios de un sueño que reconvertían la realidad y la imaginación y cuando aquello que buscaba no era otra cosa que una coartada para ahuyentar un tiempo que pertenecía a lo más primitivo de mí mismo, y la avidez de trasformar ese espacio imaginado en algo real me iba nublando los pensamientos y me dejaba inmerso en una situación de temor hasta el punto de no poder realizar ningún otro movimiento que no fuera el rutinario que en ese instante hubiera elegido mi voluntad para detenerse. Las ortigas salían con las raíces y la tierra pegada a ellas, y a cada golpe de azada sentía el olor de la madera muerta. Pensé, aquí hay muchos bosques enterrados, y saqué el pañuelo para limpiarme el sudor de la cara. El ruido de los cascos de un caballo sobre las piedras me hizo arrojar el azadón y correr hacia la puerta para estar cerca de las flores y situarme por detrás de aquel hilo tirante que yo conocía bien y que enlazaba en uno solo todos los momentos. Durante unos segundos, estrujando con mis manos temblonas los extremos de la camisa, contemplé la boca sombría del camino, por donde ella debía aparecer, con la fijeza y fidelidad de quien esperaba que diera comienzo el mundo, y en ese tiempo de génesis, único y perecedero, estaba la felicidad porque también estaba la esperanza, y había desdicha porque también había miedo, y porque era un tiempo de inicio tampoco faltaba la incertidumbre, que era la fragua que la desesperación dejaba abierta y viva por si fuera necesario forjar de nuevo la esperanza, y por aquella boca de penumbra no apareció uno, sino dos caballos, no venía sola la bella Elena, cabalgaba a su lado la hija de aquel facultativo de minas que había sido diputado y a quien tanto gustaban las ostras, un inofensivo y casual paseo de las dos amigas hasta la inhabitada casa de los sauces. Una risa que parecía un manto de autoridad extendido para tapar reparos, salió de la boca de Elena, qué ocurrencias tienes, Aurora, le dijo a su amiga, y hablaba a gritos porque había mucho hielo cubriendo su cara, y retiró el pañuelo que llevaba a la cabeza sin desatarlo y surgió su cabello rubio y brillante, como un atavío de seda, y desde su trono me miró y me dijo, por favor, Nalo, ayúdanos a bajar de los caballos, y cogí las bestias por el cabezal y las llevé hasta la casa y ayudé a descender a las dos señoritas, primero a Aurora, una joven pálida y de gestos azorados que evitó tocarme, después a Elena, a quien tomé de la cintura y de un solo movimiento la dejé en el suelo frente a mí, y seguí apretando con fuerza su cuerpo para expresarle mi rabia, pero ella puso sus manos en las mías, aquí las tienes, aquí las tengo, y un fuerte apretón inicial se convirtió al instante en roce suave, lento movimiento de sus dedos en los nudillos de los míos, y no sabía qué me estaba diciendo, si es que algo me decía, con aquella manera de rozar sus manos con las mías, pudiera ser la oferta de una disculpa, quizá su amiga llegara de improviso y ella se hubiera visto obligada a acompañarla, tal vez incluso, para no faltar completamente a nuestra cita, le hubiera propuesto el paseo a caballo hasta la casa de los sauces, o también pudiera ser que aquello que yo quería entender como sincera caricia no fuera más que otra argucia en la estrategia de cautivar manteniendo la ilusión, y en estos pensamientos andaba cuando ella retiró mis manos de su cintura, ya no están, ya no las tengo, y me miró con orgullo y dijo, es una suerte que estés aquí, así podrás abrirnos la casa y dar de beber a los caballos, y de nuevo me sentí arrastrándome por el barro, y pensé que había ocasiones en las que el deseo de sobrevivir te daba órdenes aberrantes y era como si la vida se hubiera congelado y todo fuera hielo y la señorita Elena me hubiera empujado a uno de los ríos helados y yo estuviera allí, de pie sobre una de las placas de hielo que flotaba y se desplazaba cada vez a más velocidad, y no pudiera saltar a la orilla y tampoco pudiera quedarme, y ella gritó, Nalo, deja de mirarme así y obedece ya, y fui hacia la puerta para abrirla y Elena vio las flores y preguntó, para quién recogiste esas flores, y mentí al decir, son para la señorita Julia, pero puedo prepararles a ustedes unos ramos si así lo desean, hay amapolas, margaritas, gencianas y zapatinos de la Virgen, y dijo Elena, no queremos, y abrí la puerta y entraron en la casa, y luego entré yo para retirar las sábanas blancas que había sobre los asientos y abrir las ventanas. Ellas se sentaron y les traje unos vasos de agua porque allí no había sangrías ni limonadas, y después salí para atender los caballos. Me sentía afligido y desazonado y no me llegaban los pensamientos con lucidez porque aquellas experiencias de acercamiento y rechazo, de ir y volver, de estoy cruzando el umbral pero no sé si entro o si salgo, se me antojaban demasiado rigurosas y no hallaba razones ni fuerzas para disimular la congoja, esa sensación en la que el alma se quiere salir del cuerpo pero no encuentra por dónde, y pasaba la mano por las nalgas de los caballos para sentir su calor y también sentía los latidos de la sangre saltando por sus venas, y cuanto más me crecía el deseo por aquella endiosada mujer más pequeño se me quedaba el amor propio, que es el traje de gala que viste el alma cuando se siente orgullosa de su dueño, y había por tanto movimientos en el cuerpo y movimientos en el alma porque uno y otra se aliaban para dejarme escrito el miedo en la conciencia. Me sentía muy cerca de aquellas dos bestias que tenían las miradas brillantes y no miraban a ninguna parte, hastiadas de mirar o indiferentes, sin nada en el mundo presente que pudiera merecer un parpadeo, y en aquel vacío, con olor a sudor de caballos, el tiempo estaba tan quieto como la mirada de los animales, temeroso de convertirse en momento de memoria, y pensé que el tiempo que se movía era todo lo que éramos y que el tiempo que no se movía era todo lo que no éramos, aquello que había sido pervertido o malogrado, y que a veces batallaban ambos tiempos como lo hacían el amor y el miedo, y cuando triunfaba el amor el tiempo se hacía momento singular para la memoria, y cuando triunfaba el miedo el tiempo se convertía en soledad. Andaba enredado en estos sentimientos a la vez que deslizaba la bruza por la piel de los caballos, cuando la señorita Elena apareció a mi lado para mostrarme de nuevo en toda su crudeza la hoguera de sus ojos, para quemarme en ella y hacerme temblar. Refiriéndose a su amiga Aurora me dijo, tuve que traerla conmigo para no levantar sospechas, y me tendió la mano y me ordenó, ven, y me llevó detrás del cobertizo de las herramientas, y se puso frente a mí y cerró los ojos y me ofreció los labios. La abracé y la besé y por un instante me pareció medrosa, huérfana y complaciente, porque su cuerpo se aflojó, se tornó generoso y quedó suelto entre mis manos para que yo lo reconociera, y me decía, me gusta como lo haces, y había autoridad en su voz, pero también había consentimiento, y sentí que toda ella era mía en aquel momento y que en mi interior se desarrollaba una química complicada y baladrera, una revolución de sustancias que yo podía oler y respirar. Susurrando me decía, quiero que seas únicamente mío, y en aquellas palabras suyas había conflicto y amonestación, y le dije, yo también quiero que tú seas sólo mía, y entonces me mordió en uno de los labios, me mordió hasta hacerme sangre, y dijo, me temo que eso va a ser imposible, y en los espasmos de aquella voz entrecortada había pasión y también había poder, y me dijo que entráramos en la casa, a lo cual repliqué, y qué pensará tu amiga, pero me dijo que su amiga no estaba allí precisamente para pensar sino para servir de excusa, así que entramos, y no vimos a su amiga, y pasamos a un cuarto en el que había un sillón enorme y una alfombra azul turquesa. Me quité la chaqueta porque tenía calor y como ella dijo que también tenía calor la ayudé a quitarse el vestido, y como seguíamos sintiendo calor, ella me quitó los pantalones y yo le quité la camisa, y tomó mi cabeza y la apretó entre sus pechos, que olían al polvo de las azucenas, y luego fue empujando mi cabeza más abajo y llegué a su vientre, que olía al serrín de la leña verde, y seguí buscando sus olores, y me gustaba porque todo era hermoso y también era prohibido, y ella parecía que se hubiera vuelto loca porque respiraba fuerte y trataba de atraparme con sus dientes y cuando por fin me atrapó del todo y su boca se llenó de mí yo estaba conmocionado, y pensé que iba a suceder lo que había sucedido con la señorita Julia, pero de una manera muy diferente, por eso terminé de desnudarla y abrí sus piernas y me dispuse para hacer aquello que un día mi hermana me había enseñado y que me ilusionaba tanto, pero la señorita Elena empujó mi cabeza hasta aquel lugar de su cuerpo donde se concentraban los delirios, donde germinaban las pasiones y tenían su escondrijo las querencias masculinas, y me susurraba palabras que yo no entendía porque estaban dichas en el idioma belga que a veces hablaban sus padres, y besé aquellos pétalos de carne que en el más sutil alarde de poder se desplegaban para mí y sorbí los líquidos de sus químicas, que no sabían a nada que yo conociera, si acaso al bálsamo de almíbar, almizcle y yema de huevo con el que mi hermana se untaba el cuerpo para aplacar los nervios, y amasé con mi lengua el vello rubio que lo protegía todo, y me sentía bien porque había llegado a la casa de los sauces como un simple ayudante en el jardín del Olimpo e iba a salir de allí habiendo probado la química de los dioses, y la diosa gritó tanto y con tan grande placer que me asustó, y entonces me incorporé para entrar en ella en la manera establecida por la naturaleza para varones y hembras, sean éstas de alcurnia celestial o aquéllos de mísera procedencia, pero la química baladrera y proletaria que se había estado revolucionando dentro de mí comenzó a fluir sin que yo pudiera retenerla y salpicó todo el cuerpo de Elena, y ella contempló con satisfacción cómo salía hasta la última gota, y dijo, mejor que haya sido así, y quiso probar cómo sabía y saboreó aquellas últimas gotas y dijo, sabe igual que el puré de remolacha, y mientras ella se relamía yo comencé a arrugarme, y como aquél había sido un tiempo de amor que se había movido deprisa, un tiempo donde no había existido el miedo ni había tenido cabida la soledad, pues las horas habían saltado unas por encima de las otras y el mediodía había degenerado hasta convertirse en media tarde. Comenzamos a vestirnos y ella dijo, algún día te dejaré que me hagas todo lo que sabes, y aquellas palabras suyas me inquietaban porque me atribuían una sabiduría de la que yo carecía, aunque en el camino de conseguirla andaba, y también me incomodaban sus palabras porque, si bien exhibían un ofrecimiento, carecían de la devoción de una promesa, y aunque parecían el preludio de una esperanza, el hecho de haberlas prologado con el indeterminado *algún*, envolvía la oferta con intranquilidad y desasosiego y la despojaba de tiempo, desnuda quedaba ante mí aquella circunstancia, y por eso fui hacia la señorita Elena y la abracé y le pregunté, cuándo va a ocurrir eso que dices, pero ella se deshizo de mí porque ya era otra mujer distinta, ahora era de nuevo la hija del poderoso ingeniero Jacob y de la baronesa de Gante, y me contestó, no te impacientes, Nalo, que ya tienes más de lo que soñaste jamás. Aquello que decía la señorita Elena era cierto, pero me entristecí mucho cuando lo dijo porque fue como si de pronto, con sus poderes de diosa, hubiera convertido una circunstancia de amor en un ritual sin enjundia, una rutinaria ceremonia de lascivia en la que ella había sido la sacerdotisa mayor y yo sin duda una víctima que debía dar gracias a Dios y además guardar el secreto de la oblación. Pensé en mi amigo Eneka y en todo el esfuerzo que hubo de realizar para conseguir el amor de la musa Clío, y me dije a mí mismo que yo era una persona importante, pero que no lo era por haber tenido un encuentro íntimo con una diosa, sino por ser ayudante del jardinero Eneka, que era el más sabio de los hombres que yo conocía, y también pensé que tenía que estar orgulloso por ello, y miré hacia la ventana y me pareció que el tiempo había corrido demasiado deprisa y que ese oficio mío que me hacía sentirme tan importante estaba en peligro, porque nadie me había concedido permiso para ausentarme del trabajo durante tantas horas, así que le dije a la señorita Elena, qué voy a decir cuando llegue al palacio, y ella dijo, y qué voy a decir yo, y nos quedamos los dos preocupados, ella de una forma y yo de otra, porque los ricos se preocupaban de una manera singular debido a que sus ansiedades y sus temores tenían matices únicos y categorías emocionales diferentes a las de la gente normal, a veces sólo apreciables en una simple variación del lenguaje, hoy no sé qué voy a comer, hoy no sé si voy a comer, a veces en la colocación de las palabras, quiero todo lo que sucede, sucede todo lo que quiero, la diferencia entre la resignación y la vanagloria, y a veces esas diferencias en cuanto a las preocupaciones andaban más escondidas, escritas tal vez en la educación más primitiva, un rico que piensa, si nada tienes nada eres, un pobre que cavila, jarro de plata no hace más fresca el agua, y a preocuparse cada uno a su manera. Así que tanto Elena como yo sufríamos preocupaciones idénticas, pero sólo a simple vista, y ella dijo, ya lo tengo, y pregunté, qué tienes, y me explicó que fingiríamos que ella se había caído del caballo y que su amiga Aurora, buscando ayuda, me había encontrado y que yo las había llevado a la casa de los sauces donde habíamos permanecido hasta que ella se había sentido con fuerzas para volver al palacio. Me pareció ocurrente la historia de la señorita Elena porque daba respuesta al mismo tiempo a aquella única pregunta que era dos preguntas a la vez y encerraba dos preocupaciones diferentes. Llamó a su amiga Aurora, quien no disimuló su disgusto por tantas horas de aburrimiento y le dijo a Elena, me debes una, y escuchó después la historia que debíamos representar. Fuimos hacia los caballos y Elena se dejó caer en el suelo más embarrado para que su aspecto de amazona accidentada fuera más creíble, y Aurora y yo nos reímos mucho del deterioro que sufrió su empaque, tanto nos reímos que acabó encolerizándose y amenazándonos, a su amiga con descubrir las relaciones secretas que mantenía con un chapista de la fábrica, a mí con la acusación de haberla secuestrado y forzado.

Aurora cabalgaba delante. Yo iba sentado detrás de Elena, con una mano sujetaba las bridas y con la otra la abrazaba a ella. Junto al río había abedules meciéndose, piruétanos encogidos, arrayanes tocando el agua y cerezos en flor. Elena dijo, huele bien, y yo dije, sí, huele bien, y la apreté con más fuerza. Ya cerca del palacio divisamos las chimeneas humeantes, una de ellas escupía fuego. Al pasar junto a los últimos avellanos, un enjambre de moscas zumbantes y azuladas voló sobre nosotros. Cuando llegamos junto a la puerta de los leñeros, me dijo, bájate del caballo y camina delante. Así entré en el jardín del que yo era hacedor importante y vi el reflejo del sol en los cristales del palacio azul y escuché el murmullo del agua de las fuentes y los estanques y sentí un soplo de aire caliente que me pareció el aliento de un hombre anciano. La primera en vernos fue la señora Geertghe, que paseaba junto a las higueras recogiendo flores. Representamos ante ella, con éxito, la escena que habíamos preparado, y al instante llegó la señora Sakia, seguida de algunas criadas, y se llevaron a la señorita Elena y yo me quedé mirándola alejarse entre los setos que yo había cultivado, y me percaté de cuánto habían crecido los lilos desde que yo había llegado al palacio, y vi todas las flores que yo había sembrado abriéndose ante mí, y sentí que tenía la memoria llena de imágenes, adheridas unas a otras por una tela muy fina que yo podía manejar para hacer que retornara cualquiera de ellas en cualquier momento y palparlas y sentirlas de nuevo como la primera vez, y en esa memoria había muchas cosas que un día habían sido imposibles y que se habían hecho realidad y pensé que sería bueno adquirir la sabiduría necesaria para saber contar las cosas que ocurrían y fue aquélla la primera vez que sentí deseos de escribir sobre todo cuanto sucedía a mi alrededor y me asombraba, de esa forma un momento contado por mí se multiplicaría en tantos momentos como personas leyeran lo que yo hubiera escrito, pues escribir las cosas era como inventar la máquina de multiplicar momentos, por eso la enciclopedia universal de Eneka era la mejor máquina que se hubiera podido inventar, en ella estaba todo, también estarían en ella las sabidurías que de mí esperaba la señorita Elena, todo cuanto en los cuerpos podía suceder, todo aquello por lo que los espíritus sufrían o gozaban y se entregaban, y también pudiera ser que los libros de poesía de mi hermana Lucía y sus revistas ilustradas fueran también máquinas de reproducir momentos, pero sin duda de una manera menos importante.

La señora Geertghe se acercó a mí y llevaba en la mano las flores que había recogido y me dijo, siéntate conmigo, y le dije, señora, llevo muchas horas fuera del palacio a causa del accidente de la señorita Elena y Eneka tendrá cosas que mandarme, pero ella insistió argumentando que el tiempo que pasara junto a ella también era tiempo de servicio como lo había sido el que había pasado con la señorita Elena, así que obedece y siéntate, y como obediencia y paciencia son buena ciencia me senté junto a la señora Geertghe sin saber lo que quería de mí, y comenzó a hablar y a hablar sin descanso, y algunas palabras las decía en la lengua que hablaban en la ciudad de Gante, y otras las decía de manera equivocada, pero todas tenían autoridad, como si anunciaran algún asunto grave. Tenía la mirada extraviada, indolente, y su rostro arrugado estaba envuelto en un halo de brillo consecuencia de las pomadas con las que se embadurnaba, y su voz a veces era un grito y a veces un zumbido. Éstas fueron algunas de las muchas palabras que aquel día me dijo la señora Geertghe mientras yo permanecía sentado a su lado, observando cómo se iba la tarde por encima de los álamos del río.

Después de caminar tanto tiempo hacia el sur, qué nos

queda, porque Gante está en el norte, cruzas el estrecho de Dove y estás en Londres, a mí no me gustan los ingleses, tampoco me gustan los flamencos, los pocos que hay, porque has de saber que en Gante hay un hombre por cada siete mujeres, qué sabemos de las cosas perecederas, tú sabrás por qué se mueren las flores y por qué fermentan los jugos de las frutas, en los cuerpos de las mujeres hay como una fermentación de los humores propios que se parece a la de la uva negra y por eso nunca hay descanso en ellos, hay quien envejece cultivando esos humores en silencio, tú debes aprender a cuidar esos fermentos, la saliva de los hombres es un buen remedio y también el sudor del hombre y todo aquello que brota con fuerza del hombre, ya ves lo que nos queda de tanto arrimarnos al sur, aunque debe de haber otro sur todavía más desgreñado que éste, el flanco de las mujeres parece bien amurallado pero es débil, hay en él mucho follaje de vidrios de colores, me gustaría tener la belleza y la edad de mi sobrina Elena, aunque sólo fuera una noche, daría mi alma al demonio por ello, salir de la casa azul sin despertar a la estrella ni al grillo ni al perro negro de Hendrik, como si siempre hubiera sido esa noche y el tiempo no existiera, para enjuagarte la boca y el sexo con los fermentos, los alardes de poder no deben ablandar ninguna conducta, ya ves, te anuncio los tiempos de un gran favor, yo nací en la plaza de Canter, sabes que en Gante hay doscientos cincuenta puentes, toda agua, mucha agua, ya te dije que hay siete mujeres por cada hombre, y las mujeres son hijas del agua, el día que yo nací, un hermano de mi madre, que era párroco de San Nicolás, se mató dejándose caer desde la torre de San Bavón, se descubrió que hacía favores a las penitentes, fíjate bien, en Gante hay más de treinta iglesias y conventos y una catedral con cuarenta y cuatro campanas, tú aún no entiendes el gusto por la grandeza, puede que nunca lo llegues a entender, yace en todos los lugares vanos, casi todas las cosas del mundo son insípidas y vanas, hasta las flores son vanas, hermosas pero vanas, allá estábamos a orillas del mar Muerto, fíjate tú, aquí huele siempre al maldito humo de las fábricas, fue muy extraña aquella época en la que se extraviaron tantas cosas y en la que tantas quedaron por hacer, y la historia se repite una y otra vez, siempre se repite porque el mundo no para de girar, los sirvientes no entendéis a veces algunos fragmentos de la historia y se quedan en vuestras memorias flotando a la deriva, sin explicación, tú serás mucho más sabio de lo que eres ahora, observas y nunca te detienes, pero tendrás que dejar de pensar como un sirviente, ahora tengo las manos corroídas por el óxido, míralas, pero antes fueron buenas para el amor, las tuyas están desnudas, y los labios, qué me dices de los labios, estos que ves ahora marchitos y resquebrajados fueron los labios más deseados de Flandes, y aquí también robaron algunos besos inolvidables, no voy a ser yo quien te lo vaya a descubrir, en los tuyos hay una herida, una rama o el mordisco de algún bicho, y las orejas, tú sí que tienes unas orejas libres, las manos desnudas y los labios limpios y las orejas libres, te ofrezco mi protección si te sirve de algo, es porque me gustas, la infancia es como el esqueleto de un pájaro enano, la juventud va añadiendo las plumas, un día yo también tuve los brazos libres y los pechos firmes, daría mi vida por una noche negra de juventud, sólo una noche y toda una vida, quiénes habrían sido mis hijos, quiénes mis nietos, tú podrías haber sido uno de ellos, en Gante hay dos ríos, Lys y Escalda, y muchos canales y doscientos cincuenta puentes y veintiséis islotes, si quieres te llevaré conmigo en el próximo viaje, si tú quieres y yo quiero no hay más que hablar, aquí está sucia la aurora del humo de las chimeneas y los pueblos tienen los ojos ojerosos como los muertos.

Terminó de hablar con los ojos caídos y las manos recogidas en el regazo. Su voz parecía acompañada de un desvarío que iluminaba los ungüentos de su cara. Tosió. Algunas palabras se le habían pegado a la garganta. Mi hermana decía que las palabras volaban, que nunca desaparecían. Las de la señora Geertghe quedaron entrelazadas en los emparrados de allamandas, ceropegias y pasionarias, envanecidas con el azul de las flores, entre cantos de tarabillas y raitanes y murmullos de agua, eran palabras blandas, de la misma sustancia que la fruta, más palpables que la fruta, por eso dejaban olor bajo la sombra del emparrado. Ella estaba loca. Sus palabras eran hermosas, podían tocarse y masticarse como un pastel, pero carecían de significado para mí. Me limité a escucharlas, a sentirlas, hasta que dijo, vámonos, que está enfriando, y se fue trastabillando hacia el palacio por uno de los senderos que yo había construido, y caminé hacia los invernaderos en busca del jardinero Eneka sintiendo el hambre en las tripas, pues no había entrado comida en mi estómago desde aquel tazón de leche con pan que me había preparado la abuela Angustias por la mañana.

SIETE

Mientras los arriates se cubrían de colores, pasaban las semanas y las gentes referían las novedades políticas y comentaban las reformas sociales, y también hablaban unos del perpetuo desorden público y otros hablaban de los actos represivos de los guardias, y los monárquicos se volvían aún más monárquicos y anunciaban la utilización del voto para dejar de votar, y los anarquistas, después de la borrachera de entusiasmo y desde una resaca revolucionaria alimentada con sangre proletaria, proclamaban la inminente revolución total, y cada vez se sentían más anarquistas, y vino el calor a sofocar el alboroto de las flores y algunas tormentas hirieron de muerte a las hortensias y a los lilos, y escuchaba yo los comentarios sabios del maestro Eneka, y también escuchaba las apostillas buidas del mayordomo Félix, y atendía las paráfrasis del abuelo a las declaraciones oficiales, con poca hierba se tapa el cencerro, y los refranes de la abuela, pasará lo no llegado como pasó lo pasado, y de la misma forma llegaban a mí los pareceres singulares de mi hermana Lucía, cada día más hermosa y más alejada de la realidad, y todo lo retenía en mi memoria con orden y conformidad, como si opiniones y noticias fueran libros y mi cabeza una biblioteca como la de los ingenieros belgas, y no siempre abría yo esos libros para examinarlos, únicamente los recibía y los almacenaba, y mi memoria se hacía vieja porque por ella pasaban los días, unos con sol, otros sin él, grises y mojados, y cuando había mucha luz escrutaba los nervios de las hojas y el corazón de las flores, y cuando el cielo enviaba chaparrones fugaces me descalzaba y era feliz chapoteando en el agua empozada, y a veces atravesaba mi cabeza la duda de la misma forma que una nube turbia atraviesa la luna, y pensaba que en la naturaleza todo se movía deprisa y que el tiempo era en realidad la naturaleza misma y que también el tiempo era la memoria, como unos ojos llorosos son al mismo tiempo mirada y tristeza, y seguía observándolo todo, escuchándolo todo, como un espectador que era en aquel mundo de flores y palabras, y había tantas opiniones como colores en el jardín del palacio azul de los belgas, y pasaban las opiniones como pasaban los días, cada noche pare un día, y los políticos radicales soñaban con moderadas reglamentaciones, y los políticos moderados, con tanto inconsolable de la izquierda y tanto desconsolado de la derecha, observaban y escuchaban y callaban hasta acabar pareciéndose a los lilos y a las hortensias del jardín del palacio azul después de las tormentas, y los partidos que pregonaban la acción del pueblo decían que el pueblo era primitivo y zafio, y abundaban las imprudencias demagógicas, y llegaron gobernantes tan honrados como ineficaces e infelices que vivían embutidos en una escafandra de espejos, mal viene el don con la carga de paja, y estos gobernantes pasaron tan rápido como las semanas, tan rápido como las nubes ocres que a veces tapaban la luna, y había socialistas que querían escribir las leyes con roja sangre política para que no quedaran decepcionadas las masas, y había masas que no sabían leer y a las que las derechas prometían indulgencias y agua bendita, y así las derechas se movían cada vez más a la derecha de todo, a la derecha del viento y de la verdad, a la derecha de Dios, y los hacendados ponían alambradas en sus propiedades y felpudos en sus conciencias y el clero seguía jactándose de ser el portavoz de la voluntad de los dioses y prohibía y condenaba y repartía manuales para la buena salud del alma, que según ellos no era el nido de los sentimientos sino un sagrario cuya única llave se custodiaba en las sacristías de las iglesias, y seguía comiendo el clero en la mesa de los ricos, que como eran ricos tenían grandes y valiosas conciencias, y lo hacían, comer y cenar en la mesa de los importantes, porque los obispos habían inventado fórmulas teológicas que amilanaban y encogían a los elefantes a la vez que aseguraban que la aguja era una alegoría, o sea, un puente de muchos ojos que había en Jericó, cantan los abades donde yantan, y los militares afilaban los sables y sacaban el brillo a sus medallas para asistir a las procesiones religiosas, cuando se afila el acero se secan los tinteros, y el jardín del palacio azul se iba cubriendo con un esmalte de vapor de tierra dilatada que hacía que unas plantas se confundieran con otras, y los ministros se iban y volvían, dimitían y tornaban, en un trajín de cargos, reformas y contrarreformas, miedos y temeridades, y unos vomitaban cuantas necedades tenían en el vientre y otros seguían ensayando el canto del cisne y si venía el diluvio no tenían reparos en proclamar el aumento de la producción eléctrica, y si la industria de la celulosa se hundía no había inconveniente en proponer como solución revestir de corcho todas las oficinas públicas, y seguían pasando las semanas, y cambiaba el curso del aire y también cambiaban las humedades del aire, y los días eran tan efímeros como los ministros que nos gobernaban, y las leyes también eran efímeras porque se hacían deprisa, tan deprisa como transcurrían los días y las semanas, prisa venturosa, vagar desastrado, y estaban cargadas algunas de estas leyes de buenas intenciones, y también algunas de ellas de segundas intenciones y de símbolos y divisas, como si las leyes fueran flores para adornar solapas o engalanar altares, y también estaban cargadas aquellas leyes de gallardetes y banderines y grímpolas de colores, como si el país en el que vivíamos y trabajábamos fuera un barco de feriantes o un navío de piratas o una celebrada sepultura o una historiada fragata con las amuras hinchadas y las crujías articuladas, muchas leyes malos reyes y estrenos de alcalde novillos y baile, y en el jardín fueron cambiando los aromas y Eneka decía, un costal vacío se tiene peor de pie, y al paso de algunas semanas más volvieron los rocíos, que son las lluvias vergonzosas que no vienen del cielo, y hubo más tormentas y se murieron definitivamente las magnolias, y luego algunos días pasaron muy deprisa hasta que cayó luminosamente el follaje, y Eneka y yo hacíamos montones de hojas muertas.

Todo aquel tiempo había transcurrido sin que Elena se hubiera acercado a mí. A veces la había visto asomada a los ventanales de la galería o al balcón de su alcoba o pasando junto a los setos en dirección a las cuadras de los caballos. Yo levantaba la cabeza y miraba hacia ella, pero ella no quería verme, la princesa del palacio azul que en la casa de los sauces me había dicho, algún día te dejaré que me hagas todo lo que sabes, prefería ignorarme. Sin embargo yo seguía esperando una llamada, al menos una mirada cómplice. Por las enseñanzas de aquel que todo lo conocía por haber estado casado con una musa, sabía yo que las mujeres eran seres perspicaces y que esta perspicacia era más ostensible cuando se producían los cambios de edad, de niña a mujer, de núbil a casada, de esposa a madre, de joven a señora, seres de abordajes encubiertos, seres especiales que no se dejaban esclavizar fácilmente por los dictámenes ásperos de la razón. Eneka me preguntó un día, por qué piensas que la señorita Elena es una musa, y no supe qué contestarle porque nunca le había manifestado a mi amigo tal pensamiento, y entonces él continuó diciéndome, no pienses en ella como una musa hasta que no estés seguro de que lo sea, y le pedí que me explicara mejor lo que me estaba diciendo, y así lo hizo. Escucha, Nalo, me dijo Eneka, esto tiene que ver con esa mariposa de la que a veces te hablo, esa que está encerrada aquí dentro y que algún día se manifestará, ella te podría aclarar si la señorita es o no es para ti una musa, de la misma forma que te informará sobre lo que eres y sobre lo que quieres ser, sus revoloteos son certeros, permanece oculta porque necesita conjurar ciertos estados de ánimo y algunas fuerzas secretas para vencer futuras batallas entre el corazón y el cerebro, pero un día se despojará de ese disfraz y te ocupará el cuerpo entero y la mente entera, la memoria entera, y te dirá quién eres tú y entonces sabrás quiénes son los demás, podrás de alguna manera mirar a los otros por dentro, y unas veces sentirás orgullo y alegría por lo que verás, pero otras sentirás vergüenza y desesperación y también sentirás asco, y si la mariposa no quiere todavía manifestarse sabrás si una mujer tiene la condición de musa por algunos detalles que puedes observar, la claridad que desprende su cuerpo, un resplandor que alumbra como alumbra la luna, y los gestos de ella cuando se expresan mejor que las palabras, y el enigma de sus andares, las musas siempre caminan para descubrir secretos, se acercan para desvelarte algo o se alejan llevándose las señales, y sus manos que a veces vuelan, y también puedes descubrir si una mujer pertenece al coro divino que canta en los bosques del monte Helicón y danza en torno a la fuente Hipocrene por la forma en que recibe las flores, por la manera como las mira o las toca, busca unos narcisos y ofréceselos, la leyenda cuenta cómo un joven enamorado de sí mismo llegó a idolatrar a su propia sombra y cómo acabó convirtiéndose en narciso, por eso sus flores miran siempre hacia abajo buscando también su propia sombra, ellas son las flores más hermosas y su olor adormece y aturde, una verdadera musa tomará las flores con una mano y con la otra intentará levantarlas para que la corona de la flor deje de buscar la sombra y las acercará a su nariz y cerrará los ojos para fingir que duerme, y también puedes buscar un jazmín blanco, que es la flor de la pasión, en árabe se dice *yâs-min*, *yâs* significa desesperación, *min* significa mentira, los amantes la escogen para hacerse mutuos presentes porque de ella sacan los invisibles tesoros de la divinidad, si se la ofreces a una musa ésta desvelará su identidad, mostrará sus verdaderos sentimientos porque toda la mentira posible está encerrada en el *min* de la flor. Y Eneka me habló aquella vez de más flores y de muchas leyendas, de mujeres frágiles como los juncos y de mujeres que no tenían miedo, me habló de cuando las horas dan vueltas en círculo para sujetarnos a un pensamiento equivocado, me explicó que la naturaleza mostraba su orgullo en la violencia de los colores y que el orgullo de las mujeres las hacía estériles contra la desdicha y la vejez, me habló de los hombres que habían conocido a las ninfas que viven en los árboles o emergen de las burbujas de las aguas, y me volvió Eneka a referir las historias de Clío y de Calíope y de Euterpe y de Talía y de todas las musas, y también me refirió las historias de las cincuenta hijas de Nereo, quien representaba la superficie serena del mar, y de Dóride, hija de Océano, y a mí me gustaba mucho escuchar a mi amigo y maestro Eneka porque todos los sucesos contados por él parecían extraordinarios y porque yo veía esas cosas que él refería con muchos ojos nuevos, con ojos que él me regalaba y me enseñaba a usar, y deseaba parecerme a él, saber todo lo que sabía él. Cuando terminó de hablar, le dije, no creo que Elena sea una musa, tal vez ni siquiera sea una señorita, y él sonrió y me dijo, anda, vamos a trabajar, y cogió el podón y las tijeras y el serrucho y yo cogí el hacha y la escalera y nos fuimos hacia los muros del río, porque las semanas habían pasado deprisa y había llegado el tiempo de la poda.

Eneka y Aida bajaron a vivir al valle. Con lo obtenido por la venta de la hacienda de Carcabal, incluidas las cabras, y lo ahorrado por Aida, compraron una casa en un lugar llamado Vallina, cerca del río. En la transacción intervino el ingeniero Jacob, pues la casa pertenecía a la condesa Marta Guilhou, amiga de los belgas. El edificio tenía dos plantas con pilastras formando soportales, balcón, galería al levante y recios aleros de madera. No tenía jardín, sólo un patio con una araucaria joven que los frailes del Monasterio de Corias le habían regalado al viejo Numa Guilhou, pero Eneka decía que para qué quería jardín un hombre que trabajaba de jardinero. La casa llevaba varios años vacía y fue preciso retejar, reforzar canecillos, reparar voladizos y ventanas y acondicionar las paredes. Para estos trabajos Eneka contó con el ruso Basilio y con Alipio, que por entonces trabajaba en el tejar de Villa Alegre. Lo primero que hizo Eneka fue arrancar el escudo de la fachada y llevárselo a la condesa, esto es suyo, señora, le dijo, que no quiero llevar zamarra sin ser pastor, y en su lugar colocó una piedra con esta inscripción, *Casa de las musas, 1932.* Aida, en contra de la opinión de su padre, quien prefería que ella se ocupara únicamente a la casa, comenzó a trabajar con Alipio en el tejar. Ella actuaba de ayudante de moldeador, dejándole al operario los montones de pasta preparados, retirando las imperfecciones de los ladrillos con una cuchilla y colocándolos luego de forma vertical para la desecación, antes de la cochura. Alipio trabajaba en los hornos y estaba aprendiendo el manejo de una máquina que había llegado de la ciudad alemana de Halle y que tenía el nombre de Ciclope, artilugio con cilindros trituradores, ruedas moledoras, paletas amasadoras y cabezales de salida especiales para producir ladrillos huecos. Son las herramientas del capitalismo para destruir empleo, decía mi primo, ellos dicen que se trata de inventos mecánicos para que el obrero trabaje menos tiempo, pero en realidad su intención es la de contratar a menos obreros, pero quiero conocer esas máquinas, son el corazón del sistema opresor y el día en que decidamos destruir el sistema todos los conocimientos serán de utilidad.

Aida y Alipio se hicieron novios. Lo anunciaron el día de la inauguración de la nueva casa. Estábamos mi hermana Lucía y Basilio, la señora Elvira, el mayordomo Félix, la señorita Julia, Aida, Alipio, su tía Fe, Eneka y yo. Alipio hizo el anuncio y Eneka no pudo contener las lágrimas, luego Fe, que siempre había sido como una madre para mi primo, también lloró, y mi hermana me dio la mano, caliente y mojada, y acercó sus labios a mi oído y me preguntó, estás feliz, y miré por la ventana y vi a lo lejos la luz de una locomotora que circulaba junto al río, y a la señorita Julia le empezó a salir sangre por la nariz y dejó una línea roja sobre el mantel, y Eneka puso una mano en la nuca de Julia y la otra en su frente y la hizo mirar hacia el techo, y cuando las lágrimas y la sangre dejaron de brotar el mayordomo Félix descorchó una botella de Oporto y Eneka dijo, en otra circunstancia esta revelación me hubiera hecho fruncir el ceño, hasta puede que me hubiera provocado desarreglos internos, pero ahora sé que la vida de cada uno es demasiado corta para ocuparla en vivir las vidas de otros, aunque sean éstos aquéllos a los que amas y por los que darías la única vida que tienes, y como el pensar y el vivir no van a la par, pienso que Aida aún sigue viviendo en el mundo de la infancia, pero mi pensamiento es débil y se repite cada día, sin embargo la vida de ella amanece distinta cada mañana, y como no sé rezar porque no tengo mucha confianza en los asuntos de la religión que nos enseñaron, por eso me tomo la libertad de hablar de esta manera, que es casi como rezar, ya que en mi vida los dioses los voy eligiendo yo según lo que me dice el instinto, y no por orgullo, sino por la humildad de sentirme más pequeño que todo y también por el silencio de los muertos, y así entregué muchos años de mi vida a la conquista y adoración de la divina Clío, quien me permitió habitar con ella en los paraísos del Olimpo y me concedió la bendición de esta hija, aunque luego la musa se fue, porque ningún Dios permanece entre nosotros para siempre, si bien se queda en el silencio que nos deja, y la cicatriz de su ausencia fue menos dolorosa con la ayuda de Aida, y como ya está bien de aburridos rezos, termino diciéndole a Alipio, porque Aida ya lo sabe, que la verdad del amor entre dos seres se revela por un contacto que no se explica, una verdad que sólo comienza a serlo cuando se produce el consentimiento mutuo, y por esto tenéis mi beneplácito sólo si vosotros ya os habéis aprobado uno al otro, y quiero que sepas, Alipio, que si de verdad amas a mi hija, vas a vivir la más grande y verdadera de todas las revoluciones que el hombre puede imaginar, porque ella, ahí donde la ves, con su cara de muchacho travieso, su pelo insumiso y sus manos nerviosas, ahí donde la ves, ella es hija de la musa Clío, quien, por si aún no lo sabes, era hija de Zeus y de Mnemósine, la misma que hizo posibles los cantos y los poemas que celebran el heroísmo y la gloria, el ser que hizo de mí el hombre más feliz de la tierra.

Cuando Eneka terminó de hablar hubo un silencio largo, un silencio espeso que arroyaba por las paredes, que se metía en los vasos del Oporto, un silencio que era un pensamiento muy antiguo que ocupaba las mentes de todos nosotros, y sentí entonces un dolor agradable, como si alguien me hubiera clavado una aguja en un dedo que no quería que fuera mío, y miré a mi hermana Lucía y tenía los ojos encharcados y la cara mojada de lágrimas, y Elvira y Julia se abrazaban llorando y suspirando por la emoción que las palabras de Eneka habían provocado, y Aida y Alipio se apretaban, y el ruso Basilio dijo, cagoenlamar Eneka, qué grande eres, y lo abrazó fuerte, como si estuviera despidiéndose de él para siempre, porque también Vasili Kolesnikov había tenido su musa, la francesa Blandine, y también con ella se había sentido el hombre más feliz de la tierra, en el particular Olimpo de la vieja caseta del ferrocarril, y desde hacía tiempo andaba al encuentro de otra musa que supliera la falta de aquélla, adolescente también y de nombre Angélica, hija del practicante señor Patricio. El ruso nos cantó cantares de su tierra, y fue aquella noche una circunstancia singular en mi vida, fue aquél un momento que con el paso del tiempo tuvo el poder de multiplicarse en infinitos momentos. El ruso le dijo a Eneka, tienes mucha razón en eso que dices de las mujeres, y buscó la botella de vodka, que en ruso quería decir agua, pero que no era agua sino una bebida que se obtenía del centeno y de las patatas y del maíz y que Basilio conseguía en los barcos que llegaban a puerto, y bebió un trago largo de aquella bebida fuerte y también bebió Eneka y yo bebí después y primero sentí resquemor, pero luego sentí placer, y pensé que había una variedad infinita de maneras de pensar, que incluso había pensamientos que se sostenían solos, que vivían independientes y no tenían relación con nadie que los pensara, pensamientos que anidaban en una cabeza como si ésta fuera un alero cualquiera, y vino uno de esos pensamientos hasta mí y dije, habláis como si hubiera unos mundos por llegar y tuviéramos que esperar o buscar esos mundos, y todos se quedaron mirándome sorprendidos y sin decir nada, y volví a beber otro trago de aquella bebida que ardía y les dije, puede que no haya nada más que esto, y el ruso dijo, tú de qué hablas, a mí me queda por llegar un mundo con Angélica, y Alipio dijo, tú de qué estás hablando, el orden existente está en los límites y es la utopía quien rompe los lazos que atan esos límites dándonos la libertad de buscar el desarrollo de un nuevo orden sin hombres oprimidos, y la señorita Julia, que bebía el Oporto como si estuviera sorbiendo ostras, dijo, qué estás diciendo, Nalo, claro que vendrá otro mundo en el que un hombre hecho y derecho y bien atribuido me hará su mujer, un mundo en el que se multipliquen por mil las razones que ahora tengo para vivir, que tengo alguna, no vayáis a pensar, pero ni comparación con las que tendré cuando ocurra lo que tiene que ocurrir, y Aida intervino para decir, tiene que venir, Nalo, tiene que venir porque hay demasiada gente esperándolo, y Félix y Elvira asintieron y partieron un huevo cocido para los dos, y Eneka dijo, puede que Nalo tenga razón y tanta borrachera de esperanza no nos deje ver lo bueno del mundo que ya tenemos, y Lucía gritó, qué tenemos, mierda es lo que tenemos, vivimos inventando excusas para no ver lo que tenemos, siempre pintando la mierda de colores. Las voces de todos se desdibujaron hasta fundirse con un silencio que a mí me estaba creciendo por dentro, y aquel pensamiento, que no era mío, que había llegado a los aleros de mi cabeza como una golondrina, me mostró que el silencio era el espacio donde todo cabía, el lugar donde el alma de cada uno se mezclaba con el alma de todos, hasta de aquellos que habían pertenecido a generaciones desaparecidas. Mi hermana se agarró a la excusa de la poesía y bebió vino y bebió vodka, agua del Volga, decía ella, y cantaba, labios que chupáis de la muerte, ojos que abomináis los párpados transparentes, vientres locos en el espiral de la prisa, y obligó a todos a exponer sus excusas, Alipio la revolución pendiente, Julia ese hombre rudo y pasional que la habría de sacar del tedio, Aida el amor en una casa grande, Félix sus ahorros para terminar su vida en paz en el lugar donde había nacido, Elvira el aroma de sus guisos, Basilio la hija del practicante, Eneka la sabiduría de las enciclopedias y yo el mundo de la jardinería, y después hubo nuevas vueltas y fueron surgiendo nuevas excusas o explicaciones diferentes a las excusas primeras. Lucía quiso bailar con Basilio, y el ruso ponía mucha pasión y también ponía mucho sentimiento en todo lo que hacía, entonó canciones populares eslavas, que él llamaba *jorovodis*, cantó algo parecido a un romance, él lo llamaba *bilini*, bailó todos los bailes de su tierra, se arrastraba, saltaba, doblaba las rodillas hasta casi sentarse en el suelo, pero sin sentarse, y ponía los brazos uno sobre el otro, extendidos como si estuvieran apoyados en la barandilla de un balcón, pero no había barandilla, ni había balcón, y en esta posición sus pies se iban levantando de forma alterna del suelo y lo hacían como si tuvieran resortes, y parecía completamente excitado porque su cara estaba roja, como si a un metro de ella estuvieran los hornos de la fábrica, y sus ojos diminutos giraban como engranajes mecánicos, y todos reían, y por fin Basilio se dejó caer, se apoyó contra la pared y dijo, me falta la *jaleika*, pero voy a cantaros un *piesni* sobre deliquios de amor, y fue tan tierna la música de aquella canción cuya letra no entendimos que parecía una canción de cuna, y aquella música también se quedó en el espacio infinito de mi silencio. Cuando el ruso terminó su canción, los ojos de mi hermana estaban tan enrojecidos que no tenían iris y parpadeaban remisos en medio de un charco, y ella le pidió a Eneka que la acompañara hasta su casa, y el jardinero así lo hizo.

Aquella noche, mi hermana Lucía y mi amigo Eneka la pasaron juntos y decidieron unir sus vidas. Él compró una maleta galvanizada, metió en ella su ropa y se fue a vivir a casa de mi hermana. Únicamente me dijo, con una voz clara y lenta, estoy seguro de que saldrá bien, para algo habrá de servir la República. Yo no dije nada porque no entendí bien aquella referencia política de Eneka. Esa tarde, él fue a la casa nueva con Basilio y Alipio a rematar unos aleros, y yo fui a visitar a mi hermana. Estaba en la cocina, sentada en la mecedora y sin hacer nada, sólo balanceándose. Le dije, entonces tú también piensas que saldrá bien. Ella no me miraba. Me dijo, no, no lo sé, pero voy a bajarme de la nube en la que vivo desde la muerte de Julián, bueno, desde antes de la muerte de Julián, voy a bajarme aquí, a la tierra, y voy a entregarme a ese hombre, toda, entera, voy a poner a funcionar otra vez el reloj, ese reloj que estaba parado en una mentira. A mí me gustaba mucho aquella manera de hablar que tenía Lucía, adornando los pensamientos con metáforas y músicas que hacían que su voz reluciera como la bombilla de una fiesta. Me arrodillé junto a ella y la abracé, y sin dejar de balancearse me dijo, cuando tú naciste había varias matas de hortensias azules y rojas contra la pared del patio, eran inmensas, yo las estaba mirando cuando padre vino a decirme que habías nacido. Me recliné en sus pechos, y me besaba y seguía hablándome de los olores que había en el patio aquel día en que yo había llegado al mundo, y no sabía por qué me contaba aquello mi hermana Lucía, pero me provocaba mucha paz y mucho placer y alimentaba aquel silencio que me crecía dentro, por eso le pedí que continuara hablándome, y me dijo, aquel invierno fue tan duro que hubo que arrancar todas las plantas del patio, también las hortensias, pero el olor siguió allí, perdurando por encima de otros olores que fueron llegando después, con los olores ocurre lo mismo que con las personas, que perduran aun después de haber muerto y a veces se te aparecen para traerte recuerdos que habías perdido. Eso me dijo Lucía, y guardamos silencio, sólo se oía el golpeteo de los balancines en el suelo, y entonces vino hasta mí el olor a alquitrán de las camisetas sucias de nuestro padre y también el olor a café negro que siempre había en la cocina cuando él vivía, porque él bebía grandes tazones de café negro a todas horas, y se lo dije a Lucía, y a ella también le habían llegado aquellos olores, y me dijo, padre anda por aquí repartiéndonos sus olores, y sentí un extraño estremecimiento. Ella me dijo, ves cómo hay siempre mundos que están llegando, y no supe si aquello me lo decía por la aparición repentina de los olores perdidos o por la nueva vida que ella estaba iniciando. Le dije, me voy a casa, y me besó, estaba muy hermosa, me abracé a ella y en aquel abrazo había una explicación secreta, y pensé que por las mujeres corría la vida como un gran río, que a través de ellas tenía continuación el mundo, que la naturaleza y sus misterios estaban en ellas, que fluía por ellas la historia de los pueblos. Me dijo, fíjate en el abuelo, aquel mundo que ya creía perdido le volvió a llegar de pronto.

Cuando llegué a casa, el abuelo Cosme estaba frente al fogón esperando que hirviera el café. Había sustituido el anís por el café y los períodos de silencio por una actividad frenética, impropia de un hombre con las rodillas desgastadas y serias dificultades respiratorias. Me fijé en los huesos de sus manos, forradas de un pellejo oscuro, y también reparé en su espalda arqueada y en su barba canosa y revuelta, y le dije, dormirá usted mal con tanto café, y él retiró el puchero y puso la manga de colar en el tazón y vertió un chorro negro y humeante, y me respondió, ya estuve dormido demasiado tiempo. Pensé que al fin el espíritu de mi abuelo había encontrado el sosiego, gracias a la actividad desmedida a la que se había entregado en los últimos meses, y el único y opresivo momento que durante años había ocupado su memoria se había transformado de pronto en numerosos y variados momentos, y de su mundo en silencio brotaron infinitos mundos. Me dijo, mañana conviene que subas a la obra, quiero que vayas pensando en la idea del rodal botánico.

Se levantaba al amanecer, subía al caballo y lo conducía hasta los prados de Zalampernio. Allí andaba desde hacía meses en la ejecución de un desatinado proyecto que consistía en la utilización del agua del arroyo Xamial para la producción de energía. Comenzó empleando a unos mozos portugueses que decían conocer las construcciones de piedra, y con ellos se iniciaron las presas, los tragantes, las palizadas, las torgas y los azudes, mientras él elaboraba cálculos sobre planos trazados en el terreno, planificaba el nuevo cauce de la corriente con lechos azemados e inventaba tropiezos y saltos que provocaban cataratas. Compró en las fábricas materiales de deshecho y con la ayuda entusiasta de algunos voluntarios y, sobremanera, del ruso Basilio, para quien el abuelo se había convertido en el Leonardo da Vinci de las cuencas mineras, fue realizando con absoluta perseverancia cada una de las ideas que se agolpaban haciendo cola en su cabeza. Aquel personaje sombrío y esotérico que para todo el valle había sido el abuelo, se fue convirtiendo en un ser animoso y arrogante, baladrón incluso, protagonista diario de los encuentros nocturnos en la cantina de Colino, donde explicaba sus ideas a todos los presentes con el mismo entusiasmo y la misma capacidad con los que un día había encandilado al ingeniero Hendrik, y así lo mismo les hablaba de los principios de la presión del aire comprimido o de las leyes de la plasticidad como del modo de obrar del órgano principal en las quebrantadoras cónicas, y todos lo escuchaban sorprendidos y con la mirada atónita, sin reconocer a aquel hombre que se había condenado a sí mismo a tantos años de silencio y que ahora prometía explotar para ellos las fuerzas naturales, aprovechar para ellos el poder de la Naturaleza, porque del poder de los políticos más valía no hablar, y con los vasos de aguardiente en las manos observaron cómo se estiraba su piel cuarteada, cómo blanqueaban sus dientes carcomidos, cómo sus cabellos recuperaban su color natural y cómo desaparecían por arte de magia los arañazos de su espíritu. Cada día eran más los curiosos que se acercaban a Zalampernio a contemplar la marcha de las obras y también eran más los voluntarios que se desprendían de sus chaquetas para acercarse a echar una mano en el movimiento de tierras o en las tareas de excavar canales, arrancar escollos o partir las piedras, y aquellos que andaban desocupados se acercaban al aserradero para ayudar a preparar las armaduras, los virones de castaño, las blindas para el embalse y las grandes vigas de haya o de roble. Hubo días en los que el abuelo contó con cuadrillas de más de treinta voluntarios, entre los que también había niños, y él los dirigía a todos con una voz potente que parecía nueva y con una energía de comandante en medio de una batalla, y maldecía y exigía atención para evitar los errores y les decía que aquélla era una obra de todos y por primera vez en su vida se encontró ejerciendo el oficio de un verdadero capataz. Las obras de Zalampernio cobraron tanta notoriedad que hubo donativos importantes, algunos anónimos y llegados de lejos, y se acercaron emisarios del Ayuntamiento para interesarse por las obras, pero fue rechazada por el abuelo cualquier tipo de intervención o de ayuda oficial, y llegó la noticia a los ingenieros belgas y el señor Hendrik le explicó al abuelo que ellos se harían cargo de todos los gastos de las obras si éstas pasaban a formar parte de su compañía, eso sí, siempre aceptando las condiciones que impusiera el abuelo, pero él le contestó al ingeniero delante de todos que la Naturaleza no tiene dueño y que tampoco deberían tener dueño las voluntades humanas. La señora Geertghe recibió con tal entusiasmo la noticia de que aquel que había merecido su amor había resucitado, que también ella misma dio muestras evidentes de resurrección, y se mostró más joven, desprendida de sus gestos de locura, se dedicó a restaurar algunas zonas del palacio que habían sido abandonadas, ordenó pintar con colores cálidos algunos de los cuartos, se interesó por los arriates nuevos y consiguió de los ingenieros la autorización para construir un nuevo cenador poligonal de madera labrada. Un día se acercó a mí y me dijo, toma, Nalo, llévale esto a tu abuelo, y me entregó un sobre cerrado, y le dije, se lo daré esta noche, y ella dijo, no, llévalo ahora, y en sus palabras había súplica y en sus ojos había deseo, por eso solté la pala y dejé lo que estaba haciendo y corrí sin detenerme hacia los prados de Zalampernio. El abuelo estaba sentado sobre un gran bloque de granito del cual deberían salir las muelas corredoras y también las muelas soleras. Abrió el sobre, tomó el fajo de billetes y leyó una nota que había entre ellos, luego sonrió y me dijo, parece como si el tiempo anduviera dando vueltas, y yo le dije, ella se muestra muy entusiasmada, y él me pasó una mano por el hombro y me dijo, algún día te contaré la verdad sobre esa mujer, y yo quedé extrañado porque pensaba que él ya me había contado toda la verdad sobre la señora Geertghe. Con aquel dinero el abuelo contrató a unos canteros gallegos, compró un par de mulas y también adquirió ebonita, que era el caucho endurecido, y otros materiales extravagantes que nadie conocía, para la construcción de electróforos, multiplicadores, condensadores, electrómetros y máquinas electrostáticas, y el ruso pudo comenzar la confección de yunques y martinetes, y también de tornos, mandriles y rodeznos.

El ruso Vasili Kolesnikov estaba entusiasmado con su nueva ocupación. Era feliz escuchando el ruido de las mazas, los retumbos de las maderas, la algarabía de los niños y el ladrido de los perros alrededor de las hogueras, y mientras golpeaba los hierros cantando las viejas canciones eslavas, se dejaba atrapar en la trampa de la nostalgia y revivía aquellas tardes en Iaroslav, cuando su padre lo llevaba de la mano a visitar las obras de la nueva fábrica de herrajes o las del puente sobre el río Kotorosl, construir es perdurar más allá de la muerte, le decía su padre, y aquellas palabras las habría de recordar para siempre al contemplar obras grandiosas como el templo de Juan Crisantemo de su ciudad, los puentes sobre el Volga, la fortaleza de Kazán o los palacios de Moscú. Construir para perdurar, pero tendrá que haber algo más, una forma de mantener vivos los pensamientos pasados, de inventarle lados nuevos a la belleza o una manera de hacer realidad lo increíble, esto pensaba el ruso al contemplar la obra de Zalampernio, y le preguntaba al abuelo, por qué haces todo esto, Cosme, y éste respondía, es como levantarse en armas, y Basilio preguntaba, en armas contra quién, y el abuelo le explicaba, contra el mundo, Basilio, contra ese mundo que lo mire por donde lo mire no termina de gustarme, y el ruso reía y seguía tarareando aquellas canciones que él llamaba *jorovodis*, por las riberas del Volga los cosacos se enamoran y las hilanderas se van vistiendo de novias. La niña Angélica, la hija del practicante señor Patricio, también acudió a visitar las obras, y vio al ruso cantando, contempló el sudor que arroyaba por sus brazos brillantes y deseó estar allí cada día trabajando a su lado, y Basilio la vio a ella como a la única mujer del mundo, con sus pecas marrones como nubes en medio de dos relámpagos verdes, con sus pechos balanceándose como campanas de gloria, y detrás de ella veía Basilio el chorro de uno de los saltos de agua recibiendo el sol y le pareció a Basilio que Angélica estaba flotando sobre una telaraña de luz, pensó que el cuerpo de Angélica era la obra más grandiosa de cuantas había conocido, y deseó entrar en aquel cuerpo para perdurar en él, y la miró como si ella estuviese desnuda, y se le veló la mirada, era el sudor, era el desmayo que hacía desaparecer los obstáculos, y el ruso soltó el martillo y también soltó la barra de hierro y fue hacia ella y no miró atrás porque nada existía a sus espaldas y no miró a los lados porque sólo había un camino que iba hacia la niña que se había convertido en la única mujer, y llegó hasta ella y le dijo, vente conmigo, y la tomó de una mano y ella dijo, van a vernos, y él dijo, no hay nadie que pueda vernos, y la llevó detrás de los embalses y la recostó sobre una de las llábanas de la presa que aún no llevaba agua y le dijo, Angélica, tengo que hacer lo que voy a hacer, y lo hizo, y ella dejó que lo hiciera, y cuando terminaron de hacerlo se volvieron a oír los golpes de las mazas en las piedras y el ruido del arroyo saltando por encima de las escolleras y la algarabía de los niños y algún que otro ladrido de perro, y Basilio dijo, yo te quiero para siempre, y la niña Angélica lloraba con los ojos cerrados y le daba saltos el corazón como si fuera una rana que se hubiera tragado y le decía, yo también te quiero, pero mi padre nos va a matar a los dos, y el ruso la abrazaba y le decía, esta obra no la puedo dejar porque es una obra grande, la más grande de todas, en realidad más que una obra es una revolución, pero cuando termine esta obra que es más que una obra nos iremos juntos, y Angélica preguntaba, y adónde nos iremos, y él le hablaba de los mares, del mar Cantábrico, y también del mar Caspio que era dos cosas a la vez porque era un mar blanco y también era el lago más grande del mundo, y le describía los barcos gigantes que navegaban durante meses por el océano, que era el superlativo del mar, y le hablaba de los ferrocarriles que cruzaban varios países sin detenerse y también le hablaba del Volga, que era uno de los ríos mayores de la tierra y dejaba sus aguas en el Caspio, y la besaba y le decía, yo te llevaré a conocer los embarcaderos imperiales del Volga, y ella escuchaba embelesada todo cuanto el ruso decía, y se acurrucaba en él y repetía, más te vale, Basi, más te vale.

En el mes de noviembre del año treinta y dos las obras estaban muy avanzadas, pero la nieve obligó a detener los trabajos. En la zona más estrecha y rocosa del arroyo se había construido una represa de troncos que empantanaba el agua y la distribuía en dos azudes de piedra, con rejillas y compuertas y cámaras de decantación, hasta elevarla y dejarla en dos embalses, al sur, por encima de todas las construcciones. Siguiendo el curso de los azudes, junto a los embalses y en torno a las construcciones, el abuelo quiso que yo plantase cada una de las especies de árboles y arbustos conocidos para que sirvieran de distracción y aprendizaje a la generación de escolares de entonces y a cuantas hubieran de venir, y también para que absorbieran la humedad existente cuando el azote de los calores excesivos castigara aquellos parajes, y así comencé la búsqueda y selección de los diferentes tipos de sauces, fresnos, pinos y robles, además de tejos, bojes, humeros, abedules, avellanos, nogales, castaños, higueras, serbales y laureles, hasta un total de veintisiete especies, algunas difíciles de localizar, y también seleccioné, con la ayuda de Eneka, aligustres, retamas, espineras, cornejos, acebos, buganvillas y otros arbustos hasta el número de treinta y dos, todo, según el abuelo, para que el tiempo se detuviera allí a contemplar las diferentes caras de la belleza, para que el silencio se escuchara allí de otra manera, para que se entretuvieran las brisas llegadas de lejos y encontraran cobijo los pájaros nativos y también los pájaros extranjeros. El mayor y más elevado de los embalses dejaría caer el agua para que su fuerza viva moviera las ruedas y las correas y los árboles motores y activara las turbinas y las dínamos y los alternadores y trajera hasta aquel lugar, de una manera humilde, casi natural y gratuita, de la misma manera que en el cielo todos los días amanece, la luz eléctrica, y de esa forma las noches serían menos oscuras y no esconderían tantos secretos y los enamorados serían capaces de verse los ojos para calcular con mayor precisión las vueltas que habrían de darle a la vida y las madres podrían determinar el origen del llanto de sus hijos y la vida sería más fácil para aquellos que nada tenían, ni siquiera una mísera bombilla que les ahuyentara la soledad, porque también la electricidad era propiedad de los ricos y los ricos eran ricos porque exigían derramas y gabelas por prestar cuanto poseían, incluida la luz eléctrica. El segundo de los embalse serviría el agua en receptores hidráulicos para un complejo de rabiles que separarían el grano de la glumilla, de molinos para molturar el maíz, la escanda y el trigo, de batanes para suavizar la lana y el lino, de ferrerías donde se calcinaran las menas y se hicieran los forjados primeros, de martinetes, de afiladeras y de fraguas donde los vecinos fabricarían las herramientas necesarias para sus hogares y para sus labores en el campo y la ganadería.

El abuelo aprovechó la suspensión de las obras para poner en orden sus notas, repasar algunos libros y pensar en la manera de recabar más fondos. Mi hermana Lucía habló con Juan Jacobo Varela y el violinista le consiguió una entrevista con el presidente de la Diputación, el socialista Ramón González Peña, con quien Caparina había trabajado en la mina Poca Cosa, época desde la cual, a pesar de sostener ambos ideas muy diferentes, fueron grandes amigos. Procura que parezca que don Ramón es quien llama al abuelo, le dijo Lucía al anarquista, y éste así lo hizo, y le dijo a su amigo Ramón, vas a conocer a un personaje muy singular, y Ramón le explicó, escuché hablar de él cuando estuve en la Escuela de Capataces. El abuelo le dijo a la abuela, anda, Angustias, saca del baúl el traje de pana para que no me expulse de allí el ordenanza, y la abuela murmuró, vuelta la burra al trigo, y limpió y planchó el traje con el que el abuelo había asistido a cuatro bodas, la de su hijo Urbano, la de mi madre, la de mi tía Margarita y la de mi hermana Lucía, y se enfundó el traje y fue a que el señor Patricio le cortara el pelo y le arreglara la barba y se presentó en el Palacio de la Diputación un día del mes de diciembre en el que el sol había comenzado a derretir la nieve. Supongo que vengo aquí para explicarle el proyecto de Zalampernio, dijo el abuelo al entrar, y don Ramón sonrió, le sirvió una copa de jerez y le dijo, así es, y el abuelo sacó sus papeles, se sentó y dijo, este mundo acabará jodiéndose por completo el día en que los hombres dejen de imaginar las formas de mantener viva y libre su voluntad, y durante dos horas le habló de las características geológicas y orográficas de Zalampernio, de la intensidad de las aguas y de la dirección de los vientos, de la socialización de los recursos naturales, del poder de las ruedas dentadas y su disposición a partir de la imagen mecánica del cuerpo humano, de los secretos del agua embalsada y de las atribuciones eléctricas de los pelos del gato, le explicó sus ideas sobre el socialismo científico y las transformaciones operadas en los modos de producción y de cambio, le dibujó detalladamente cada una de las singularidades de su proyecto y reflexionó sobre el silencio de los hombres y sobre los ruidos de la tierra para terminar exponiéndole, con la respiración alterada y los pulmones dilatados, los efectos educativos de la botánica aplicados al arte de crecer y de vivir en paz. Aquel hombre sosegado y experto en el trato humano, que había sido minero, maestro, facultativo, gobernador y alcalde, hasta llegar a presidente de la Diputación, había escuchado al abuelo sin ocultar su entusiasmo y cuando éste terminó de hablar se preguntó si no estaría soñando, y le dijo, carajo, Cosme, debí conocerle a usted mucho antes, con hombres

218

así la revolución socialista sería asunto de coser y cantar, y el abuelo le dijo, mire, don Ramón, creo que vamos por buen camino porque es usted el primero que se da cuenta de que ando en la tarea de hacer la revolución, estaba cansado de mirarme a los ojos y vérmelos muertos, de mirar a los ojos de la gente y ver en ellos la resignación y la muerte, sin esperar nada, ni siquiera el paso del tiempo, harto de oler y respirar esa resaca que dejan la soledad y la impotencia, y esa resaca huele como la magaya de las prensas, no se ve fácilmente porque no anda por fuera, cada uno la lleva dentro y quienes la sufren parece que caminan desandando, que hablan confundiendo y que miran sin mirar, y yo no creo en Dios, don Ramón, no tengo ese privilegio o lo que sea, así que tengo que agarrarme a algo para que no se me resabie la sangre. González Peña invitó al abuelo a una comida en la que también estaban sus secretarios. Determinaron poner en marcha todos los trámites legales para que la obra del abuelo contara con cuantas licencias y autorizaciones exigieran las leyes vigentes, tramitaron disposiciones de urgencia, cursaron instrucciones al Ayuntamiento y al Gobierno Civil para eximir al abuelo del pago de tasas, gravámenes, contribuciones e impuestos, declararon públicamente la obra de Zalampernio de interés general y el propio González Peña escribió una carta personal a las organizaciones de la Casa del Pueblo, a los comités del Sindicato Minero y a las agrupaciones socialistas solicitando la máxima colaboración con aquel proyecto que, escribía él, representa la manifestación completa de una vida popular de la cual surgen la libertad, la igualdad, el orden nuevo y la fuerza misma del acto revolucionario que sobrepasa al individuo en la medida en que lo saca de su soledad y le proporciona una razón de obrar y la búsqueda de la ayuda mutua, factor de evolución éste último que facilita el desarrollo de las costumbres y caracteres que aseguran el sostenimiento máximo de la especie, junto con el bienestar y goce de la vida, al mismo tiempo que evita el desgaste inútil de energías y procura una conciencia de la participación en el destino colectivo.

Cuando llegó la primavera las obras se reanudaron y eran tantos los voluntarios que se acercaban a Zalampernio, que el abuelo hubo de pedirle a Alipio que dejara durante un tiempo el trabajo en la tejera para que se encargara del control de las ayudas. Esto será el inicio de una nueva organización social donde se articule la autogestión, le dijo Alipio al abuelo, y éste le respondió, no me jodas con tanta teoría y organiza a toda esta gente porque van a terminar reventando las obras. Alipio formó cuadrillas, según las especialidades de cada uno, organizó turnos de trabajo y nombró un encargado en cada uno de los turnos al que llamó guía de ocasión, designó responsables en cada una de las obras a los que llamó animadores de la producción y eligió al artesano más experto en cada uno de los oficios al que asignó el nombre de formador. La capacidad organizadora de Alipio y la dedicación y la cordialidad de Basilio con todos los voluntarios, hicieron posible que las obras avanzaran al ritmo previsto y en la manera en que el abuelo las había planificado. Cuando terminaba mi trabajo en el palacio, los días de libranza y en alguna ocasión en los tiempos de las comidas, yo me aplicaba en las tareas botánicas que me habían sido encomendadas, para las cuales, en numerosas ocasiones, contaba con la ayuda inestimable de mi amigo Eneka, que era el hombre más sabio en aquélla y en otras muchas circunstancias y materias. Lucía, ayudada por Aida los días en que ésta disfrutaba de licencia en el tejar de Villa Alegre, se ocupaba en la distribución de las herramientas y tenía a su cargo un grupo de mujeres y niñas que hacían de enfermeras y de lavanderas y de amasadoras y de aguaderas y que también en ocasiones cantaban canciones que animaban a los obreros, porque en silencio te quiero desprecias los mis amores, piensa, niña, que en silencio dan su perfume las flores, y traían flores de todos los colores y ramos de laurel y hojas de helecho y retamas floridas, y en los prados de Zalampernio había vida, una vida de agua y de árboles, una vida de pájaros y de hombres y mujeres que se cansaban y sonreían y olvidaban palabras difíciles, y también había sabiduría en aquellos prados en los que un día el abuelo Cosme nos había construido una cabaña de madera. Nalo, dónde está la cabaña, me preguntaba Alipio, y yo le señalaba hacia el embalse pequeño y le decía, allí debajo de las aguas, por donde asoma el cogote del nogal, y Alipio me decía, puede que fuera al construir aquella cabaña cuando el abuelo pensara en todo esto, y yo le decía, puede que sí, y los dos nos sentíamos conmovidos por las cosas que la vida nos estaba ofreciendo, él miraba siempre más lejos, me hablaba de una civilización donde el hombre, capaz por su ciencia y su voluntad de dominar y de utilizar todas las energías naturales, lograra establecer la armonía en el mundo y en él mismo, después de haber eliminado la opresión y la injusticia, yo le hablaba de lo poco que hacía falta para sentirse bien, la armonía de una tierra humilde y generosa que se dejaba abrazar y que también se dejaba horadar y nos entregaba su alma al desnudo, la sabiduría de que todo lo real no era nada cuando se era capaz de pensar en lo posible, la posibilidad de ser cada día otro diferente sin dejar de ser el anterior, unas mentes que tenían alas e iban más lejos que nuestros ojos, las aguas luchando sin tregua en un combate renovado y nosotros mirándolas, la indulgencia de los remansos, las canciones de nuestras mujeres encontrándose y perdiéndose en el eco del valle y las canciones eslovenas del ruso Basilio, saber que son la misma canción. Coño, Nalo, te estás volviendo un sentimental y un filósofo, pero te falta dar a todos esos pensamientos que tú tienes una orientación revolucionaria, esto me dijo mi primo Alipio y yo le pregunté, por qué siempre hablas de lucha y de rebelión, eso implica sufrimiento y muerte, y él me explicó, no siempre, Nalo, mira lo que tenemos aquí, se está produciendo un cambio revolucionario y sólo hay justicia y coraje y alegría y belleza, y seguí insistiendo, pero esta lucha la inició el abuelo desde su sabiduría y desde su necesidad, tú hablas siempre de otras luchas, hablas de la destrucción con bombas y de empuñar fusiles, y entonces Alipio me miró con mucha ternura, como miran los maestros a los alumnos esforzados pero incapaces, y me dijo, te hablo de un mundo donde todos los hombres sean libres, donde nadie sea explotado por nadie, la Iglesia y el Estado dominan el interior del hombre, lo hacen aceptar sus leyes con una seguridad tal, que éstas terminan por identificarse con el inconsciente humano y éste último se reidentifica luego con las instancias establecidas hasta el punto de que si el hombre transgrede esas leyes, que no son suyas, se siente culpable, y esto no puede ser, es preciso destruir para crear, morir para nacer, acabar con una sociedad controlada en todos sus planos por la tecnocracia capitalista, y para esto no hay otra alternativa que la violencia, la voluntad de asegurar una sociedad libre exige riesgos extremos, no acepto la idea de que el servilismo es mejor que el recurso de las armas, ellos ya utilizan la violencia como instrumento de dominación y nosotros debemos emplearla como instrumento de liberación y toma de conciencia, en la intensificación de la lucha la conciencia de clase se hace carne y sangre. Mi primo Alipio seguía hablando y yo no decía nada, me parecían sus palabras como el rezo imposible a un dios desconocido, y cuando terminó de hablar, le dije, me gustaría entenderte, pero sigo pensando que existen otras muchas formas de rebelión, algunas tan implacables y silenciosas como el crecimiento de aquellos castaños, y le señalé hacia la mata Cotares, que se extendía desde el arroyo Xamial hasta el cordal Talambrero, y entonces me anunció, muy pronto lo entenderás.

González Peña, acompañado de Juan Jacobo Varela Caparina, visitó las obras justo el día en que las aguas soltaron su fuerza sobre las turbinas para que los generadores produjeran la corriente que iluminó las primeras bombillas. Se subió al muro del embalse más alto, se desabrochó dos botones de la camisa y durante unos minutos contempló embobado cada uno de los rincones de aquel paisaje extraordinario. Tenía el pelo lacio y partido en dos por una raya casposa y blanca, el rostro sin brillo y con arrugas pronunciadas a los costados de los ojos, alguien dijo que había cumplido cuarenta y cinco años, en aquel instante aparentaba cincuenta por su aire reconcentrado y por la tirantez de su cara. Al fin dijo, cojones, Cosme, estas cosas son más difíciles de creer cuando uno las ve que cuando se las imagina, y mi abuelo dijo, las cosas están donde están y a veces sólo basta con destaparlas. El abuelo, durante la merienda que las mujeres prepararon a base de tortillas y tocino frito, le explicó al visitante un nuevo proyecto consistente en la construcción de un acueducto que recogiera las aguas del manantial Furniguero y las llevara hasta un depósito, que podría situarse en la mata Cotares y que suministraría el agua a todas las viviendas de las siete aldeas que había por debajo de Zalampernio. Ésas son cosas mayores, Cosme, estamos hablando de mucho dinero y de propiedades ajenas, la mayoría de esas casas son del marqués de Comillas, de los belgas y del marqués de San Feliz, y ya sabes cómo anda de revuelto el asunto de la propiedad, pero yo te aseguro que si ganamos las elecciones de noviembre expropiaremos hasta las casas si fuera preciso para que lleves a cabo el proyecto, y mi abuelo le dijo, no se preocupe usted, don Ramón, ya me iré apañando de alguna manera, ya sabe, las cosas están ahí, sólo hay que ir escarbando hasta desenterrarlas. Los obreros descansaban y comían, algunos niños lanzaban piedras a los embalses y reían contando los saltos que aquéllas daban sobre el agua, un grupo de mujeres escuchaba una historia que Basilio les contaba sobre los zares rusos, Alipio y Caparina conversaban sobre la revolución pendiente, alguien cantaba una canción en lo alto del tejado de uno de los molinos, en el campo entre las flores, te busqué y no te encontraba, cantaban los ruiseñores y creí que me llamabas. Por la cuesta de los aserraderos bajaba un hombre con un madero al hombro, avanzaba despacio, sudando y arrastrando los pies por el empedrado en construcción, a cada tres pasos se detenía un instante para tomar aliento y limpiarse el sudor. Delante de don Ramón se detuvo y le dijo, señor político, remánguese la camisa y póngase manos a la obra, y González Peña le respondió, todo se andará, buen hombre, todo se andará, y él hizo un gesto despectivo y siguió avanzando, encorvado y rígido bajo el madero, en dirección a las fraguas. Mi hermana me tomó del brazo y me llevó hasta los azudes. El agua cantaba sobre las piedras. Aquélla era sin duda la primera de todas las canciones, la que hablaba de todas las cosas, del comienzo de cuanto se conocía. Lucía me dijo, la mayor parte de todo la vemos pasar de largo y va dejando un rastro, una rodera que se convierte en sendero de leyendas y despedidas, y le dije a mi hermana, esto es agua que corre, agua que luego se estanca para después saltar y mover los engranajes, y ella me dijo, Nalo, la vida está pasando delante de ti, ya cumpliste veinte años, qué sabes de tu mariposa, y le contesté, tendré que sentirla algún día, y nos fuimos hasta donde estaba el ruso contando historias de los zares.

El ingeniero belga, Jacob von Balen, falleció en Gante, su ciudad natal, unos días después de que aquí se celebraran las elecciones de noviembre. Visitaba con su mujer la fábrica de curtidos cuando se le paró el corazón. Su hermano Hendrik, en un viaje escabroso que duró tres días, condujo a toda la familia, excepto a la resucitada Geertghe, quien para su marido había perdido por completo el sentido de la realidad, hasta la casa familiar, un caserón junto a la Lonja de los Paños, donde aguardaba embalsamado el cadáver de Jacob para los funerales en la catedral de San Bavón, junto a una Sakia envejecida por el dolor y con el rostro enrojecido y desfigurado por tantos días de lágrimas. Sakia y todos sus hijos, excepto Elena, decidieron continuar sus vidas en Gante. El ingeniero Hendrik, a raíz de la muerte de su hermano, determinó dedicar su tiempo a las fábricas belgas de curtidos y paño y a las fábricas alemanas de relojes y porcelana, y puso a la venta todas las participaciones que la familia poseía en las minas y en las fábricas de hierro y de acero. Un grupo financiero integrado por industriales vascos, banqueros de la región, ingenieros franceses y gentes con importantes títulos nobiliarios, que andaban en el empeño de crear una Sociedad Hullera, Metalúrgica y Ferroviaria, compró a la familia belga todas sus acciones y propiedades, exceptuando la finca del palacio azul, que se extendía desde el río, hacia el sur, siguiendo el arroyo de los avellanos, hasta los castañeros y la llanada de los sauces. En el mes de marzo del año treinta y cuatro, el señor Hendrik nos convocó a todos los sirvientes del palacio en la biblioteca para darnos cuenta de la nueva situación. El ingeniero belga tenía la piel cuarteada, la barbilla partida por un surco oscuro, el cabello completamente blanco, el bigote disminuido y disperso y una mirada atónita y brillante. A su derecha estaban su esposa y su sobrina Elena, a su izquierda el mayordomo Félix con su expresión metálica y el gesto ceremonial de quien está asistiendo a un acto religioso. El belga nos dio cuenta de las operaciones de venta y de la intención de la señora de residir en el palacio por tiempo indefinido, nos anunció que la señorita Elena permanecería junto a su tía hasta completar sus estudios de música y canto, a todos nos agradeció los servicios prestados, explicó en términos financieros la inevitable necesidad de reducir el número de los sirvientes y terminó su discurso diciendo, la señora ya ha elegido a aquellos que pueden continuar en la casa si así lo decidieran, son los siguientes, la señora Elvira, con dos ayudantes que ella misma elegirá entre las actuales, y Nalo, quien se ocupará del jardín, de las cuadras y de cuantos arreglos necesitara la casa, esto ha sido así dispuesto de forma definitiva, he de decir que a los demás les deseo mucha suerte, trabajo no les ha de faltar, yo mismo entregaré una carta a cada uno reflejando su buen hacer y recomendando sus servicios, por otro lado, en cumplido agradecimiento, hemos decidido compensar a cada uno con una cantidad, según los años de servicio, así como gratificar especialmente al mayordomo Félix con una casa que podrá vender, arrendar o utilizar y al jardinero Eneka con dos yeguas y un equipo completo de herramientas de jardinería, y de la misma manera, en cuanto a la señorita Julia, quien con tanta dedicación cuidó de todas mis sobrinas, es deseo de la señora Sakia, que se le haga entrega de un ajuar completo de ropas, muebles y enseres de la casa. Cuando el ingeniero terminó de hablar, miré a Elena, quien en todo momento había fingido distracción, y me sonrió y me hizo un guiño que yo interpreté, como en otras anteriores ocasiones, como una invitación al acercamiento. Eneka me abrazó y me felicitó, Nalo, me dijo, ya eres jardinero mayor del palacio, pero yo le advertí, todavía no sé si quiero serlo, y él me dijo, lo serás porque quieres serlo y ellas quieren que lo seas, así que puedes poner tus condiciones, serás el único hombre de la casa, y se rió y advertí que él estaba contento porque se había cumplido una etapa de su vida y ahora comenzaba otra fuera de aquel palacio azul de los ingenieros belgas y al lado de la musa Calíope, y la sensación que averigüé en él era de victoria, porque él nunca se apocaba ya que decía que cuando un hombre se amilanaba o dejaba que otros hombres o las circunstancias de la vida lo amilanaran, entonces, eso lo amenguaba y lo asustaba para el resto de sus días. Félix abrazaba a Elvira. Julia lloraba emocionada, y le pregunté, estás bien, y ella me abrazó y me dijo, te echaré de menos, jardinerito de mis entrañas, y me besaba en la cara y en la boca, y quedé todo mojado de su saliva y de sus lágrimas y deseé que volviera a llevarme a su cuarto para vivir con ella de nuevo aquella circunstancia singular que había sido niebla y sol a la vez y que también había sido bálsamo y aguijón, para escuchar sus gritos de placer, para observar su vientre blanco y tenso subiendo y bajando junto a mi rostro, para cubrir su cuerpo mantecoso y grande con puñados de mimosas, y por eso le dije, si tú quieres podemos despedirnos en tu cuarto cerrando las contraventanas y encendiendo la lámpara de la mesilla, y ella rió y lloró a la vez, agradecida y emocionada, y me llamó amorcito y me confesó al oído un secreto que nadie conocía, ni siquiera la señora Elvira, tengo un novio que es pescador, tiene su propia barca, él me satisface mucho y ahora cogeré lo que me dieron los belgas y me iré para entregarme a él, y le dije que me alegraba, y fui feliz porque ella lo era y la abracé fuerte para que siempre me recordara con cariño. Cuando se hicieron los repartos, Eneka cogió sus yeguas, les puso una albarda a cada una, cargó las herramientas y se despidió de todos y también se despidió de los árboles y de las flores y me dijo, esto habrá que celebrarlo.

Cuando fui a ver a la señora Geertghe para darle mi respuesta, ella mostraba una gran alegría y recorría la sala de lado a lado y me dio su mano para que yo la besara, y así lo hice, y luego me dijo, ven conmigo, y fui tras ella, subimos unos escalones, anduvimos por el pasillo del ala este, hasta el último de los cuartos, abrió la puerta y me dijo, entra, ésta será tu estancia, he pensado que será mejor que vivas aquí, y miré aquel recinto pintado de azul que tenía un ventanal desde el que se veían las fábricas y tenía una cama grande con cabecero dorado y un armario con espejos y jarrones para poner flores y un sillón con asiento de cuero trenzado para los descansos y una lámpara con lágrimas de cristal, y también había junto al ventanal un escritorio con muchas gavetas, y estaba yo tan sorprendido que le dije a la señora Geertghe que no podía alojarme en una habitación tan importante porque yo era un sirviente de la casa, pero ella se rió tanto que casi lloraba y dio varias vueltas por la sala como si estuviera andando en un teatro y, a la manera de una solemne declamación, me dijo, desde ahora tú serás el hombre de la casa, que era lo mismo que me había dicho mi amigo Eneka, y después la señora se sentó en el sillón y me pidió que me sentara en la silla del escritorio y que sacara de una de las gavetas un papel en blanco y un lápiz de carbón y que escribiera lo que ella me fuera dictando, y me fue enumerando cuantas tareas habrían de ser a partir de aquel día de mi entera responsabilidad, y entraba el sol en aquella habitación importante que iba a ser mi nuevo aposento y brillaban las maderas con mucha nobleza y los resplandores de la luz parecían olas moviéndose en el mar azul de las paredes y los destellos tocaban la lámpara y ésta parecía estar goteando una especie de jarabe, y pensé que aquello debía de ser como estar nadando en un estanque rodeado de luces, y entonces recordé la promesa que me había hecho el ruso Basilio de que me iba a enseñar a nadar, y dije, todavía no sé nadar, y la señora Geertghe me preguntó, qué dices, y respondí que nada, que se me había escapado un pensamiento, y comenzó a recitarme cada una de las ocupaciones, atender el jardín y aumentar el número de las flores, tener dispuesta la leña para los fuegos, encender las calderas de carbón los días húmedos, revisar la bodega y abrir las botellas requeridas y servir las bebidas en las ocasiones especiales, ocuparse del mantenimiento general de la hacienda y contratar a los oficiales para las reparaciones que fueran necesarias, cerrar y abrir las puertas principales y custodiar todas las llaves del palacio, vigilar la intendencia de las cocinas, ajustar la cuadra de yeguas y caballos a las nuevas necesidades y encargarse de su cuidado, mantener limpio el camino de los avellanos y habitable la casa de los sauces, acompañar a la señora en los viajes fuera del palacio que se harían por norma general en un automóvil Packard que estaba a punto de llegar y que yo aprendería a conducir, mantener suspendida cualquier actividad ruidosa durante las clases de música de la sobrina, recibir a los peluqueros, a los libreros, a los médicos, a las modistas, a los joyeros, a los funcionarios municipales y a los carteros, y prohibir la entrada a los vendedores de inventos, a los confesores, a los pobres de oficio, a los sirvientes de otras haciendas y a los periodistas, y como ayuda en todas las tareas descritas y en otras que a la señora se le irían ocurriendo se autorizaba la contratación de un aprendiz, el cual yo mismo elegiría entre los muchachos del pueblo. Cuando la señora Geertghe terminó de dictarme el inventario de las ocupaciones y los asuntos, se me volvió a aparecer el resplandor oscilante de las olas de luz sobre el mar azul de las paredes y volví a observar el destellar de los ra-

yos en el lagrimal de la lámpara y tuve una certidumbre, la
de que me estaba siendo concedido un espacio de poder, y
también a la vez tuve una incertidumbre, la de si aquel espacio de poder no habría de ser una circunstancia amarga
con espacios nuevos que irían brotando como resalvos según los cambios de color de la luz principal, porque yo sabía lo que me ofrecían, pero no sabía por qué ni con qué
intención me lo ofrecían, y por eso dije, señora le estoy
muy agradecido por su confianza, pero soy un sirviente ig-
norante, un joven aprendiz que ni siquiera tuvo tiempo de
leer la enciclopedia universal, y ella dijo, eres igual que tu
abuelo, tan listo y tan loco como él, y le pregunté por qué
decía aquello, y ella respondió, utilizáis la inteligencia
desde una humildad que resulta mucho más poderosa que
la soberbia, incluso más determinante que la misma violencia, pero poseéis una naturaleza digna y una sabiduría
innata que atrae misteriosamente, y le repliqué, yo no soy
sabio, señora, apenas poseo unos pocos conocimientos de
jardinería y algunas formas de entender los asuntos de la
vida que me fueron enseñando los buenos maestros que
tuve en este palacio, y volvió a estallar una de sus carcajadas en aquel aire lleno de reverberaciones, y me preguntó,
qué es para ti un hombre sabio, y le respondí, aquel que lo
sabe todo, y ella insistió, pero cómo se puede alcanzar la
sabiduría, y le dije, leyendo atentamente lo que está escrito en las enciclopedias y casándose con una musa, y la
señora Geertghe se sorprendió con mi respuesta pero pareció muy interesada y se acercó a mí y me siguió preguntando con mucho interés sobre la vida y sobre el amor y
sobre la soledad, y yo no sabía si ella preguntaba porque
quería conocer o por saber si yo conocía, y le iba respon-
diendo lo que yo pensaba, y entonces me preguntó cómo
se distinguía una musa y le respondí con las palabras del
maestro Eneka, por la claridad que responde su cuerpo,

un resplandor que deslumbra como la luna, por el lenguaje de los gestos, que expresan los sentimientos mejor que las palabras, porque sus manos vuelan, porque caminan descubriendo secretos y por la manera como reciben las flores, y la señora Geertghe parecía entusiasmada, se levantaba y volvía a caminar como en un teatro y se reía y se arrodilló ante mí y se quedó muy seria y me preguntó, tú crees que yo soy una musa, y le respondí, señora, sin duda existirá algún hombre para el que usted es una auténtica musa, y ella quedó pensativa un instante, como si la memoria se le hubiera inundado de recuerdos tristes, y me dijo, te regalaré una enciclopedia universal, pero te diré algo, las contradicciones que siempre nos atormentan no se resuelven mirando libros, y se acercó mucho a mí y me señaló con el dedo y me preguntó, con el tono de voz de quien hace una pregunta definitiva, qué quieres ganar, y respondí, siguiendo las enseñanzas del mayordomo Félix, su estimación, señora, eso quiero ganar, y ella dijo, no seas mezquino, ésa ya la tienes, de lo contrario cómo crees que íbamos a estar tratando de todo esto, y su mano hizo señales extrañas, bendiciones para espantar los malos espíritus, llamadas para que acudieran los tiempos buenos y brillara el sol, y fue a descansar esa mano suya en mi nuca, y sus labios coloreados y sus ojos tiernos y sus arrugas empolvadas quedaron frente a mi cara, casi tocándola, y me volvió a preguntar, cuánto quieres ganar, y recordé aquella otra pregunta del ingeniero Hendrik, qué quieres ser de mayor, y también pensé en las palabras de Eneka, puedes poner tus condiciones, y así pensé en una cantidad que era como el doble del sueldo de algunos mineros, y dije, novecientos setenta y cinco reales, que es el sueldo de un capitán de un velero importante, eso es lo que quiero ganar, además de poder disponer libremente de los libros de la biblioteca, y ella volvió a reír y se colocó de espaldas al ventanal y estiró los brazos para tapar el sol, para detener la luz, y me dijo, si cumples con tu trabajo y mantienes a flote este barco te daré mil reales cada mes y podrás disponer no sólo de la biblioteca sino de cualquiera de las cosas que hay en el palacio, y aquella cantidad era para mí una fortuna considerable, por eso pensé si no se estaría burlando, pero me acarició las orejas y me dijo con mucha tristeza, vosotros sí que tenéis el futuro en las manos, y no supe a quién se refería con aquel vosotros, y dejó su mirada en un charco de luz que había en el suelo y rió otra vez, pero ahora su risa era un velo que cubría las palabras que había pronunciado.

Cené con Lucía y con Eneka y celebramos aquellas circunstancias imprevistas que nos habían sucedido y en las que una vez más lo increíble se había hecho realidad, y lo hicimos con unas botellas de Jerez que yo había sacado de la bodega, porque ya era el dueño de las botellas y de las llaves y también era el dueño de nuevos y singulares momentos, y le dije a mi hermana Lucía, ahora tendrás todos los libros que quieras, tendrás más de los que puedas leer.

Me trasladé a mi nueva dependencia y puse en marcha un plan de trabajo elaborado con riguroso orden para que nada de lo que me había sido encomendado quedara en el olvido. A los pocos días llegaron al palacio muchos embalajes que trasladé al salón, y le pedí a Clarita, una de las ayudantas de la señora Elvira, que avisara a la señora Geertghe para advertirla sobre aquellos envíos y ella llegó y me dijo, todo es para ti, Nalo, y comencé a abrir aquellas cajas y en las más pesadas había unos libros grandes de tapas negras, y en el tejuelo de todos ellos decía, *Enciclopedia Universal Ilustrada*, y estaban numerados desde el uno, *a/acd*, hasta el setenta, *weg/zz*, y seguí abriendo cajas, y en las menos pesadas había ropa, dos ternos de franela gris, camisas, pañuelos, un gabán, corbatas de tela muy fina, un sombrero, medias, zapatos de charol y botas de la marca Bata y otras prendas elegantes que yo había visto lucir a los señores importantes que llegaban al palacio, y la señora Geertghe me dijo, para que seas un hombre sabio y también un joven elegante, y yo estaba a punto de llorar por la emoción y me sentía turbado por la vergüenza, porque nunca, ni en sueños, había imaginado que alguien me pudiera hacer regalos tan valiosos, y le dije, señora, intentaré con todas mis fuerzas corresponder dignamente a tanta generosidad, y me temblaban las manos y los labios, como si un aire gélido hubiera salido de aquellas cajas, y ella hizo gestos de asentimiento y satisfacción y salió en dirección a los jardines.

El automóvil llegó una mañana en que yo le explicaba al nuevo aprendiz, un muchacho de trece años, nieto del cantinero Colino, la manera de proteger algunas plantas para que soportaran las heladas del invierno, que no tardarían en llegar porque ya andábamos por el mes de diciembre y las nieves estaban cerca. Lo conducía un hombre demacrado y flaco que parecía tener los vaivenes de aquel carruaje mecánico metidos en el cuerpo. Hablaba, se movía y se reía como si alguien lo estuviera golpeando con un martillo y él tuviera que esforzarse por mantener unidos sus huesos. Llamé a la señora Geertghe, y el hombre, que se llamaba Eulogio, intentó describirle a ella las propiedades del automóvil, pero la belga le dijo, explíqueselo a Nalo porque va a ser él quien lo gobierne, y ella se fue, y el empleado de la General Motors, que era una compañía extranjera muy importante, con su voz eléctrica comenzó las explicaciones, primero me describió las características, un Buick modelo 409, con cierre de capota, potentes frenos en las cuatro ruedas y motor de triple blindaje con válvulas en la culata, después me habló el señor

Eulogio de los amortiguadores para la suspensión y de los neumáticos y me hizo subirme en el asiento del conductor para que conociera cada uno de los dispositivos y salimos al camino de la fábrica para iniciar la primera de las quince lecciones de conducción que la señora había contratado con la compañía. No me resultó difícil aquella nueva tarea y no me hicieron falta todas las lecciones para que un ingeniero inspector de vehículos me extendiera el certificado de aptitud para la conducción después de superar unos concursos sencillos en la Jefatura de Obras Públicas. El primer viaje, por expreso deseo de la señora Geertghe, lo hice con la señorita Elena, recién llegada de un viaje a la ciudad, donde también ella había superado satisfactoriamente unas pruebas, pero las suyas más difíciles y decisivas, pues se referían a sus estudios sobre el solfeo y el canto. Con la capota recogida, rodamos por la carretera que unía la fábrica con Vega del Caño y nos detuvimos frente a la barrera de un paso a nivel y vimos pasar una máquina de vapor tirando de muchos vagones cargados de carbón, y Elena me preguntó si estaba contento, y yo, para completar aún más la descripción de mi estado de ánimo, le dije que estaba contento y que era feliz por conducir un automóvil nuevo en su compañía, y cuando se levantó la barrera, me pidió que aumentara la velocidad, que activara los resortes necesarios para que el coche volara, que quería sentir cómo el aire nos levantaba, y le advertí que la velocidad máxima permitida era de cincuenta kilómetros a la hora, pero ella me ordenó, corre, corre todo lo que puedas, y así lo hice porque no fui capaz de contradecirla y porque también yo quería volar a su lado, vuela, gritaba ella, y el coche rugía por las rectas de Galoyero hasta alcanzar los setenta kilómetros a la hora y en las curvas de las canteras las ruedas cantaban una canción de alaridos prohibidos y Elena levantaba las manos para colgarse de las ráfagas de aire y yo era un capitán agarrado al timón navegando sobre el pavimento ondulante de los mares eternos, corre más, Nalo, quiero volar, decía ella, y gritaba cuanto podía, como si alguien le estuviera arrancando el corazón, y yo deseaba que aquel viaje venturoso no terminara jamás, que todas las puertas se fueran abriendo, las puertas de los países y las puertas de las gentes y también las puertas del conocimiento y del amor. Nos detuvimos junto a unos salgueros que había al lado del río. Nalo, fue estupendo, me dijo y luego me explicó cuanto le había ocurrido los días que había estado en la ciudad, en casa de su amiga Aurora, aquélla en compañía de la cual había asistido a nuestra cita en la casa de los sauces, paseos al atardecer por las calles empedradas que rodeaban la vieja catedral, limonadas en las terrazas de los cafés de la Plaza Porticada, conciertos de música barroca en el Teatro Paraíso, una fiesta en el Casino y las pruebas en el Conservatorio. Le dije, habrás conocido a muchos jóvenes distinguidos, y apoyó su mano en mi hombro y me dijo, Nalo, sé que no actué contigo de forma correcta, pero he cambiado y quiero que hablemos, y le pregunté, de qué quieres que hablemos, y contestó, de nosotros, eso dijo, de nosotros, y al pronunciar ella aquel pronombre plural, que a mí me se me antojó completamente singular, abrió mucho los ojos, y me pareció que con la mirada ella se expresaba tan bien o mejor que hablando. Salimos del vehículo para pasear junto a los salgueros, ella llevaba guantes y bufanda y se puso un gorro de lana, porque, aunque lucía el sol, hacía frío y ya se veían las nieves coronando las Ubiñas, y estaba muy hermosa con aquel gorro azul con borlas encarnadas, y le dije, puedes acercarte a mí si lo prefieres, y juntó su cuerpo al mío y la abracé y, como no había nadie allí que pudiera vernos, caminamos como si ella no fuera la señorita y yo su chofer, caminamos como si fuéramos novios y el tiempo se hubiera cerrado sobre nosotros, y entonces le dije, Elena, todos cambiamos, pero algunas cosas nunca consiguen cambiar, y pensé que de pronto todas las barreras que nos separaban se habían derrumbado, y comenzó a besarme intensamente, y así estuvimos hasta que se escondió el sol y volvimos al coche sin decirnos nada con el lenguaje de las palabras. Regresamos al palacio azul sintiendo la brisa toda en el rostro y sabiendo que había silencios que callaban para que nada se estropeara. Al despedirse me dijo, ahora tienes aquí tu propio cuarto y hay cosas que serán de otra manera, y ciertamente yo sabía que había muchas cosas que ya estaban ocurriendo de otra manera, muchas circunstancias inverosímiles que se estaban haciendo realidad.

Aquella misma noche, Elena visitó mi cuarto. Hablamos mucho. Nunca habíamos hablado tanto. Ella me confesó que no le gustaba la ciudad de Gante para vivir y que sólo volvería a ella ocasionalmente para visitar a su madre y a sus hermanas, pero que tampoco se sentía feliz en aquel lugar donde los dos habíamos nacido, en el que la humedad andaba siempre torciendo los ánimos, y me habló de ciudades luminosas donde la tierra era fértil y el sol lucía con descaro, ciudades en las que los ríos no se desbordaban y las ventanas de los balcones permanecían abiertas, y me habló de su afición a la música y al canto, trató de explicarme la vocalización y la regulación de los tiempos respiratorios y la compensación del timbre de los tonos y también trató de ilustrarme sobre los trinos, que eran adornos musicales y no sólo gorjeos de pájaros como yo pensaba, y me manifestó que soñaba con cantar algún día en teatros como el Bayreuth, construido por Wagner, que no era un arquitecto sino un músico célebre, o como el Strozzi de Florencia, la Scala de Milán, el moderno Drury Lane de Londres, el Olímpico de Vicenza,

que según su tía Geertghe era el más hermoso del mundo,
el Madison de Nueva York, en el que cabían dieciocho mil
espectadores, o como el teatro Versalles, y cuando Elena
pronunció aquel nombre le pregunté, dónde está ese teatro Versalles, y ella respondió, está en la ciudad francesa
de Versalles, y volví a preguntar, pero en el mismo Versalles donde están los jardines, y ella contestó, claro, en ese
mismo lugar, y le dije, escucha, y le conté a Elena cómo se
habían construido el palacio y los jardines de Versalles, le
conté la historia del jardinero André le Nôtre y de su familia, le describí minuciosamente parterres, bancales, la-
berintos, canales, estanques, pabellones, estatuas y fuentes, con sus nombres y la fecha de su construcción, y
también le numeré las calles y le detallé los trazados y le
expliqué que los jardines de Versalles no eran jardines sino ciudades de agua y flores. Estaba tan emocionado con-
tándole todo aquello a Elena que perdí el control de mis
sentimientos y también perdí el control de las palabras,
igual que le ocurría con frecuencia a mi hermana Lucía, y
por eso le dije, hace tiempo que imagino tu cuerpo como
los jardines del rey Sol, tus hombros como la arboleda de
la Girándula, tus piernas surgiendo del Gran Canal como
las Calles de los Festines, tu cintura como el Parterre del
Mediodía, tu voz como la cascada del Estanque del Dragón, y así le fui describiendo su cuerpo tal como yo siempre lo había pensado, comparándolo con alguna de las
hermosas circunstancias de aquellos jardines, y ella quedó
muda, con los ojos velados escuchándome, y cuando terminé me preguntó, pero Nalo, cuándo estuviste tú en Versalles, y le dije, en ese lugar estoy siempre que quiero, sólo tengo que acudir a la Enciclopedia Universal, y ella
dijo, la que te regaló tía Geertghe, y le expliqué, en ésa
también están los jardines, incluso expuestos con más detalle, pero fue en la de mi amigo y maestro Eneka donde

los visité por primera vez, y ella se emocionó y me besó tan apasionadamente como lo había hecho junto a los salgueros de Vega del Caño, y me pidió que le describiera su cuerpo de nuevo con aquellos nombres tan poéticos, y así lo fui haciendo, pero recorriendo con mis labios y con mis manos cada uno de los rincones que nombraba, y su cuerpo se fue humedeciendo como si los surtidores y los estanques y las fuentes que yo mencionaba cayeran sobre ella, y ella gemía y reía y lloriqueaba. Nos tumbamos en aquella cama grande e importante, y ya no quedó más remedio que hacer aquello que estaba previsto que hiciéramos, y ella preguntó, cómo se llama este surtidor que tú tienes, y dije, el surtidor de Neptuno, y reíamos mucho, y me suplicó que la inundase con él, y unimos nuestros cuerpos. El mío flotaba. El suyo tiritaba terriblemente. Cuando jadeábamos desnudos mirando al techo, pensé que había viajes muy largos de recorrer que luego se desandaban en un instante, y que había espacios que nos seguían sin descanso para que en ellos dejásemos una huella, y también pensé que la huella a veces perduraba y nos mantenía felices y a veces desaparecía en algún lugar de la tierra para dejarnos desnudos y rotos y sólo cubiertos por un hilo enredado. Por fin hice la pregunta. Elena, qué quieres de mí. Me contestó, tú me has dejado muchos nombres, siento que algo me traspasa y me une a ti, pero no soy capaz de ponerle un nombre. Volví a preguntar, qué tienes tú que ver con mi nueva situación en el palacio. Me dijo, tanto mi tía Geertghe como yo te queremos, aunque por motivos diferentes, así que fue algo que ideamos juntas. Debería haberle preguntado a Elena, por qué me quieres tú, pero hay situaciones en que el miedo a la respuesta o el deseo de sobrevivir da órdenes instantáneas que obligan a modificar las palabras, y por eso mi pregunta fue otra, por qué me quiere tu tía Geertghe, y me dijo, en ti ella ve a tu abuelo Cosme, creo que aún lo quiere, que nunca dejó de quererlo y que no ha podido olvidar el romance que hubo entre ellos, y le dije, qué romance, aquello no fue un romance, y me preguntó, es que tú no lo sabes, y le respondí, sé lo que sé, y le conté lo que yo sabía. Elena dejó que yo hablara y luego habló ella. Lo que relató no pude creerlo. Según ella, mi abuelo y su tía habían mantenido una relación intensa y secreta durante muchos años. Se veían en la casa de los sauces. Alguna vez habían viajado juntos fuera de la provincia. Nadie lo supo nunca, ni siquiera el consentido marido, señor Hendrik. Elena no sabía cómo y por qué la relación había terminado. En realidad no sabía si había terminado. La tía se confesó con la sobrina al descubrir el interés de ésta por mí. Cuando terminó de hablar le dije, uno de los dos miente, y ella dijo, quizá mientan los dos. Aquella noche, con Elena dormida en mis brazos, busqué la mariposa. La vi o la soñé. Llevaba dibujados en las alas unos signos indescifrables, la sentí como una especie de fuerza, pero no la fuerza con la que los vientos azotaban, el grisú estallaba o los hombres peleaban, sino una fuerza que me hacía regresar y me ataba al primero de todos los momentos. Cuando desperté, ella estaba vestida a mi lado susurrándome al oído una de sus canciones, no jures por la luna, por la inconstante luna, que cada mes cambia al girar su órbita. Le pregunté, volverás esta noche, y me dijo, tal vez, y se fue cantando, te lo entregué antes de tú pedírmelo y aún quisiera dártelo de nuevo.

OCHO

Cuando ya parecía que las obras de Zalampernio tocaban a su fin, el abuelo Cosme comenzó la construcción del acueducto, y lo hizo sin ninguna ayuda oficial. González Peña no había vuelto por las obras y corrían rumores de que, junto con algún alcalde y otros dirigentes de la izquierda, andaba implicado en un asunto de tráfico de armas. Un barco llamado Turquesa había sido sorprendido en San Esteban y la policía había descubierto unos depósitos con munición y fusiles máuser. Las noticias eran confusas, aunque Alipio no tenía ninguna duda, se estaba preparando la revolución. En los últimos meses, las declaraciones de algunos diputados y dirigentes de la izquierda advertían de la necesidad de una conquista del poder por parte de los trabajadores, invitaban a la población obrera a tomar las armas contra la burguesía corrupta y explotadora, apoyaban la huelga activa y la toma de cortijos y fábricas y propiedades agrarias y organizaban desfiles de milicianos con la bandera soviética al frente. Por su parte, los dirigentes de la derecha hacían repetidas y exasperadas muestras públicas de su clericalismo, pregonaban con más ímpetu el orden tradicional y el apoyo de la Iglesia y de Dios a sus ideas y a su causa y abogaban una y otra vez por la hegemonía de una clase dirigente católica que defendiera los privilegios de la religión, de los nobles y de los grandes propietarios.

Alipio andaba entusiasmado con la orientación que tomaban los acontecimientos y le transmitía su entusiasmo a Aida, quien defendía cada vez con mayor intensidad la necesidad de un cambio radical en aquella sociedad injusta que nos había tocado vivir. El ruso decía, no todo el monte es orégano, y seguía esperando el momento de huir con Angélica a alguno de aquellos lugares que él había idealizado a base de nostalgia. Mi abuelo apenas comentaba nada que no hiciera referencia a sus proyectos, y cuando escuchaba las prédicas de mi primo decía, hablar y hablar, eso es lo único que sabéis, os vais a atragantar con tanta palabra. Eneka y Lucía vivían su amor con descaro y asistían a cuantas manifestaciones culturales tenían lugar en la provincia, acudían a la Casa de Comedias, al Dindurra, al Pilar Duro, al Pombo o al Capitol a presenciar obras de Navarro y Torrado, de Quintero y Guillén, de Casona, de Jardiel Poncela o de los jóvenes autores locales. Frecuentaban las salas de cinematógrafo y estaban al corriente de cuantas novedades se producían en el mundo del cinema, la exuberancia de Patricia Ellis, el gusto de Richard Arlen, la elegancia de Evelyn Venable, quien nunca había sido besada, el misterio de Greta Garbo, el oficio de Harry Lachman, la extravagancia de Hepburn, la gracia de Estrellita Castro o la belleza de Dolores del Río. Asistían a conciertos de orquestas nacionales y extranjeras, que traían músicas lejanas de Stravinsky o de Ravel. Visitaban los museos y cuantas exposiciones, conferencias o recitales poéticos se realizaban en Institutos, Círculos Recreativos o Ateneos Obreros. Poseían fotografías firmadas de Ida Rubinstein y de Bernard Shaw y habían adquirido dibujos de Sócrates Quintana y pinturas de Piñole. Era intención de ambos emprender el negocio de un establecimiento de venta de libros, revistas, materiales de pintura y escritura y carteles cinematográficos, para el cual ya habían elegido el nombre, *Casa de las musas*, habían adquirido un local cercano a los liceos y a la Escuela de Ingenieros, y habían contactado con algunos distribuidores y comerciantes del ramo.

242

Un domingo que visité a los abuelos para llevarles unos dulces que había preparado Elvira, encontré a la abuela cosiendo unos trapos y al abuelo con los codos apoyados en la baranda del corredor y las manos juntas, como si estuviera implorando al cielo. Fue el día en que él se decidió a continuar con el proyecto. Le dijo a la abuela, Angustias, voy a recoger las aguas del manantial Furmiguero para llevarlas a todas las casas que hay desde Zalampernio hasta el río. La abuela dejó lo que estaba haciendo, levantó la vista y con su voz parsimoniosa y cada día más desapacible le dijo, Cosme, por mí como si te vas al Infierno a construirle una fragua al diablo, tienes cama y te empeñas en dormir en el suelo, así que no te tengo ningún duelo y me importa un carajo lo que construyas o dejes de construir. El abuelo miró sorprendido a su mujer y la vio extraviada, ahogada en la indolencia y envuelta en un halo de brillos rancios provocados por la rutina y el tedio, por la irremediable sensación de fracaso y por la ausencia de cualquier atisbo de entusiasmo, y le dijo, si no empiezo esa obra puedo darme por muerto, y ella me miró a mí y me dijo, tu abuelo, ahí donde lo ves, tan suyo, tan ateo, tan neutral, está muerto, hace mucho que está muerto, yo misma toqué las campanas el día de su entierro, y ahora anda por ahí de fantasma resucitado intentando engañarnos, pero yo sé quién es, yo sé cómo tiene de atrofiada la conciencia, que de zarza en zarza va dejando el cordero la lana y con esos polvos se hicieron estos lodos que ahora nos empañan. La cara de mi abuela se había tensado, su respiración se había acelerado y sus ojos habían perdido la serenidad y estaban turbios, como si ella padeciera vértigo y hubiera quedado suspendida sobre un precipicio. El abuelo se quedó quieto hasta que ella terminó de hablar, luego se acercó y le preguntó, cuánto hace que no nos besamos, y la tomó por las manos, que temblaban, y le pidió que cerrara los ojos, y ella así lo

243

hizo, y él dejó un beso en sus labios y luego dejó otro y después otro, tres veces la besó, y dijo, ahora soy yo quien cierra los ojos. En aquel instante descubrí en mi abuela arrugas, cicatrices, manchas, úlceras y brillos en los que nunca antes había reparado, arañazos que habían dejado en su rostro tantos años de tediosa rutina, casi medio siglo sin salir de aquel lugar y sirviendo de lazarillo a un hombre que la había enseñado a leer, que la había llevado a vivir a una casa de ricos, que había convertido para ella algunas noches en días de sol provocándole una pasión estuosa y abismada, un hombre que había engendrado en ella cuatro hijos pero que también le había mostrado los semblantes más amargos de la soledad y se había situado tan lejos de ella que ella había terminado por desprenderse de su presencia y se había resignado a vivir en la distancia ensimismada en el recuerdo de sus muertos. El abuelo permaneció con los ojos cerrados y sin soltar las manos de su mujer. Ella levantó sus labios, se sostuvo sobre la punta de los pies y besó los párpados de su marido, primero uno, después el otro, y él se limitó a quedarse quieto. Desde el rincón del corredor donde me encontraba, pensé que no sólo las almas se perdonaban, que también existía el perdón de los cuerpos a través de una caricia tierna, de un contacto que ahogaba la congoja y borraba señales, y también pensé que el perdón nunca era consecuencia de un veredicto, y desde aquel día, para mí, el perdón siempre sería un beso que te dan cuando tienes los ojos cerrados. El abuelo dijo, voy para Zalampernio, y me pidió que lo acompañara. La abuela quedó deslumbrada mirándolo y le preguntó, sabes los años que tienes, y él respondió, más o menos los que van pasando, y la abuela le dijo, pues cuídate mucho la espalda.

Fue por aquellos días cuando incendiaron la iglesia de San Cristóbal y pintaron las paredes del convento de los frailes con figuras obscenas y frases contra el clero. Debieron de ser varias las causas que motivaron la manifestación, el cierre patronal de unos telares, la muerte por desprendimiento de un picador y su ayudante minero y el sentimiento insurreccional de muchos contra una República, para ellos, inaceptable y burguesa, sin capacidad de reforma social y con clara tendencia a los comportamientos represivos. Diferentes grupos de manifestantes se concentraron en la estación, frente a la cantina de Colino, en un día desapacible de lluvia suave pero constante y viento arremolinado, y allí unieron su rabia y sus gritos iniciando una marcha que habría de terminar en tragedia. Se sostenían pancartas contra los patronos reaccionarios, contra el clero fascista, contra las huestes negras de esquiroles renegados y contra la fuerza pública represora, y se exhibían banderas con los símbolos de los diferentes grupos revolucionarios. Delante de todos iba Juan Jacobo Varela Caparina arrullado por las caricias de la llovizna en la melodía del violín que rasgaba con ímpetu alternando la concentración en el vibrar de las cuerdas con los gritos de ánimo de gallo que anuncia el amanecer, porque para él, como para quienes lo seguían, el barco de la revolución había llegado a puerto y flotaba en el caldo más propicio para barrer y destruir obstáculos, y los hombres y las mujeres del pueblo oprimido poseían el coraje y la voluntad necesarios para vislumbrar una sociedad donde hubiera libertad, pan, vestido, vivienda, cultura y recreo para todos, de cada uno según sus medios y a cada uno según sus necesidades, una sociedad nueva más allá de los torpes argumentos capitalistas basados en el autoritarismo y la explotación, más allá de las trasnochadas supersticiones religiosas, más allá de las mentiras de la ciencia, y ya no estaban esos hombres y esas mujeres ciegos por la necesidad, sordos por la educación o mudos por el espanto, y sentía Juan Jacobo a cada paso y en cada compás de sus melodías y por cada grito de su garganta, que la tierra giraba con otro rumbo y que los corazones se hinchaban con el aire de la esperanza, y muchos voceaban que había que aterrorizar a los guardias civiles y a los de asalto, mandar al carajo a los curas, provocar una catástrofe en los registros de la propiedad, sembrar el pánico entre los funcionarios, entrar como ciclones en los bancos y en los palacios, soltar a los presos y amarrar a los centinelas, triturar los escudos nobles y las estatuas burguesas y reducir a astillas las imágenes de los santos, avanzar hacia la libertad con el paso firme y definitorio de una gran cuchilla giratoria que cortara de tajos limpios los cimientos de la desigualdad y convirtiera en escombros los casinos y los parlamentos y las iglesias y las salas de audiencia. Unos pedían la constitución de sóviets, como símbolo de la fortaleza proletaria, y otros reclamaban la creación de comunas libres para que autoritarismo y burocracia fueran sustituidos por auténtica democracia, y también había quienes no pedían nada y sólo cantaban con mucha alegría y satisfacción, por saber dónde estuvieras no sé lo que yo daría porque te quiero de veras rosita de Alejandría, y muchos grupos pequeños fueron haciendo un grupo grande que era ya muchedumbre, y la música de Caparina ya no se oía porque la ocultaba el bramido de un enjambre de voluntades hambrientas, y el anarquista levantó su violín para hacer de él una bandera y gritó, viva la música y viva el amor libre. Subieron por el puente viejo sin tropiezos, andando y gritando al unísono, salieron a la plaza de las higueras asustando a los pájaros, entraron en la calleja de la peluquería del señor Patricio con la intención de llegar hasta el ayuntamiento, pero al pasar junto a la iglesia se toparon de frente con un cura Belio iluminado por la gracia de Dios, custodiado por media docena de fieles mujeres, armado

246

con roquete, estola y bonete morado y amenazando al gentío con el líquido bendito de un hisopo que a él se le antojaba gigante, poderoso como la misma garra de Dios, y en el destello luminoso de su fe se creyó dueño absoluto del poder sobre todas aquellas almas descarriadas, muchas de ellas redimidas del pecado original por él, muchas llevadas a la confirmación de su condición cristiana por él, muchas conducidas a la comunión primera con el cuerpo de Cristo por él, muchas atadas para siempre en sagrado matrimonio por él, y aquella certidumbre sobre su poder le hizo levantar el hisopo y asperjar a la jauría furiosa trazando repetidas cruces en el aire para exorcizar los pecados revolucionarios, y el rezo de las letanías de sus acólitas se hizo más intenso, *mater amantisima, ora pro nobis, mater nobilisima, ora pro nobis*, y don Belio arrimó un taburete y se subió al muro del pórtico para que su poder espiritual fuera más evidente, y gritó, deteneos, hijos del Lucifer, postrad vuestras rodillas en tierra y suplicad el perdón de Dios. Una de las mujeres interrumpió su rezo para tirar de la sotana de su párroco y le dijo, cállese usted, por Dios, que lo está empeorando, y vámonos para dentro, pero el anciano sacerdote miró a aquellos náufragos de la verdad y los vio como a corderos incrédulos llevados por las artimañas marxistas y libertarias al matadero de la revolución, y sus ojos se pusieron tristes y se llenaron de lágrimas, sus labios se quedaron mustios y comenzaron a hablar en latín, que era la lengua de Dios, *pepulit aurex vox meas*, la mano se le quedó extendida y el hisopo clavado en la lluvia, y en medio de aquellas gargantas endemoniadas, en medio de la muchedumbre enfurecida por tantos años de una infructuosa doctrina que había transformado la vida en una cruz, contra la ira templanza, contra la lujuria abstinencia, contra la injusticia comprensión, contra la miseria paciencia, contra la riqueza agujas de hondones amplios, contra la pobreza resignación, contra el deseo mortificación, contra el dolor y el hambre promesas de un lejano paraíso celestial, al cura Belio se le petrificaron las palabras y los alientos se le escurrieron con la lluvia por el barro y antes de que pudiera entender el destello de lucidez que le sobrevino, se vio arrastrado hacia dentro del templo y el clamor unánime de la venganza le partió el corazón en dos. Cuando fue atado a la gran cruz de madera descolgada del retablo, ya su memoria había perdido la relación de sus pecados y la cuenta de sus méritos, sus ojos se habían quedado sin luz, sus carnes ya estaban inertes para sentir los clavos de aquel martirio y su alma ya salía del cuerpo, volaba consagrada lejos de aquel infierno para no ver cómo se destruía a martillazos el sagrario bañado en oro con racimos de esmeraldas, regalo del marqués de San Feliz, y cómo se reducían a polvo las imágenes de san Cristóbal, de san Roque, de santa Lucía y de la Inmaculada Madre de Dios, para no escuchar el estrépito de los vitrales de colores, regalo del rey número doce de los llamados alfonsos cuando vino a inaugurar el paso del tren por el puerto, y también se había ido volando el alma de don Belio para no presenciar las figuras obscenas que algunos improvisados artistas andaban dejando en las paredes. Alguien dijo, no lo clavéis que ya se murió del susto, porque estaban dispuestos a crucificarlo. La sacristía estaba en llamas, ardían las credencias y los misales, las casullas, estolas, albas y otras ropas de ceremonia. El fuego se fue extendiendo a los cortinajes de las capillas, a los bancos y al retablo. Había quien gritaba exaltado porque soplaba el viento de la destrucción de todo aquello que en el universo nuevo ya no sería necesario, y entró ese viento por las ventanas sin vidrieras, y venía de los confines de los arrabales y de las barriadas donde habitaban la miseria y la desesperación, y ese viento esparció las llamas y también esparció entre la muchedumbre que huía una pregunta, cuándo vendría aquello que tenía que venir, cuándo lo increíble se acabaría haciendo realidad. Unos cuantos consiguieron sacar el cuerpo de don Belio antes de que fuera alcanzado por las llamas. Algunas mujeres lloraban. Juan Jacobo Varela Caparina se arrimó a la fachada de la peluquería para resguardarse de la lluvia. Se agachó y se sentó en una piedra y protegió el violín con los dos brazos. El señor Patricio, muy nervioso, asomó la cara por una de las ventanas y le dijo a Caparina, sois unos criminales. El violinista miró hacia él y unas gruesas gotas de lluvia le cayeron en la cara. Le dijo, métase para dentro si no quiere tener problemas. Luego siguió contemplando cómo el grupo, ya menos numeroso, avanzaba en dirección al ayuntamiento. Cuando la lluvia apagó las llamas, Juan Jacobo caminó hasta la casa de mi hermana. Allí, Eneka, Lucía y yo, ajenos a cuanto había sucedido, repasábamos una lista que yo había preparado con algunos libros de la biblioteca del palacio. Estaban decididos a abrir el negocio de la librería antes del verano. Juan Jacobo venía empapado. Mi hermana le preparó ropas secas. Nos arrimamos con él al fuego y nos contó los detalles de lo que aquel día había acontecido.

Caparina quería decir mariposa. Sus alas delanteras eran armiñadas y especialmente delicadas para acariciar a las mujeres y para tocar el violín. También a veces habían manipulado detonadores. Sus alas traseras eran ágiles y robustas, acostumbradas a esconderse de los guardias y a huir de los somatenes. También a veces habían volado hasta los balcones buscando amor. Llevaba el cabello en desorden, de tanto volar. Tenía el tronco peludo, como si acabara de revolcarse en el musgo, y había arrugas frunciendo la comisura de sus labios. Dos veces se había escapado de la cárcel y ahora vivía en una cabaña pintada de

azul en el cerro de los avellanos, con muchas pieles de zorro por los suelos y columnas de libros sosteniendo fotografías de la revolución bolchevique. Hacía diez años que
había ingresado en las universidades para estudiar las leyes, y ocho que andaba por el mundo socavando los cimientos de esas leyes y demostrando el sectarismo y la inutilidad de las mismas. Creía ciegamente en la posibilidad
del amor de todos con todos y, cuando estaba cansado,
siempre decía, qué es la vida sino esa necesidad de andar
un poco más de la raya. A mí me gustaba escuchar su voz
lenta, entregada siempre entre susurros por la costumbre
de hablar en secreto. Su sabiduría era más desconcertante
e incomprensible que la sabiduría del maestro Eneka.

Mi hermana dijo, si la gente amara la música y la poesía no haría falta ninguna revolución. Juan Jacobo quería a
mi hermana y siempre pensé que de no haberse adelanta-
do Eneka él hubiera terminado viviendo con ella. Le dijo,
Lucía, puede que tengas razón, pero a quien tiene hambre
no podemos ofrecerle únicamente versos, y a quien sufre no
es posible calmarle el dolor con la música de un violín
como único remedio. Eneka miró a Caparina y preguntó,
quieres decir que la única oferta válida es la violencia. Mi
hermana no dejó responder al violinista y sentenció, a veces para defenderse hay que matar, y lo dijo con mucha
amargura en la voz y con tristeza en los ojos, y recordé
aquello que ella me había contado sobre la muerte de su
marido Julián. Juan Jacobo cerró los ojos y se acercó más
al fuego. Se iluminó su cara y una sombra cruzó su cabeza.
Nos dijo, los hombres guardan en la cobardía de su corazón la esencia de los valores eternos, porque hay valores
que perduran como perdura el oro de ley, y sin embargo
los hombres exhiben lo peor de sí mismos, aquello que no
perdura porque vale menos que la chapa de una lata, pero
hay momentos en la historia en que los hombres no pue-

den aguantar más y hacen que su corazón estalle para que salgan a la luz todos los secretos y se desmorone la mentira de sus vidas, y en esa explosión de verdad, la conciencia liberadora no puede progresar sin rupturas o conflictos, y así, en las manifestaciones espontáneas de rechazo a las reglas de vida admitidas y a la falsa cultura transmitida aparece la violencia, pero no la violencia entendida como fracaso de la razón que no logra por sus propios medios instaurar unas relaciones justas entre los hombres, sino como un mecanismo radical y definitivo de renovación, sin la muerte de la crisálida no existe la mariposa. Me pregunté por qué la palabra mariposa tenía para todos nosotros un significado especial. En aquella palabra había luz y color y había renacimiento, en su pronunciación había un intento de conjurar la inercia de las cosas, en su comprensión había música y danza y júbilo, en su búsqueda había vértigo y en su encuentro invulnerabilidad. Todos de alguna manera jugábamos a ser mariposas. Eneka dijo, cierto es que la violencia es la que impone el orden y cierto que también es la que sueña con destruirlo, por eso yo creo que en los parlamentos y en los gobiernos debería haber personas muy sabias que conocieran el corazón de las gentes y la esencia de las cosas, personas que inventaran leyes que evitaran la violencia. Caparina replicó, sabios hemos tenido en los últimos gobiernos, profesores y hombres de letras, catedráticos y expertos en leyes, hasta investigadores de la ciencia, y poco han contado para ellos las necesidades del pueblo. Eneka dijo, yo no hablo de esa sabiduría que tú dices, la sabiduría a la que me refiero no la dan los títulos académicos, es una sabiduría de la que ya hablaba el griego Platón, según tengo leído, un hombre nacido cuatrocientos años antes de Cristo que ya defendía la igualdad entre hombres y mujeres y que ya explicaba que la justicia no es la tiranía de la ley del más fuerte, ni el contrato social, ni ninguna organización política temporal, un hombre que decía que los gobernantes debían vivir sin dinero y sin familia, existiendo para ellos una comunidad comunista de mujeres e hijos, para así poder gobernar la ciudad justa cuya estructura debía poseer las tres capacidades, el conocimiento, la voluntad y los instintos, y de esta sabiduría es de la que te hablo yo. Eneka había estado casado con la musa Clío y ahora vivía con la musa Calíope, por eso su sabiduría iba en aumento. Juan Jacobo le dijo, es bueno que cites a Platón, yo también estudié las enseñanzas de ese hombre, él decía que nuestra naturaleza humana temporal es como la de unos prisioneros que siempre hubieran vivido en una cueva y tomasen como verdaderas realidades las sombras, los ídolos del interior, cuando la realidad está fuera de la caverna, y qué es la revolución sino la transformación de esa naturaleza para sacar al hombre de las tenebrosidades de la no existencia y así conducirlo al mundo de las ideas perfectas. También Juan Jacobo era un hombre sabio porque vivía y volaba como una mariposa y porque sabía tocar el violín. Eneka le dijo, las necesidades del pueblo no han contado porque quienes legislan no son sabios sino mistificadores, hablan por el solo placer de oírse, todo lo siembran de mentiras porque no aceptan aquella verdad que demuestra que únicamente se representan a sí mismos, ellos no buscan modificar nada sino la exaltación de su propia imagen, y así fueron hasta ahora y así serán después, haya o no haya revolución, porque esos que gritan desde lo alto de los muros y entregan las armas al pueblo para luego dirigir y manipular su coraje, aunque posean la razón de los acontecimientos, caerán en los mismos errores que sus predecesores porque tampoco ellos han alcanzado la sabiduría verdadera. Mi hermana Lucía se había acercado a mí y con la mirada me había pedido que la acariciase. Me gustaba hundir mis dedos en sus cabellos, como si mi mano fuera un peine. Le pregunté al oído, eres feliz siendo Calíope, y mordiéndose el labio inferior y sonriendo movió la cabeza para decirme que sí. Eneka estaba diciendo, ninguna revolución se hace con una doctrina en la mano, porque si hay doctrina no hay revolución, y Juan Jacobo se levantó, parecía cansado, se estiró y le dijo a Eneka, tú no entiendes la revolución, y Eneka le contestó, todos empezamos siendo revolucionarios, y después crecemos sintiendo el fracaso de esa ilusión, luego envejecemos y contamos historias para disculpar el fracaso, para justificar aquellas ideas que teníamos, así la rebelión de los jóvenes se transforma en cómodos asientos donde reposa la prudencia senil, tú vete y haz lo que tengas que hacer. Entonces Caparina me miró a mí y me preguntó, y qué pasa contigo, qué vas a hacer tú en ese templo del capitalismo injusto donde vives ahora cuando llegue la revolución, y yo solté a mi hermana, me levanté y le dije a Juan Jacobo, allí hay flores y hay libros y puedo prepararme bien, y entonces el violinista soltó una carcajada y me preguntó, prepararte para qué, y le respondí, para ser un hombre sabio como mi amigo Eneka. Lucía me abrazó y me dijo, estoy segura de que llegarás a ser un hombre importante, y expliqué que yo no quería ser importante, que sólo quería llegar a entender por qué las personas hacían lo que hacían y por qué las cosas eran como eran. Juan Jacobo me dijo que nada de lo que había en aquel palacio azul podía durar, y Eneka le dijo, hablas como si el estallido de la revolución fuera cuestión de días, y el violinista aseguró, lo es, y Eneka preguntó, qué pasará con los militares, ellos han sido quienes han sostenido todas las tiranías durante años, han torturado, censurado, encarcelado y manchado de sangre sus uniformes, y sin ellos nadie será capaz de mover un dedo. Caparina tardó en responder y parecía que ya se iba sin hacerlo cuando dijo, ellos también son hombres que sufren injusticias y habrá muchos que crean en la libertad.

Volví al palacio, donde me esperaba otra noche de amor con Elena en la cama importante, sin creer en el anuncio de Caparina. Con Elena nunca hablaba de las revueltas sociales, como tampoco hablaba del futuro de nuestra relación, pero aquella noche le pregunté, sabes que está a punto de llegar la revolución, y ella me abrazó la cabeza y me la estrujó fuerte y me dijo, en esta casa ya hace días que ocurrió una revolución, y cuando me soltó la cabeza le pregunté si no tenía miedo de perder todo aquello que tenía, y ella me respondió, mi tía Geertghe me contaba cuando yo era niña muchos cuentos de sirenas, ellas no tenían nada más que su capacidad para enamorar a los hombres, y cuando Elena me dijo aquello ya estaba desnuda, sin ninguna prenda de ropa encima, y cuando extendió su desnudez a lo largo de la cama importante todo cuando rodeaba la cama se volvió minúsculo porque ella se hizo grande, tan grande como los rayos que iluminaban los cielos y derribaban árboles, tan inmensa como el sol que aparecía de pronto para crear o destruir la vida, tan poderosa como el viento que sembraba la rebelión de las olas, y toda ella era una luz deslumbrante, pero la luz se terminaba en ella porque aquello minúsculo que la rodeaba se había vuelto oscuro, como un amasijo de sombras, y pensé que yo era un hombre con suerte porque una mujer hermosa y desnuda tumbada sobre una cama importante en un palacio azul de ingenieros belgas me estaba esperando, y tuve que entrar en aquella luz para no ser reducido por las sombras, y fui hacia ella y le dije, eres la musa Talía, y ella, señalándome con una mano sus pechos y con la otra la mata de vello claro debajo de su vientre, me dijo, escríbeme aquí con tus dientes lo que acabas de decir, y escribí, allí donde ella me había indicado, el nombre de la musa Talía, y lo hice con amor y también lo hice con rabia, porque su cuerpo era inocente y malvado a la vez, como la naturaleza misma, un cuerpo tan capaz de protegerme como de destruirme. Me preguntó, cómo sabes que soy una musa, y le dije, lo sé porque el maestro que me lo enseña todo estuvo casado con la musa Clío y ahora vive con la musa Calíope y sabe todo lo que hay que saber sobre las musas, lo sé porque tu cuerpo alumbra como alumbra la luna y porque te expresas mejor con los gestos que con las palabras y porque caminas descubriéndome secretos y porque tus manos vuelan y también sé que eres la musa Talía porque me lo está diciendo una mariposa que tengo metida aquí dentro. Y cuando terminé de hablar, Elena lloraba, y le pregunté, por qué lloras ahora, y me respondió, porque nunca antes me había sentido mejor, y me pidió que nunca más la llamara Elena, que desde aquel instante la llamara siempre Talía.

El ruso Basilio venía del cinematógrafo, acompañado de Fredo, el nieto de Colino, cuando les salió al paso un grupo de cuatro hombres embozados. Habían ido a visionar una película rusa que trataba del amotinamiento de los marines del acorazado Potemkin y de la matanza de los mismos a manos de los cosacos en las escalinatas del puerto de Odessa. En la cinta trabajaba el actor Vladimir Barsky, amigo de la familia de Basilio. Un sentimiento de nostalgia empañó las emociones del ruso, quien no pudo reprimir las lágrimas al contemplar las imágenes en la pantalla. Mira, Fredo, ése es mi amigo Vladimir, le decía a su compañero, y luego, con una mano siempre estirando su barba de profeta, le explicaba, qué jodida es la memoria, ella manda los recuerdos cuando le viene en gana, se van y vuelven, hasta cruzan los océanos para venir a pegarse a ti como el musgo se pega a las piedras, son trozos de tu vida que creías perdidos y que regresan para recordarte quién eres. Lloroso y nostálgico caminaba el ruso, explicándole a Fredo las maldades de la memoria, cuando al entrar en el camino de la cantina, apareció el grupo de los embozados. Se abalanzaron los cuatro sobre Basilio, ignorando a Fredo, quien corrió a buscar ayuda. Cuando llegamos estaba recostado contra el muro con sangre en la boca y apretando con las dos manos el estómago. Recuerdo cómo le brillaba la barba con el relumbre de la luna. Fueron los fascistas, dijo mi primo Alipio, seguro que fueron los cabrones de los fascistas, pero el ruso le indicó con la cabeza que no, que no habían sido los fascistas, y entonces quién fue, preguntamos, y a duras penas, escupiendo la sangre a cada palabra, nos indicó que le habían zurrado por mandamiento del señor Patricio. A mí me dejó con una proposición en la boca, la de llevarlo, precisamente, a casa del practicante para una primera cura, así que pensé en otra solución y dije, lo llevamos al palacio y mandamos aviso al médico de los belgas, pero Alipio dijo, no, no vamos a ir al palacio, vamos a ir a la barbería para ver qué cara pone ese cabrón cuando nos vea aparecer con el resultado de su fechoría. Por el camino nos contó Basilio que los hombres embozados lo habían insultado llamándole extranjero cabrón y comunista hijo de puta y que le habían advertido que no volviera a acercarse a la niña Angélica si no quería morir como un perro. El señor Patricio tardó en abrir la barbería, y ya Alipio había roto los cristales de una ventana y buscaba una viga para tumbar la puerta, cuando aquel hombre de ojos despavoridos, barbero y cirujano menor y boticario y autor de necrologías, apareció con una lámpara en la mano y la borla del gorro que usaba para dormir rebotándole en la nariz. Él ya sabía quién era el herido y también sabía por qué acudíamos a su dispensario, porque no dijo nada ni nada preguntó, ni siquiera cuando Alipio lo insultó y lo acusó y lo amenazó con cortarle los huevos y ponérselos de collar si no atendía de inmediato al ruso, así que, con las manos temblorosas y el rostro lívido, como si se hubiera quedado sin sangre, el señor Patricio nos hizo una señal con la lámpara para que lo siguiéramos, y entramos en la sala de las curas y Basilio se tumbó en una colchoneta que había sobre una mesa dispuesto a recibir la asistencia de aquel hombre aturdido y conmocionado por aquella imprevista circunstancia, arañado por los rasguños del desespero, y Basilio dijo, me duelen todos los huesos, y el señor Patricio ya debía de andar flotando en el sudor frío de la impotencia porque dejó que su pensamiento se escurriera hasta el remanso de la palabra, y dijo, quítenle las botas que me va a ensuciar el camastro, y Alipio se abalanzó sobre él y le sujetó la cabeza con las manos y le contestó, no te preocupes por eso hijo de la gran puta, cuando acabemos con esto quemamos el camastro y si no te parece bien te quemamos a ti con él.

La niña Angélica entró en el cuarto sigilosa, arrastrando su espalda por la pared, asustada por aquella circunstancia que sin duda habría de comprometerla y se quedó inmóvil contra el aparador sin atreverse a decir palabra. Tenía los mismos ojos verdes y la cabellera brillante de su madre. De su padre había heredado el tamaño y la hechura del cuerpo. La vi pálida y con alguna irremediable confesión atragantada en la boca. El ruso le dijo, ven, y le extendió la mano, y ella obedeció y fue hacia él. El señor Patricio hizo intención de detenerla, pero Alipio le puso la mano en el pecho y le advirtió, esto que sienten estos dos ya no lo para ni Dios, y aquí mismo le digo que al primer impedimento que usted ponga le prendo fuego a esta casa, fascista cabrón, esto fue lo que mi primo le dijo al practicante, y éste se enfervorizó con aquella amenaza y sacó toda la rabia que tenía contenida y gritó, sois todos unos criminales, mi hija no será para ningún extranjero muerto de

hambre, comunistas y criminales sin moral ni religión, eso
es lo que sois, antes la mato y os mato a todos, y se le re-
ventaban los carrillos con tanta sangre que le subía hacia
la cabeza y una materia espumosa se le escurría por la boca y yo pensé, pobre señor Patricio, porque pobres me parecían todos aquellos que se empeñaban hasta la muerte
en el manejo inútil de otras vidas, tú hija ya no es tu hija, le
hubiera dicho yo a aquel hombre que según mi hermana
componía pésimos versos, pero que siempre me había cortado el cabello con maña y esmero, y en aquel momento de
desesperación él estaría pensando, tantos años de mortifi-
caciones estériles, tantas noches en vela por esta hija a
quien para mi perdición la naturaleza dotó en exceso, tanta dedicación a múltiples y especializados trabajos, tantas
verdades tragadas enteras ardiendo en el estómago como
si fueran brasas, tantos servicios públicos prestados sin
ningún beneficio a esta patria exasperada para que ahora
le traten a uno como a un malhechor, y el señor Patricio,
arrullado por el orgullo de saberse alimentado por la verdad, volvió a gritar, esta vez empuñando las tijeras con las
que había recortado las vendas para Basilio, os voy a rajar
a todos, por anarquistas, os voy a echar encima un batallón de asalto para hundiros en la puta miseria. Entre Fredo y yo sujetamos a Alipio, quien ya tenía agarrado al
practicante por los huevos. Sin que cesaran las amenazas
ni los alborotos, el practicante terminó de curar a Basilio,
y llorando su desgracia, humillado por una pena que fu-
migaba su corazón hasta hacer de su vida una pesadilla de
muerte y como si ya en la vida le quedara únicamente el
aliento para pronunciar aquella pregunta, le dijo a su hija,
pero niña, me puedes explicar por qué quieres a este hombre, y la niña Angélica bajó los ojos y, con la voz desfallecida de quien lleva días alimentándose únicamente con los
efluvios temibles de la incertidumbre, le contestó a su pa-

dre, porque cuando él me mira me pongo contenta y porque me va a llevar a conocer lugares fantásticos y porque, perdóneme usted padre, pero llevo aquí en el vientre un hijo que es suyo, y por todo eso lo quiero, y también porque nunca me grita y me habla siempre de una manera muy dulce. El señor Patricio perdió el conocimiento y cayó contra el botiquín y se desparramaron los fármacos y se hicieron añicos los frascos y Basilio se incorporó y se abrazó al vientre de la niña Angélica y nos dijo a todos, será un niño y se llamará Milcíades, como mi padre.

En la primavera del año treinta y cuatro, el abuelo Cosme seguía construyendo el acueducto con la ayuda de algunas cuadrillas de voluntarios. Él seguía siendo un personaje extraño para el pueblo, querido por sus acciones siempre desinteresadas, pero incomprendido por sus argumentos y sus razones. Regresaba de Zalampernio al atardecer y se pasaba por la cantina de Colino para conversar y beber unos tragos de marrasquino antes de volver a casa. Hacía tiempo que únicamente cenaba purés y compotas de frutas. Con la abuela apenas cruzaba palabra, como si ya todo se lo hubieran dicho. Cuando yo acudía a visitarlos, el abuelo me preguntaba por el trabajo en el palacio. Qué hiciste hoy, me preguntó aquel día, y yo le expliqué, anduve con Fredo abonando los rosales y reparando los setos, subí con unos peones hasta la casa de los sauces para indicarles la faena, vamos a enlosar la llanada del sauce grande para evitar el barro, arrimé leña a todas las chimeneas de la casa por si volviera el frío, que Eneka dice que ha de volver y con más virulencia, llevé a la señorita Elena en el auto para que asistiera a sus clases de música, conversé con Basilio y con la niña Angélica, que andan con los preparativos de la boda, una ceremonia íntima por expreso deseo del señor Patricio, le reparé a la señora Geertghe la mecedora, que tenía un balancín partido, recibí a unos viajantes que vendían máquinas para cortar el queso y los embutidos, sembramos capuchinas y petunias nuevas junto al muro de la fábrica, volví hasta los conservatorios para buscar a la señorita Elena, comí un guiso de gallina que preparó la señora Elvira, estuve en mi cuarto leyendo en la enciclopedia un artículo sobre topografía, más concretamente sobre los gomiómetros de precisión, di de beber a los caballos, atendí a los carboneros y por último me llegué hasta aquí para verlos a ustedes. El abuelo me escuchó recostado contra los tiestos del corredor, adonde salía a liar y a fumar su tabaco. Me preguntó, cómo está ella, y yo le dije, quién es ella, y él insistió, ella, ya sabes, y en aquella pregunta no había curiosidad sino deseo de escuchar referencias a la mujer que sin duda aún ocupaba parte de su memoria, y le dije, bien, está bien, le gusta recoger flores y repartirlas por toda la casa, algunos días ella misma prepara guisos especiales en la cocina con la señora Elvira, aún monta a caballo para pasear hasta la casa de los sauces y alguna tarde me pide que la lleve en el auto hasta el Café Oriental para tomar el té y leer algunas revistas. El abuelo enarcó las cejas y habló con una voz abandonada, sus palabras rodaban como ruedas que se hubieran salido de los ejes, cada una tenía su ritmo, sin embargo todas avanzaban en la misma dirección. Me dijo, a veces miro hacia atrás y lo que antes me parecía inmenso ahora no mide más de un palmo, lo que antes me parecía grandioso ahora se muestra ante mí liviano como una pluma de gorrión, aquello que en otro tiempo podía emocionarme ahora ni siquiera me suscita una mirada, las sólidas chimeneas de la fábrica se han convertido ante mis ojos en frágiles juncos a los que puede tumbar una simple brisa, y estos errores no sé si son de ahora o son de entonces, pero son señales de un fracaso, aunque de nada sirve pensar que las cosas pudieran haber ocurrido de otra forma, sólo hay un camino para recorrer, empecé mal porque tuve una infancia oscura y llena de miedos y una juventud a trompicones, tropezando contra la pobreza y la desgana y llenándome siempre la conciencia con preguntas que nunca tenían respuesta, pero sobre todo empecé tarde, muy tarde, como aquel desarraigado que viene de fuera y no conoce el idioma y anda corriendo de forma equivocada con cara de forastero perplejo, por eso te digo, Nalo, que no fui feliz, y que en estos últimos tiempos intenté salirme del camino de la tristeza y de la muerte para buscar el camino de la creación, porque en la creación siempre están el inicio, la imaginación, el poder y la satisfacción, propiedades todas ellas, aunque no las únicas, de la revolución, y tú sabes que por este camino me va mejor que antes, aunque sé que más temprano que tarde me acabaré colocando otra vez frente a la irremediable soledad original, a contemplar en silencio esas grandes chimeneas que tengo aquí de frente para ver si algún día las veo convertidas en frágiles y diminutos juncos.

En los ojos de mi abuelo había calma. Me dijo, voy a tener que colocarme unos anteojos, ya no distingo bien los trazos de las libretas. Le dije, no se preocupe, abuelo, ya me ocupo yo de eso.

Sonó la sirena de la fundición avisando de un accidente. Al poco se escucharon algunos gritos y varias mujeres con los delantales puestos cruzaron el puente corriendo. Muchos pensaban de mí que era un hombre con suerte por no haber trabajado en la fábrica ni en las minas ni siquiera en el ferrocarril y por haberme librado de las obligaciones castrenses y por haber llegado a ser, con tan sólo veintidós años, el encargado principal de todas las ocupaciones, custodias, acomodos, transacciones e intendencias del palacio azul de los ingenieros belgas. La abuela Angustias entró en el corredor santiguándose y diciendo, no haga Dios peores cosas, la muerte siempre es traidora y nunca avisa del día ni de la hora, y el abuelo le preguntó, qué es lo que pasa, mujer, y ella respondió, un herrero y su operario murieron abrasados junto al más antiguo de los hornos, que Dios los tenga en la gloria.

Pasada la Semana Santa vinieron unos días de mucho calor, y la señora Geertghe quiso que nos acercáramos con los caballos hasta los prados de Zalampernio, y también vino con nosotros la señorita Elena, que para mí ya siempre habría de ser Talía, la musa capaz de multiplicar momentos, la que me hacía sucumbir en el delirio de la conversión de lo increíble en cierto, la que me hacía perder el ritmo de lo cotidiano y la noción de los días en el aturdimiento de un presente desquiciante y en el temblor del pavor de una pasión sin ningún futuro. Mi abuelo y la señora Geertghe se retiraron al lugar donde nacía la presa, y vi al abuelo preparar unas piedras que les sirvieron de asiento, y yo no sabía de qué estaban hablando, a veces sonreían, pero otras veces la señora Geertghe escondía la cabeza entre las manos y entonces al abuelo se le caían los párpados y entornaba los ojos y recogía un palo del suelo y con él hacía algún trazo en la tierra, quizá el símbolo de aquel minuto sin tiempo, de aquel minuto sin nada que decir ni que ofrecer, de aquel momento en el que hasta la naturaleza entera parecía detenerse, porque no corrían las nubes, no cantaban los grillos, no se movían las hojas y los insectos no volaban. Mucho me hubiera gustado escuchar lo que ellos se decían, pero eso nunca pude saberlo. Le mostré a Elena todas las plantas y los árboles que yo había sembrado, y después llegó Basilio con unas piezas de hierro para las fraguas y se juntó con nosotros y nos habló de la boda y de que el señor Patricio se había vuelto algo más flexible y que les había acondicionado un local que poseía frente a los lavaderos para que vivieran en él y en él tuvieran al hijo, porque el ruso decía que iba a ser varón y que se iba a llamar Milcíades, como su padre, el que había muerto por una bala perdida en aquella noche de revolución en la que el pueblo moscovita tomó el Palacio de Invierno, la misma noche en la que Basilio, transportando el cadáver de su padre, escuchó las palabras de aquel bolchevique que unos llamaban Trotski y otros llamaban Leiba, y Elena le hacía al ruso muchas preguntas porque le gustaba su forma de hablar, con muchas letras perdidas y las palabras incompletas ajustadas a un ritmo apacible y dormilón, como si estuviera rezando o recitando versos, y viendo a Elena emocionarse con las historias del ruso en aquellos lugares de Zalampernio a mí me parecía que ella podría llegar a ser como uno de nosotros, que pudiera ocurrir que algún día ella fuera primero Elena y después, pero mucho después, la hija de un ingeniero belga y de una aristócrata de Gante, pero eso aún era algo increíble que no se había hecho realidad, aunque a mí me gustara imaginarlo en algunas circunstancias, porque el pretender que los demás se acomodaran a la idea que uno tenía de ellos ocurría con más frecuencia que procurar ser uno el que ajustara esas ideas a las maneras de ser y sentir de los demás, pero estas cuestiones no las conocía yo entonces, porque aún era aprendiz de todo, aunque ya tuviera en mi hacienda personal el ser el encargado principal de un palacio, el estar enamorado de una musa de nombre Talía y el poseer para lectura y estudio toda una enciclopedia universal.

A mi primo Alipio lo expulsaron de la tejera en el mes de agosto, después de un enfrentamiento con el aperador, y entró en una cuadrilla de operarios que hacían por su cuenta trabajos de pintura al temple y a la chamberga, barnizados, agramilados en los ladrillos, limpieza de la piedra, acicaladura de fachadas y rotulados en general. El azul del palacio de los belgas ya no era tan azul, y había pasado del añil inicial a un azul celeste que en los días nublados más bien parecía blanco mugriento. La señora Geertghe me pidió que contratara pintores que devolvieran al edificio su aspecto original. Me dijo, a ser posible que sea un azul turquino, combinado en las cenefas y los festones con un azul ultramar. Así que llamé a mi primo y a sus camaradas, que de inmediato comenzaron con el montaje de los andamios. A Aida también la despidieron de la tejera a consecuencia del incidente de Alipio, así que, hasta encontrar otra ocupación, ayudaba a su padre y a mi hermana Lucía en los preparativos del negocio de la librería, próximo a su inauguración, y se acercaba al palacio al mediodía a traerle la comida a su marido. Yo siempre les decía que comieran conmigo, que Elvira cocinaba bien y en abundancia, y alguna vez sí lo hicieron, pero preferían retirarse a la parte trasera de las cuadras y comer allí los dos solos y juntos, porque así tenían intimidad para hablar de sus cosas, como correspondía a quienes habían decidido compartirlo todo, hasta la idea misma de la eternidad. Alipio, mientras manejaba la brocha, no dejaba de comentar con sus compañeros los asuntos de la política y ellos lo escuchaban siempre con atención y hasta con devoción, demostrando así ambas partes, él contando y ellos escuchando, esa necesidad humana que tanto en el contar como en el escuchar se vive con idéntica fascinación. Os digo yo que es a los gobernantes a quienes corresponde demostrar lealtad con los gobernados, y no al revés, pero, claro, durante muchos siglos han sido los súbditos quienes se han mostrado leales con ministros, reyes y caudillos, sin que éstos correspondieran de la misma forma, al contrario, aprovechaban siempre esa lealtad para incrementar su crueldad y hacer más difícil la vida de la gente, manteniéndola en la ignorancia y en el engaño religioso, y ahora la República anda exigiendo también lealtad al pueblo que la sacó del olvido, cuando ella no está siendo leal ni al pueblo que dio la vida por ella ni a sí misma, y la ignorancia permanece, la miseria aumenta, la injusticia se propaga como una peste, la opresión del capital se hace insoportable, en las mimas y en las fábricas siguen muriendo trabajadores para que los patronos se enriquezcan y aumenten sus haciendas, los ricos circulan en sus autos flamantes exhibiendo el brillo de sus joyas ante niños famélicos que los siguen mendigando unas monedas mientras inhalan el humo de los motores, y qué hace esta República que tanto nos prometió, pues impedir con cruenta y sañuda represión el reparto justo de las tierras y aupar al poder a católicos fascistas que nunca se confesaron republicanos, desleales y falsos patriotas que no buscan otra finalidad que instaurar dictaduras clericales para asegurar el blindaje legal de sus propiedades, así que nada le debe el pueblo a la República, como nada le debió a la Monarquía, primero nos envían el hambre y la pobreza y el expolio y el terror de la superstición para someternos y debilitarnos, después impulsan y propagan la ignorancia y nos acobardan con la tiranía de sus ilustradas dialécticas para privarnos también del don de la palabra, y por último nos humillan y nos reducen a condición animal para aniquilar en nosotros cualquier deseo de libertad, así es como actúan, y por eso la lucha entre estas dos formas de vida continuará, se alargará en el tiempo y nunca dejará de atormentarlos hasta que le devuelvan el poder al pueblo. Así hablaba mi primo Alipio desde lo alto de los andamios, mientras la fachada del palacio iba recuperando su color original. Elena escuchó una mañana desde su cuarto el discurso de Alipio y me dijo, no entiendo lo que predica tu primo, él siempre habla como un profeta, y le dije a Elena, habla de la lucha entre los tuyos y los míos, habla de revolución, y se puso triste y me miró como la señorita Julia miraba a los gorriones que se encontraba heridos en el alféizar, y me explicó, a mí nadie me preguntó dónde quería nacer, a tu primo se le llena la boca proclamando la falta de libertad, pero él habla sin parar y dice lo que quiere, y lo dice aquí mismo, pintando el palacio de esos ricos a los que él difama y condena, y esos ricos lo escuchan, le pagan un salario y le dan de comer, así que tu primo o está loco de atar o es un auténtico caradura, hay muchas formas de esclavitud y algunas de las peores no son exclusivas de las gentes más pobres. Me pareció que ella tenía en los ojos algún secreto o alguna pesadumbre, y estaba tan bella como las flores increíbles, tan bella como la ternura de mi hermana Lucía cuando me explicaba su cuerpo, y le pregunté, cuáles son tus esclavitudes, y ella me dijo, mi padre nunca me preguntó qué sentía, ni siquiera qué quería, él jamás tuvo la primera ni la última palabra con respecto a mí, me miraba de la misma forma que miraba su reloj y nunca me besaba, ahora está muerto, mi madre tampoco está, ella sabe que nunca debió salir de Gante, yo no voy a volver, pero no creo que le importe mucho, mi tía es diferente, ella siempre deja ver lo que lleva en su interior, y también me siento mal por vivir en esta casa, es demasiado imperfecta, no está hecha para que una persona sea feliz en ella, si faltara mi tía Geertghe mandaría demolerla, y también están los estudios, no sé si me gustan, y estás tú, que eres también una esclavitud. Le pregunté, qué te impide liberarte de mí, y me abrazó y me dijo, no quiero hacerlo, eres lo único bueno que tengo, y una vez más le hice aquella pregunta que era una combinación de deseos y de pensamientos, aquella pregunta que siempre le hacía a Elena con la esperanza de que el eco de su respuesta prolongara mi sueño, por qué me quieres, y ella me respondió, porque quiero ser tu Talía y porque nunca sabes cuándo voy a llegar y sin embargo siempre me estás esperando.

NUEVE

Hacia el final de septiembre, Elena abandonó los estudios de música y canto. Llegó y me dijo, vivo rodeada de mediocridad, eso me dijo, y me explicó, no quiero ser una mediocre, cuando escucho al coro de los hebreos cautivos en el *Nabucco* de Verdi o el piano de las sinfonías de Beethoven, cuando oigo las voces de Isabel Bru, de Amelia Fioretti, o incluso de Amalia Molina, frunzo las cejas, me estremezco y siento miedo, miedo de pretender tocar siquiera ese mundo de magia y belleza sobrenatural, miedo de acabar siendo una cantante mediocre, así que voy a parar, a quedarme quieta, voy a leer y a escuchar, a viajar y a mirar. No entendí aquel cambio de Elena, pero a partir de entonces pasábamos mucho tiempo juntos en la biblioteca.

Fue por aquellos días, aprovechando un tiempo cálido con viento del sur, cuando Basilio se propuso enseñarme a nadar en el embalse de Zalampernio. Me enseñó primero el movimiento y la disposición de los brazos y las piernas para avanzar en línea recta y también las ceremonias de la respiración, y luego aprendí a hundirme hacia abajo, muy hondo, hasta donde crecían las plantas y tenían su refugio algunos peces, y las cosas debajo del agua eran brillantes, como si desprendieran su propia luz, y había flores que no conocía, y subía para tomar el aire y volvía a descender para tocar las flores y las piedras brillantes, y era tanto mi asombro por aquella circunstancia nueva de viajar por el fondo del agua y de no sentir el peso de mi cuerpo que se lo conté a Elena y le pregunté, tú sabes nadar, y ella se rió mucho y me respondió, claro que sé nadar, Nalo, desde que era muy pequeña, y entonces recordé que ella era rica, que siempre había sido rica, y que los ricos descubrían las cosas buenas que había en el mundo mucho antes que los pobres, y pensé que incluso habría circunstancias singulares que los pobres nunca llegaríamos a experimentar porque ni siquiera conocíamos su existencia, y también pensé que quizá debajo del agua, donde únicamente se necesitaban unos brazos ágiles y unos pulmones fuertes, los ricos y los pobres podrían llegar a igualarse por completo, así que le pregunté, vendrás conmigo a nadar, y ella me respondió, algún día iremos al mar y nadaremos juntos. Las lecciones de Basilio tuvieron que suspenderse porque el aire empezó a llegar del noroeste y con él vinieron las lluvias y la humedad invadió la casa y era una humedad mala, no como la humedad del agua de Zalampernio, aquélla se veía y hacía que te sintieras bien, ésta era invisible y te retorcía los huesos, y a Elena la alteraba sobremanera aquel olor a tierra mojada y a piedras enmohecidas, y me decía, hasta las sábanas están mojadas, y quería marchar de aquella tierra húmeda y mediocre, buscar un lugar donde siempre luciera el sol, y hacía promesas y juramentos, y su expresión se tornaba más taciturna, y la respiración se le alteraba, y la mirada se le torcía hacia dentro, como si buscara el calor interior de su cuerpo, y su carácter se volvía brusco, y por eso yo siempre procuraba mantener los fuegos vivos y le ordenaba a Fredo que atizara la estufa del sótano con mucho carbón para que permaneciera caliente el agua de los tubos calefactores que recorrían todas las estancias.

Varias veces al día, coincidiendo con las horas de los relevos, observaba a los grupos de los obreros, mineros u operarios de la fábrica y de los talleres, pasar por el camino del río, unos arracimados en torno a algún comunicado escrito de los sindicatos, otros tarareando canciones, algunos apretados unos contra otros de vuelta a sus barrios, pensando en la casa que los esperaba, resignados a la monotonía de un trabajo desagradable e ingrato, convencidos de que la eternidad de los días no se correspondía con lo efímera que podría resultar su vida. Iban y volvían. Pasaban, a veces riendo, en ocasiones pensativos y dispersos. Caminaban arrastrando sus vidas involuntarias, con sus rencores a cuestas, también con alguna esperanza que aliviaba la fatiga, las alegrías de la pobreza, esa sopa caliente al llegar a casa, los pies machacados y descalzos sumergidos en agua tibia con sal, esa canción al oído que la pequeña aprendió en la escuela o el sueño nocturno, tan efímero. Recordaba a mi padre entrando en el patio con su sucia camiseta de tirantes, gritando y exigiendo el agua para lavarse, y la flojedad de su rostro cuando arrimaba a la boca el tazón de aquel café tan negro y tan espeso como el agua de los lavaderos del carbón. Sentía que yo había sido arrancado de aquel mundo que pasaba cada día ante mis ojos, sabía que permanecía colgado en un espacio sin determinar, en una isla inocente donde la vida era fácil y los días cálidos, llenos de circunstancias singulares que yo veía con un montón de ojos nuevos que estaba aprendiendo a utilizar.

Los primeros días de octubre, los grupos que iban y volvían eran más numerosos y caminaban más arracimados. Había evidencias de nuevas zozobras, alarmas en las voces atropelladas, agitación en los brazos que intentaban explicarse a la vez, desazón en los pasos de ida y preocupación en los pasos de vuelta. Lucía me había dicho, está convocada una huelga general, y pregunté, por qué, y ella me respondió, ya ves, por todo, hay nuevo gobierno con ministros fascistas, los malos arreglos de siempre, la impaciencia de los que aún creen en la revolución, es así, Nalo, la vida nunca se duerme y ahora pide a gritos una vuelta.

Serían las tres de la madrugada cuando varios grupos, armados con pistolas, escopetas de caza y cartuchos de dinamita, se dirigieron a la chatarrería de la fábrica. Hacía unos días que habían llegado unos vagones cargados con fusiles desechados, destinados a los talleres de acero para convertirse en chatarra. Un grupo de operarios, de forma clandestina, los había recogido y preparado para su uso. Se distribuyeron las armas, se formaron grupos de diez personas y se repartieron los objetivos de asalto. A las cuatro de la madrugada ya eran muchos los obreros armados y comenzaron los disparos. Amanecía un día nublado. A la señora Elvira, mientras preparaba el café, le temblaban las manos. Me dijo, Nalo, esto es una insurrección de los demonios. Tomé el café y me fui a buscar a mi primo Alipio. En el ayuntamiento se había refugiado un grupo de guardias y desde las ventanas disparaban para defenderse del ataque de los obreros, que lanzaban contra el edificio cartuchos de dinamita, y había un retumbar profundo, algo así como los ruidos de los motores de las máquinas viejas, y a los alrededores de la plaza llegaban más grupos de mineros y algunas mujeres jóvenes con los fusiles al hombro. Había griterío, incluso algunos cantaban porque el entusiasmo los había transformado y se arrodillaban para disparar y a veces sus figuras se perdían entre el polvo y el humo, y uno de los obreros arrodillados rodó por el suelo herido de muerte y otros lo arrastraron detrás de un carro, y desde entonces ya nadie se atrevió a cantar porque la desgracia y la muerte no quieren canciones, quizá después, cuando pasado un tiempo la memoria viniera a exigir satisfacciones, pero no en aquel instante en que las balas silbaban para matar, la dinamita estallaba y las calles comenzaban a mancharse de sangre. Ni Alipio ni Aida estaban en casa, así que volví a acercarme al ayuntamiento con la esperanza de verlos formando parte de alguno de los grupos. La gente aseguraba que los cuarteles de los alrededores habían sido tomados y que ya eran varios los muertos. Vi pasar a un grupo de revolucionarios llevando prisioneros a unos guardias civiles. Uno de los guardias, que llevaba un brazo en cabestrillo y sangraba por la frente, lloraba y decía, nosotros estamos de vuestra parte, y lo repetía una y otra vez entre lágrimas, podéis contar con nosotros, estamos de vuestra parte, hasta que uno de los obreros le dijo, eso ya se verá, y le pidió que se callara. El mozo de la ferretería, que recogía las cajas vacías de las balas y los cartuchos, me dijo, ese guardia es un cabrón, se llama Pincio, y es famoso por los golpes que da en la cabeza con el puño cerrado a los detenidos, y le pregunté al mozo, tú con quién estás, y él dijo, yo estoy con los héroes, a mi jefe, el señor Onofre, lo ataron a una silla, ahí está encerrado en el sótano cagándose de miedo, que se joda, y a mí me nombraron jilmaestre y armero, aquí me ves, ya sabes, maestro de la munición, a mí todo lo que sea terminar con los de arriba me va bien. Y en aquello que presenciaba, el obrero altivo, el guardia lloroso y encanecido, el mozo que soñaba y recogía cajas vacías en medio de una batalla, no sabía yo si predominaba el orgullo o la compasión o la vergüenza o el miedo, no sabía si aquello que pasaba ante mí ya era una realidad distorsionada por tanta perplejidad, y el mozo me preguntó, y tú de qué lado estás, y le respondí, ando buscando a unos amigos, y también le dije, ten cuidado con las balas perdidas, y llegué de nuevo al edificio, donde una multitud contemplaba el ataque desde la distancia, y allí me informaron que ya eran cuatro los obreros muertos y que los guardias de asalto aún no se habían rendido. Dos grupos de revolucionarios avanzaban en dirección al edificio consistorial utilizando como escudos a varios de los guardias que habían sido detenidos. Así fue como los encerrados capitularon y se entregaron, y los vi salir, unos con los brazos en alto y otros cojeando o arrastrándose a causa de las heridas, y uno de ellos, que tenía la graduación de sargento, le dijo al revolucionario que lo había sujetado que dentro se habían quedado dos heridos graves y tres muertos, y entonces la multitud que había contemplado primero el ataque y después la rendición, se encaminó gritando hacia el ayuntamiento, y según avanzaba esa multitud, se iba haciendo más numerosa, y había hombres y mujeres, y también había ancianos y niños, y a mí me parecía que era el pueblo quien entraba alborozado en el consistorio, y era un pueblo ágil y lleno de energía, no era una masa ruda y resignada de enclenques y desalmados, eran gentes que reían y que lloraban, gentes que engendraban a sus hijos con alegría y enterraban con dolor a sus muertos, gentes sin privilegios, sin comodidades ni regalías, gentes a quienes aquella revolución que comenzaba les estaba regalando una esperanza, y aquellos que no podían o no se atrevían a correr aplaudían desde la distancia. Un hombre, a quien yo había visto alguna vez visitar a los ingenieros belgas, dijo, cómo es posible que alguien piense que esas hordas incontroladas puedan ser el cimiento de la civilización, y pronunció aquellas palabras en tono contemplativo, casi diciéndoselas a sí mismo, pero un obrero que estaba cerca las escuchó y le puso el cañón del fusil en la boca y se lo llevó prisionero, iba empujándolo y dándole patadas, y le decía, cerdo capitalista, te conozco y te vamos a explicar de qué cimientos vas tú a formar parte a partir de ahora, te lo vamos a explicar muy bien, para que lo entiendas, fascista de mierda. En aquella celebración unos colgaban los estandartes y encendían las luces de colores, otros descorchaban las botellas del mejor vino, algunos tejían vendas para los heridos o guirnaldas en las banderas nuevas, había quien hacía sonar instrumentos de renovación y quien se atrevía a soñar con nuevas formas de vida. Aquellos que asomaban el orgullo de señores viejos, aquellos que se cortaban las venas para mostrar la pureza y la nobleza de su sangre, salían escaldados, porque decían, somos los dueños de las maderas con las que fabricáis los estandartes, los dueños de la luz que alumbran esas bombillas, los dueños del vino que mal bebéis, somos los señores de las guirnaldas y de las telas de todas las banderas, los propietarios de cualquier instrumento que oséis tocar, en realidad somos los dueños de las celebraciones mismas y de los sueños, y sin nosotros estáis condenados al envilecimiento y al atraso perpetuo, y estos señores que así se manifestaban acababan en las cárceles que el pueblo había habilitado para ellos. Ya estaba la multitud dentro del edificio. Por los balcones y las ventanas volaban los libros y los papeles, porque en ellos estaban escritos las tasas y los impuestos, las gabelas que el Estado cobraba a la clase trabajadora, y después la multitud se dirigió al juzgado, donde también fueron destruidos los escritos allí encontrados, y sacaron a la calle los archivos del notario y los registros de las propiedades, y el pueblo encendió una hoguera grande en medio de la plaza con todos aquellas documentaciones, y había llamas verdes y llamas azules, y también había llamas anaranjadas y fosforescencias, y la luz de aquella hoguera se desparramaba y caía sobre la gente que la contemplaba como si fuera una luz en almíbar, y algunos extendían las manos para recoger el calor, porque hacía frío en aquella mañana nublada de octubre, y también aquel calor de la hoguera de los documentos llegaba hasta mí y era un calor que me adormecía, como una anestesia de alcohol o de cloroformo, y pensé que algunas cosas que contemplaba con los muchos ojos de los que empezaba a disponer eran indescriptibles, y que por mucho que me afanara en buscar vocabularios y palabras nuevas en libros ajenos, por mucho que me empeñara en perseguir la frase más elocuente, por más que utilizara comparaciones ingeniosas, descripciones rotundas o metáforas floridas para expresarme, para explicar a otros aquello que ante mí estaba ocurriendo, nunca habría de conseguir que mi verbo supliera fielmente la realidad que ante mí se estaba manifestando, y en aquella circunstancia indescriptible me estaba yo enredando, imaginando intrigas insospechadas y desgracias padecidas por inocentes, suponiendo azares caprichosos y sorpresas imprevistas, temiendo decisiones irreversibles, sintiendo aquel calor que no era solamente calor, o que era el calor de siempre desde que el mundo era mundo, en esos enredos andaba yo con mis pensamientos cuando una mano pesada me sujetó por el hombro y una voz ruda y decidida me preguntó, eres tú el que trabaja en el palacio azul, y volví la cabeza y vi a un hombre canoso que llevaba un fusil en la mano y una canana cruzándole el pecho cargada de munición y un pañuelo rojo anudado al cuello, y le dije, sí, soy yo, y él volvió a preguntar, cómo te llamas, y le contesté, Nalo, me llamo Nalo, y me ordenó, acompáñame, y fui tras él hasta la plaza de los abastos, donde había mucha gente reunida.

A la plaza llegaban furgonetas con los guardias detenidos en los asaltos a los cuarteles, y cada vez que un grupo descendía del vehículo que lo había transportado, la multitud aplaudía y gritaba vivas a la revolución del proletariado. En las escaleras de la Casa del Pueblo un grupo de revolucionarios discutía acaloradamente sobre las disposiciones que sería preciso poner en marcha para que la vida ciudadana volviera a la normalidad. Entre ellos estaban Aida y Alipio, quienes al verme llegar vinieron a abrazarme, y mi primo me dijo, Nalo, esto no hay quien lo pare, y Aida me cogió del brazo y me apretó contra ella y no dijo nada, y la vi hermosa con aquella gorra azul y el pañuelo rojo anudado al cuello, y le pregunté, estás bien, y me dijo, sí, estoy bien porque me siento útil. Me ordenaron que fuera en busca del coche de la señora Geertghe para ponerlo al servicio de la revolución, y cuando me disponía a ir hacia el palacio para cumplir aquella orden, una descarga procedente del tejado del convento de los frailes barrió la plaza e hirió a varias personas, y entonces los revolucionarios rodearon el edificio con el propósito de incendiarlo con botellas de líquido inflamable y también lanzaron algunos cartuchos de dinamita, hasta que los frailes salieron con las manos encima de la cabeza y uno de ellos, que era grande y llevaba la sotana recogida y anudada en la cintura, dijo en voz alta, hijos de Satanás, acabaréis aniquilados por el poder de Dios, y un obrero apuntó con su fusil y disparó contra el corazón del fraile que cayó al suelo, y ese obrero fue reprendido por Alipio y por otros que le quitaron el arma y le dijeron que no volviera nunca más a disparar contra un hombre desarmado fuera cual fuera su condición, y los frailes fueron llevados al sótano de la Casa del Pueblo donde se había improvisado un calabozo para aquellos que opusieran resistencia a la llegada de la revolución, y había frailes heridos que fueron atendidos por un grupo de mujeres que llevaban pañuelos blancos en la cabeza y hacían las funciones de enfermeras.

Antes de recoger el coche pasé por casa de mi hermana para informar de lo que había visto y para saber cómo estaban ella y Eneka. Él estaba lloroso y preocupado porque conocía la participación de Aida en la revuelta, y me dijo, cuando lleguen van a terminar con todos nosotros, y le pregunté, quiénes tienen que llegar, y él contestó, ellos, los que siempre acaban con cualquier ilusión colectiva, y rompió a llorar, y Lucía fue hacia él y lo acarició mucho y lo besó en las manos y en el cuello, con ternura y amor, como ella sabía hacerlo, para que Eneka tuviera consuelo, y también mi hermana lo besaba en los ojos y en la nariz y le pasaba suavemente la lengua por el lóbulo de la oreja, y Eneka decía, gracias Calíope, y pensé que la vida presentaba percances a cada paso y que nos necesitábamos unos a otros para superar esos percances, y le dije al maestro Eneka, tú eres un hombre sabio y sabes interpretar las cosas. De la calle llegaban ruidos, el terremoto de las carracas, la armonía de las bocinas, el rosario de los disparos, los alaridos de las trompetas, el estallido de la dinamita, los gritos de una madre llamando a su hijo y el repique de unas campanas que habían enloquecido. Me despedí y Lucía me preguntó, aún te quedan rosas blancas en el jardín, y casi gritando para que me escuchara bien le dije, claro, y son todas para ti, y me abrazó fuerte, tan fuerte que me dejó sin aire, y luego me besó en la boca y me dijo, esa señorita rica que se acuesta contigo es la mujer más afortunada de la tierra y sospecho que ni lo sabe. Me fui feliz hacia el palacio por las palabras que me había dicho mi hermana y al cruzar el puente comenzó a llover con intensidad, y había gente corriendo en todas las direcciones, y sentí unos escalofríos que me recorrieron el cuerpo, y no eran a consecuencia del agua o del frío, porque eran unos escalofríos sublimes que me recorrían la piel a latigazos y también me recorrían por dentro llenándome el cuerpo de burbujas, y aquella era una sensación extraña y singular que nunca había sentido, como extraño y singular era el hecho de sentirme feliz bajo una lluvia fuerte y en medio de una batalla.

La señora Geertghe estaba tranquila, como si aquello que sucedía en los alrededores del palacio fuera la puesta en escena o el ensayo de alguna obra de teatro. Elena paseaba nerviosa por la sala y se acercaba a las ventanas y se comía las uñas y me hacía preguntas sobre lo que había sucedido y sobre lo que podía suceder y decía, debí marcharme hace tiempo a los lugares donde no llueve y donde la gente se conforma con lo que es y con lo que tiene, eso es lo que debí hacer hace tiempo. Le conté a la señora Geertghe lo del automóvil y ella dijo, llévatelo y no te preocupes por nada, y sujeté a Elena y ella se quedó quieta frente a mí mientras yo la miraba, y la abracé y le dije, recuerda que eres la musa Talía, y ella sonrió y me dijo, estás loco, eso me dijo, Nalo, estás loco, y fui en busca del auto para llevarlo a donde me habían ordenado los revolucionarios.

Se había formado un Comité Revolucionario en el que había anarquistas, comunistas y socialistas, y este grupo de personas importantes dictaba normas para controlar el caos producido por las batallas y emitía bandos y comunicados que comenzaban diciendo hacemos saber, y en unos explicaban la constitución de un ejército que llamaban rojo y que defendería con la sangre los intereses de los trabajadores, y con la sonrisa grande y las caras mojadas en el chorro de la lluvia y con la bandera de las armas oxidadas del coraje de los hombres que despiertan de unos tiempos de privanza se dibujaban las hileras apretadas de los reclutamientos, una mano palmeaba las espaldas y otra mano apartaba la lluvia de la frente y se alargaba después para esperar el fusil, un ángulo de la mirada estiraba la piel de la risa y el otro componía la mueca de la fatalidad, acabaremos con todos los hijos de puta, decía alguien que se estrujaba el sitio del corazón, brotaba el amor y goteaba el odio, muerte a los curas y a los burgueses, una oreja se quedaba fría por aquel aire mojado de octubre y se quedaba sorda y otra oreja se calentaba escuchando la historia de aquellos que nada tenían que perder porque todo lo habían entregado ya, una pierna huyendo hacia el frente de los días que sólo tenían amaneceres de gloria y otra clavada en las noches sin tregua, más vale morir que vivir de rodillas, y a un niño le dicen, tú todavía no puedes luchar, vete con Nalo a limpiar la sangre de las aceras, no será sangre en vano, sobre ella renacerán las flores de unos jardines sin dueño, más vale pelear que seguir conformes con esta mierda de vida sin tiempo, y en otros de aquellos bandos que empezaban proclamando hacemos saber, se advertía del peligro que corrían aquellos que practicaran el pillaje, porque ya había quien se estaba aprovechando de la confusión para robar en las tiendas y en las casas de los burgueses, que así llamaban a los ricos en aquellos comités de la revolución, y los bandos también ordenaban abrir las puertas de las cárceles antiguas y enviar a los liberados a recorrer como apóstoles los pueblos para anunciar el tiempo de la revolución social, y como había mucha gente que se apiñaba solicitando víveres para aplacar el hambre se nombraron comités de abastos que prepararon libretas donde se consignaba el número de los individuos de cada familia y donde se dejaba escrito lo que a cada hogar le correspondía en justo reparto, porque el dinero había perdido su valor, y se crearon depósitos de carbón para el abastecimiento del combustible y se requisaron cuantos víveres había almacenados, y también se crearon comités de alimentación, de limpieza y aseo, de transporte, de conducción y reparaciones, y se nombró un departamento de sanidad para atender a los enfermos y a los heridos, se organizaron servicios de agua, de luz y de pan, se planificó la conservación de las minas y de los hornos de hierro y de toda la maquinaria, y se reunió a los maestros revolucionarios para que regularas las nuevas enseñanzas. Llovió todo el día y toda la noche y al día siguiente cesó la lluvia, pero había una niebla densa que no dejaba ver el cielo ni los montes ni la copa de los árboles más altos. Constantemente iban y venían camiones cargados con obreros armados, y eran ya más de tres mil los que peleaban en los diferentes frentes abiertos en los concejos vecinos, y las gentes se aproximaban a los lugares de los comités para ofrecer su ayuda, y aumentaba el número de los voluntarios que querían colaborar con aquella forma de vivir y de organizarse, y también aumentaba el número de los presos en las cárceles nuevas porque eran detenidos todos aquellos que manifestaban su oposición a la sociedad que se estaba formando. Alipio había estado toda la noche luchando contra una columna militar que intentaba impedir el control revolucionario de la fábrica de armas y ahora se encargaba de la emisión de los volantes para el transporte militar y de abastos. Aida coordinaba a los voluntarios de la sanidad. A mí nadie me preguntaba si quería formar parte de aquella revolución, nadie se dirigía a mí para saber lo que pensaba, porque yo era un obrero que vivía desahogadamente y podía tener ropa nueva y comer buena comida y conducir un auto y leer enciclopedias, pero al fin y al cabo era un obrero, un sirviente de los señores burgueses, y quizá por eso nadie me preguntaba si yo quería ser un obrero más en la revolución de los obreros, así que me asignaron la organización de las limpiezas para que no hubiera basuras por las calles y para que asegurara la higiene de los desagües y la decencia de los jardines y para que se eliminaran las manchas de la sangre que la lluvia no había conseguido borrar de las paredes y de las aceras, y le pregunté a mi primo Alipio, esto cuánto va a durar, y él me dijo, siempre, Nalo, esto lo hacemos para que dure siempre, y a mí aquel siempre me pareció demasiado largo porque yo pensaba que eran muchas las circunstancias que sería necesario controlar, y le volví a preguntar, qué va a pasar con el palacio azul, y él me contestó, en una segunda fase los edificios de los burgueses serán habilitados para la consolidación de los diferentes servicios que necesita el pueblo. Como llegaba un camión con sacos de harina y de arroz, Alipio tuvo que organizar el reparto y yo me fui a buscar a las cuadrillas de los barrenderos y de los regadores para organizar los trabajos, y todos aquellos que estaban a mi cuidado eran hombres y mujeres de edad avanzada que no habían acudido a luchar, y uno de ellos me preguntó, cómo es que tú no estás peleando, y yo no sabía qué responder, y otra mujer que iba con él insistió, eso, por qué no estás luchando en el frente con los de tu edad, y les dije, tengo el oficio de jardinero y supongo que el Comité tuvo en cuenta esa circunstancia, y ya no me preguntaron más. Había hojas secas por el suelo. A veces el aire las levantaba y las sostenía entre la niebla. Con los escobones arrinconábamos los escombros, los cristales y las basuras y todo parecía un laberinto amarillo y gris. Las ventanas de muchas casas permanecían herméticamente cerradas, igual que los comercios. A veces alguien cantaba, pero yo veía expresiones agotadas y miradas empañadas en aquellos que me acompañaban. Barríamos y limpiábamos en silencio, hasta que alguien dijo, lo importante es que trabajamos juntos en algo que nos une. El aire se fue arremolinando hasta conseguir una lluvia de hojas y espantar el manto de la niebla, y la luz cambió de color. Todo cuanto teníamos alrededor configuraba la respuesta a la esperanza, y pensé que también era necesario para vivir aquello que se esperaba, que para andar por la vida no bastaba con lo que se conocía o se recordaba.

El ruso Basilio y la niña Angélica tuvieron que aplazar la boda. Ella engordaba cada día un poco más y sentada a la puerta de la barbería tejía gorritos de lana y chaquetas diminutas para Milcíades. Él andaba cabizbajo, ayudando en tareas de logística en el grupo que coordinaba mi primo Alipio y sin decidirse a coger un fusil. Me decía, a mí no me gustan las armas, Nalo, me dan miedo, en cuanto las tengo cerca ya siento las balas silbar en el aire, las veo sin verlas, porque las balas cuando despegan para matar se vuelven invisibles, como aquellas que mataron a mi padre delante de mis narices, ni siquiera las sentí cuando le atravesaron el cuerpo, fue así, como un mal aliento que no vino de ninguna parte, así que no quiero armas, Nalo, prefiero ayudar en otras cosas. Le pregunté a Basilio cuánto tiempo creía él que iba a durar aquello, y me dijo, unos días, se acabará en cuanto el ejército se organice, y le volví a preguntar, entonces para qué todo esto, porque una revolución se hace para que dure siempre, y él me explicó, mira, Nalo, las revoluciones hay que hacerlas aunque duren media hora, para mucha gente son la esperanza de que las cosas cambien, sin esa esperanza no aguantarían, incluso acabarían quitándose la vida, pero hay un momento, cuando llega la noche y se siente en los huesos la crueldad de los fuertes, en que el alma, porque tenemos un alma, no sé dónde ni cómo pero tenemos un alma, mi padre me lo decía, no es de Dios ni de nadie, es un alma únicamente nuestra, bueno, pues te digo, Nalo, que en ese momento de la noche, el alma que tenemos se libera de toda la tristeza y deja que pasen los sueños que nos dicen que somos inocentes y que tenemos que hacer algo para demostrarlo, y así nos dormimos, sabiendo que nada nos pertenece, salvo el alma y esa esperanza, y así, Nalo, es como se engendran las revoluciones, cada noche, sintiendo el cansancio de los huesos. Seguí escuchando al ruso Vasili Kolesnikok hasta que nos distrajo el sonido de un violín. Juan Jacobo Varela Caparina, se había encaramado en lo alto de una furgoneta y tocaba el violín, y era tan armónico y tan nítido, era tan expresivo y tan emotivo el sonido que producía Caparina que todos nos acercamos a él para escucharlo. A veces la música de Caparina era el aullido de la loba que había perdido su manada, a veces era una súplica o una plegaria y el violín se quedaba con el mástil apuntando al cielo, por momentos las cuerdas vibraban como si fueran voces y el sonido se alargaba sobre nosotros para atraparnos. Una multitud rodeaba en silencio la furgoneta. El anarquista retorcía su cuerpo y enredaba con él los compases en el aire, y a mí me parecía uno de aquellos caballeros andantes de los que nos hablaba el maestro Silvano. Unas veces el violín gritaba y otras alargaba en el tiempo un sonido agudo hasta convertirlo en dolor, y por eso le dije a Basilio, ese sonido duele, no parece un sonido de revolución, y el ruso no parecía escucharme porque me dijo, hablaré con Caparina para que toque el violín en la boda, y miré a mi alrededor y aquella plaza de los abastos parecía una sala de espera, pues todos habían suspendido sus labores y sus conversaciones, y miraban a Juan Jacobo, que se movía entre nosotros y el cielo, y así estábamos todos, sintiendo la fantasía de aquella música, cuando otras músicas más graves y atronadoras llegaron por detrás de las nubes, y alguien gritó, son aviones, y unos estaban optimistas porque aquellos aeroplanos del ejército ya habían pasado otras veces en las últimas horas y se habían limitado a observar, y otros mostraban recelo y por eso, a la vez que miraban arriba, retrocedían buscando una protección, y apenas salieron aquellas máquinas de entre las nubes, volando bajo, comenzaron a soltar sus bombas, y las primeras cayeron sobre las viviendas de los obreros, y una explotó junto a una panadería donde mujeres y niños aguardaban para recoger la ración de pan, y hubo algunos muertos y varios heridos, y otra de aquellas bombas infernales cayó en el río y destrozó parte del puente viejo, y en la plaza donde escuchábamos la música de Caparina también dejaron caer los aviones unos proyectiles que hicieron un agujero grande y mataron a un hombre que pedaleaba en su bicicleta, y fue tan grande la sacudida que era como si la bomba hubiera caído dentro de nuestros oídos y la cara se nos llenó de salpicaduras de barro y en el cielo había una lluvia de esquirlas, y los ruidos de los motores y el retumbar de las municiones era tan intenso que parecían haberse juntado todas las máquinas viejas del mundo para volverse locas, y había hombres tumbados en las cunetas y de todas partes llegaban los llantos y los lamentos, y también había voces desesperadas que pedían venganza, que exigían la muerte inmediata de todos los prisioneros que estaban en los sótanos de la Casa del Pueblo, y algunas viviendas de los obreros se habían incendiado y la gente formó una hilera hasta el río para pasarse los cubos llenos de agua, y todo el equipo sanitario, con Aida dirigiendo desde lo alto de un carro, se había puesto en marcha y recogía a los heridos más graves para subirlos al carro y a los que no parecían tan graves los atendían en el momento, les vendaban las piernas o la cabeza o les daban a beber algún jarabe que les calmara el dolor, y cuando este equipo sanitario llegó al parque, donde había caído una de las bombas, encontraron muertos a todos los patos y también hallaron a un hombre sin cabeza, aquel que cuidaba los jardines del ayuntamiento, yo lo conocía porque a veces iba por el palacio para que Eneka le diera semillas, se llamaba Silo y tenía una pierna inútil por un accidente de mina, por eso le habían ofrecido aquel trabajo, por allí me dijo Aida que estaba el cuerpo de Silo, enganchado en la cerca del estanque como si alguien lo hubiera puesto a secar sobre los alambres, pero la cabeza no estaba porque la onda expansiva se la había arrancado, y no pudieron pararse a buscarla porque eran muchos los heridos que necesitaban ser atendidos. El ruso y yo nos fuimos con mi primo Alipio hasta las puertas de la Casa del Pueblo para ayudar a los del Comité a contener a una multitud que pretendía entrar en los sótanos para fusilar a los prisioneros, y hubo discusiones y forcejeos, y había quien lloraba de rabia, y al final un miembro del Comité habló para explicar a todos lo monstruosa que podría resultar aquella pretensión, pues entre aquellos presos muchos había que no eran criminales y hasta era probable que entre ellos hubiera inocentes porque no había habido tiempo para determinar de manera justa su culpabilidad y algunos eran simples ladronzuelos que habían sido sorprendidos en actos de pillaje y otros eran acobardados comerciantes que al ver peligrar sus propiedades no habían podido contener el impulso de su egoísmo y habían pronunciado frases en contra de la revolución, y por esto sería un acto horrendo aquel que algunos proponían, en el ejercicio de su natural deseo de venganza, y no era la moral de los trabajadores equiparable a la de los burgueses, no podían los revolucionarios ejecutar actos repudiables como aquel que los enemigos fascistas acababan de cometer, soltando bombas sobre la población inocente.

Las horas pasaban sobre nosotros arruinándonos la paciencia y dejando al desnudo una obstinada esperanza sin porvenir. Mi abuela rezaba y mi abuelo, a pesar de las bombas, continuaba subiendo a los prados de Zalampernio para continuar con su propia revolución. Elena había conseguido conferenciar a través del cable con su amiga Aurora, quien le había informado del infierno en el que se había convertido la capital, explosiones de dinamita constantes, edificios históricos convertidos en escombros, luchas encarnizadas hasta el horror, calles sembradas de cadáveres abandonados, bestias insensibles fusilando a discreción, rostros acongojados por el terror y un permanente olor a pólvora y a muerte. Yo le decía a Elena que Aurora estaría asustada porque su casa era una casa de ricos y el miedo le estaría originando visiones pesimistas de la realidad, y Elena me dijo, eres imbécil, Nalo, no te estás enterando de lo que ocurre a tu alrededor, y le dije, sí que me estoy enterando, pero mi primo Alipio dice que toda la ciudad está ocupada por los revolucionarios y que hay normalidad y solo queda por sofocar una pequeña resistencia en el cuartel de artillería, y entonces Elena me sujetó por los brazos y me gritó, tu primo Alipio es otro imbécil como tú, os creéis que este mundo, que tantos siglos tardó en construirse, va a cambiar de repente porque cuatro locos anden jugando a la guerra con fusiles y dinamita. Me enfadé mucho y me puse serio y le dije a Elena, yo estaba muy conforme con el mundo que tenía en este palacio azul, yo no quería cambiar nada y menos con dinamita, pero hay gente que sufre mucho, gente que no tiene nada, gente que sólo vive para ser explotada y para morir, y esa gente tiene derecho a intentar que cambien las cosas, y Elena se fue hacia la ventana en silencio y cruzó los brazos y miró a lo lejos, y allá estaban las altas chimeneas de la fábrica, sin humo, y los castaños meciéndose por el viento del sur que había vuelto, y el río corriendo, y estaban también todos los sonidos ensartándose unos a otros para confundirse y formar un único sonido, y se volvió Elena hacia mí y con una voz más cercana me dijo, perdóname, Nalo, pero todo esto es una locura, y me abrazó y rompió a llorar, y limpié sus lágrimas y su figura era hermosa al trasluz de la ventana, y toqué sus senos, los sostuve con mis manos y parecían lunas llenas sin mengua, y luego abarqué su cintura, que era el accidente más delicado en el litoral de sus carnes, y subí hasta la colina de sus hombros y allá a lo lejos seguían las chimeneas sin humo mirándonos, y recorrí la caída de su espalda hasta la serranía de sus caderas, que eran las prominencias más sólidas en el mapa de su cuerpo, y mis falanges de alfarero enloquecieron y resbalaron por las orillas tibias hasta el acantilado desafiante y buscaron la caverna que todo lo guardaba, la que todo lo transformaba, la que fundía en un solo olor los olores de amaneceres y de crepúsculos, pero ella recogió mis manos y me dijo, Nalo, esta noche nos juntamos, y la besé y le dije que lo mejor que podía hacer era bajar al vestíbulo para ayudar a Aida en la atención a los heridos y que ya pasaría lo que tuviera que pasar. Había hombres exaltados, pintados de sangre, los había encogidos por el dolor y la fiebre, había jóvenes desconcertados y mujeres que sonreían para curar los llantos. Salí al jardín y allí había unos revolucionarios que hablaban entre ellos como vencedores y alardeaban de los triunfos de la revolución y aseguraban que la situación estaba dominada, que en todo el país la revuelta había sido un éxito y que los militares de la capital se habían rendido, y seguí caminando por aquel jardín que aún tenía muchas flores que yo mismo había cultivado, y junto al portón había otro grupo de obreros armados que se mostraban desilusionados y se quejaban y parecían arrepentidos de haberse comprometido tanto, y al otro lado de las tapias había otro grupo de obreros que comían trozos de pan, y uno de ellos que llevaba un cuchillo al cinto decía que a los patronos no había que matarlos sino enseñarles un oficio para que trabajaran como ayudantes en las minas o como peones en las fábricas, y otro se reía mucho y decía que los ricos se irían a vivir a los barracones y que los obreros vivirían en las casas lujosas y en los palacios, y yo pensaba que aquella revolución no había sido entendida por todos de la misma forma y que tampoco había sido explicada siempre con los mismos argumentos, porque había muchos pobres que envidiaban a los ricos y que querían ser como ellos para tener a su lado pobres a los que ordenar y despreciar, y había obreros que querían ser patronos para vengarse del oprobio sufrido, y me enfrenté a aquellos obreros que comían pan y les dije, en los palacios no vivirán ni los ricos ni los pobres porque los palacios ya no serán viviendas sino edificios habilitados para los servicios públicos, y ellos me miraron sorprendidos y uno de ellos me preguntó, tú quién eres, y le dije, un delegado del Comité Revolucionario, y se cuadraron ante mí como si yo fuera un comandante, y entonces me crecí ante ellos y con una voz profunda y soberbia les dije, estáis confundiendo el motivo de vuestra lucha, ahora vais a acercaros hasta la plaza de los abastos y os presentáis al compañero Alipio para que os busque una ocupación, y salieron corriendo a paso ligero para cumplir lo que les había ordenado. Antes de incorporarme a las tareas de limpieza, decidí pasar por casa de mi hermana, y me iba riendo mucho por lo que había pasado con aquellos obreros. Lucía y Eneka desembalaban los cajones de libros que habían recibido antes de la revuelta, y se entretenían observando y acariciando cada ejemplar como si fuera una criatura que tuviera vida y necesitara cariño, y Eneka me dijo, acércate, y me arrodillé junto a ellos, y estaban clasificando unos ejemplares encuadernados en piel oscura y con el tejuelo dorado, y Eneka los tocaba, rozaba las hojas con la yema de sus dedos como si quisiera sentir los murmullos de los habitantes del libro, y nos decía, Pausanias, un viajero griego que describe su tierra, y tomaba otro libro, y repetía el ritual, lo acercaba a su cara y con el dedo pulgar hacía que las hojas se precipitaran una tras otra formando un abanico y aspiraba el olor de aquel viento de palabras y nos decía, Teofrasto, la primera descripción psicológica de los diferentes caracteres a través de los comportamientos, y luego sacaba otro libro del cajón, y decía, Longo, la historia del amor de Dafnis y Cloe, y se lo entregaba a Lucía y ella leía una frase del prólogo, aquí el erotismo es una dimensión más de la naturaleza, y cuando terminaban con los libros de un cajón abrían las tablas de otro, y Eneka sonreía feliz y proclamaba, aquí llega Dickens, todas las obras de Dickens, y las iba sacando y nos las presentaba como si fueran actores de una obra de teatro que se fuera a representar, Copperfield, Pickwick, Twist, Nickleby, Chuzzlewit, Dorrit, y después abrió más cajones, y Lucía iba estampando en el interior de cada libro con un sello de caucho el emblema elegido para el nuevo establecimiento, *Casa de las musas*, y parecían satisfechos, y esa satisfacción era lo más parecido a la felicidad, una especie de pasarela colgante que los encaramaba por encima de las calamidades, que los elevaba de pronto sobre la ciénaga de la desgracia y los dejaba colgando de las nubes, casi tocando el cielo, pero más vulnerables que nunca a la ciega realidad de los desencantos.

El tiempo ordenaba las horas en función de las cantidades de desánimos o de esperanzas que podían caber en ellas, y así había horas de mucha satisfacción pero tan fugaces como la cabriola de una gaviota, y había horas tan largas como un día entero lleno de horas corrosivas y feroces. Cuando estábamos en una de las horas buenas, después de haber reparado la vía para que un tren blindado transportara de nuevo a la gente, volvieron los aviones, y aquella hora pasó y en la memoria se quedó muy corta y vino otra hora llena de unos ruidos que multiplicaban el tiempo de los desánimos. Soltamos las herramientas y nos escondimos en unas ruinas, y había gente que lloraba de rabia, y gente que vomitaba de humillación y de impotencia con la cabeza metida entre las piernas, hombres que apuntaban con sus fusiles al cielo para espantar la desesperación y el miedo al exterminio, mujeres apelotonadas en el llanto por la localización imposible de los hijos diseminados, ancianos clavados contra los muros y apretando la garrota como si fuera el estribo del mundo desbocado, revolucionarios escupiendo la certidumbre amarga de una lucha que estaba perdiendo su causa. En los camiones sonaban las bocinas a modo de alarmas, pero no fueron bombas lo que aquellos aviones soltaron sobre nuestras cabezas. Pasaron ruidosos y fugaces y dejaron el aire manchado y vidrioso, y levantamos los ojos y una lluvia de papeles revoltosos nos enseñó a todos que aún había otoños diferentes, y vimos los tumbos agónicos de unas hojas que caían sobre nosotros como sudarios para envenenarnos el ánimo, livianos fragmentos del desánimo y la intimidación que el viento llevaba y traía desde las nubes manchadas hasta el óxido brillante de las chapas de la fábrica, desde la luz plateada del otoño de los álamos del río hasta nuestras manos, desde el vuelo asustadizo de los pájaros pequeños hasta la ropa tendida de las terrazas, y leíamos aquella propaganda del cielo, rendíos, es la única manera de salvar vuestras vidas, la rendición sin condiciones y la entrega de las armas antes de veinticuatro horas, toda la nación va contra vosotros dispuesta a aplastaros sin piedad, como justo castigo a vuestra criminal locura, estáis solos y vais a ser las víctimas de la revolución vencida y fracasada, iremos contra vosotros hasta destruiros sin tregua ni perdón, rendíos al Gobierno de la Nación. Las calles quedaron cubiertas por una costra blanca, y regresó el desánimo a los corazones de algunos obreros, y también con aquellos panfletos llegaron la zozobra y la duda, porque de pronto todos confesaron aquello que en silencio venían sospechando, que si las tropas habían desembarcado en los muelles, que si avanzaban nuevos contingentes por los puertos, que si también llegaban batallones por la carretera de la costa y que si la radio transmitía música y fútbol como en los tiempos de la normalidad. Pero la lucha continuaba y seguían acercándose muchos voluntarios hasta el Comité de la Guerra para solicitar su alistamiento, y continuamente partían hacia los frentes camiones con obreros que iban cantando porque aún creían en el triunfo de la revolución. Los víveres escaseaban y también se agotaba la munición. El convento de las monjas se utilizó

como comedor central para los transeúntes y para los soldados y para los que habían perdido sus casas en los bom-
bardeos, y allí llevaba la gente los víveres para compartir-
los, y yo le dije a la señora Geertghe que había que coger
unos sacos de arroz y de harina de la despensa del palacio
azul para llevarlos al comedor central y ella bajó con Elvira hasta el sótano y le fue indicando cuanto se podía llevar,
no sólo el arroz y la harina, también patatas y garbanzos y
bacalao en salazón y latas de aceite y cuatro jamones, y todo fue llevado al convento y las propias monjas hacían de
cocineras y también hacían de camareras y consolaban a
los que estaban tristes y parecían contentas de poder servir a la gente del pueblo. Y el tiempo, en aquel improvisado refectorio para transeúntes y famélicos, se paraba y se
volvía espeso y se llenaba de olores desagradables, a grasa
frita y a las entrañas corrompidas de las gallinas y al sarro
verdoso de las aguas que se estancan. Había soldados de
una semana que volvían después de una mínima batalla
con una bala alojada en alguna parte, con un ojo perdido
o con una pierna partida, jóvenes obreros que habían cambiado las herramientas de trabajo por el fusil y que ahora
se preguntaban por su futuro, qué pasará mañana, y una
mueca de dolor contraía sus facciones demacradas, y,
mientras sorbían la sopa caliente de las monjas, sentían
que aquel miedo que en los últimos días les había crecido
dentro, ahora les salía por los ojos húmedos en el vaho de
la sopa y les salía también por los oídos aguzados en el fra-
gor del caos de la derrota, y ese miedo que ellos sentían
crecer se derramaba como una peste contagiosa sobre
aquellos que aún no lo habíamos sentido. Yo ayudaba a
Basilio y a Alipio a descargar unos sacos de arroz en la cocina del convento. Un hombre mayor, con barba de varios
días y el brazo en cabestrillo, se subió a uno de los bancos
del comedor y con un repeluzno en la voz dijo para todos

los presentes, quiero contaros lo que vieron mis ojos para que estéis preparados, ocurrió en un lugar que llaman Villafría, donde habíamos combatido contra las fuerzas del tercio y regulares, después de dos días de combate agotamos las municiones y tuvimos que retroceder, había varios edificios en llamas, a mí me habían herido en el brazo y me quedé escondido con otro compañero en el desván de un edificio que había sido fábrica de tejidos, él improvisaba un vendaje para mi herida cuando los sentimos llegar, eran ellos, los moros, las hordas mercenarias, lo que llaman un tabor de fuerzas indígenas regulares, había un grupo de cinco mujeres rebuscando en los escombros, habían encontrado a un revolucionario herido y lo habían arrastrado al centro de la calle para intentar reanimarlo, lo que os cuento lo vi con mis propios ojos desde aquel maldito desván, aquellos bárbaros vestidos de blanco violaron a las cinco mujeres, lo hicieron allí mismo, en la calle, les arrancaron las ropas y las golpearon y las violaron, y luego con tajos limpios y certeros les cortaron las manos y a dos de ellas también les cortaron los pechos y al revolucionario que estaba herido en el suelo le arrancaron la cabeza y la lanzaron al aire contra los escombros y no pude ver nada más porque perdí el conocimiento y caí desplomado en brazos de mi compañero, eso es lo que nos espera cuando lleguen esos bárbaros, os lo anuncio para que estéis preparados. Alipio nos dijo a Basilio y a mí, vamos a detenerlo, y le pregunté, por qué a detenerlo, y él me explicó, está amedrentando a la gente y perjudicando la revolución, y fuimos hacia él y le sujetamos para sacarlo de allí, y Alipio se subió al mismo banco en el que el hombre había relatado aquellas escenas tan terribles y habló para todos y dijo, compañeros, estamos creando una sociedad, y como en el mundo biológico, el alumbramiento se verifica con desgarrones físicos y dolores morales, la muerte produce la vida, la agonía de un moribundo va a fortalecer los pulmones de un recién nacido, no os extrañe, compañeros trabajadores, que el mundo que estamos forjando cueste sangre, dolores y lágrimas, todo es fecundo en la tierra, ahora bien, esta obra de gigantes necesita el coraje de todos, unos batiéndose en la calle con entusiasmo y otros cooperando en cuantas operaciones secundarias sean necesarias, nos corre prisa dejar las armas, queremos pronto licenciar a la juventud para que se dedique a crear y no a destruir, porque es un sarcasmo que quien nace para la vida empuñe instrumentos de muerte, será cuestión de pocos días, los necesarios para convencer a los antiguos privilegiados de que sus privilegios han terminado para siempre, como terminó un día la esclavitud y como también terminó el derecho de pernada de los señores feudales, seamos todos dignos de los momentos que vivimos levantando la frente, tantos siglos humillada, aún hay muchos enemigos, miles de hermanos de clase se baten en los frentes, todos somos necesarios, habrá tiempo de recordar lo bueno y renegar de todo lo malo, ahora es tiempo de lucha, tiempo de esperanza y de ánimo, compañeros, trabajadores, viva la revolución social. Hubo algunos aplausos y nosotros salimos con aquel hombre, y él nos preguntó, por qué me detenéis si yo he luchado por la revolución, y Alipio le dijo, no te detenemos, pero no vuelvas a propagar el miedo entre la gente, el momento es muy difícil, y tú lo sabes porque has visto cosas terribles, por eso hacen falta compañeros que levanten el ánimo. Él dijo, lo siento, porque entendió los argumentos de Alipio, y Basilio le indicó que se acercara hasta el palacio azul para que le curaran la herida del brazo. Le dije a mi primo, hablaste bien, y le pregunté dónde había encontrado aquellas palabras, y él me dijo, corresponde a un manifiesto de uno de los comités, y Basilio dijo, estamos en la hora de las palabras, unas pueden hurgar en las heridas y otras pueden hacer de bálsamo, pero no son más que palabras, los hechos están ahí, amenazándonos, y acabarán dejándonos mudos y presos en una cárcel tan negra como la noche. Caminábamos juntos y tristes. Alipio nos manifestaba su descontento con el nuevo comité que se había formado. Nos decía, los comunistas acabarán jodiéndolo todo, se trataba de crear una sociedad mejor, de persuadir a la gente de la necesidad de cooperar para el bien común, de que todo el pueblo fuera el responsable de la defensa de su libertad, de educar a las juventudes en el trabajo y la virtud, de producir entre todos lo necesario para la vida, y ahora estos cabrones hablan de órdenes inexorables, de obediencia ciega a los jefes, de disciplina castrense y castigos ejemplares, hablan de crear un ejército rojo que dirija y que gobierne y una policía que vigile y que oprima, son unos hijos de puta que se quieren apoderar de los resortes de mando para defender sus propios intereses. Alipio se paraba y gesticulaba y Basilio le dijo, cálmate, no ves que ya todo da igual, y mi primo nos dijo, no me habléis así, no puede ser que todo esté perdido y que tanta gente haya sufrido en vano. Alipio lloraba. Fue entonces cuando volvieron a aparecer los aviones. Varias bombas cayeron al oeste, en la zona de Zalampernio. Los tres nos miramos y sin decirnos nada pensamos en el abuelo. El bombardeo continuaba por la zona del río y por la carretera del puerto, sin embargo fuimos en busca del Packard de la señora Geertghe que estaba en el almacén de los abastos. Conduje a toda velocidad hasta que la carretera se hizo camino intransitable. Corríamos sin decirnos nada porque sabíamos que el abuelo Cosme andaba por Zalampernio.

La claridad del sol estaba teñida de humo y una marea de barro provocada por el agua de las presas reventadas se esparcía por el espacio de las sendas de Zalampernio co-

mo un ramalazo de exterminio y desolación, y los tejados
habían desaparecido en el desorden del viento de la calamidad, y ardía el otoño de los árboles del jardín botánico
que yo había inventado para el abuelo, y el aliento sísmico
de aquellas explosiones equivocadas había desbaratado
los mecanismos de la fragua y los engranajes de las muelas
corredoras y la magia de las quebrantadoras cónicas y la
fantasía de las máquinas electrostáticas y la armonía de los
batanes, y también habían arruinado aquellas detonacio-
nes los muros y los canales y los azudes y los pilares del
acueducto, y el caballo moro flotaba descabezado en el remanso del fango allá donde el arroyo Xumial peleaba por
huir de los escombros, y no veíamos al abuelo por ninguna parte. Ardían los batanes y también la techumbre de
uno de los molinos, y el aire estaba sucio y caldeado y a mí
me pesaban en la nuca ese aire y mi sudor y el chirrido de
los follajes y también me pesaba la duda, y grité, abuelo, y
Alipio gritó, abuelo, y Basilio nos llamó apurado porque
lo había encontrado, está mal, nos dijo, y corrimos y entramos en el molino que ardía y estaba allí, contra la muela solera, inmovilizado por una viga que se había despren-
dido y le había partido el espinazo. Su semblante gredoso
era la imagen del paisaje de Zalampernio, porque sus ojos
tenían humo, porque se había convertido en escombro el
pellejo de sus arrugas y porque su barba era un conjunto
de matojos carbonizados. Tenía los labios extrañamente
contraídos en un rictus que podía ser de dolor y que también podía ser de burla, y le pregunté si le dolía y él me
respondió, me duele todo, lo de dentro y lo de fuera, y
cuando conseguimos retirar la viga nos dijo, parece que se
acabó, y pensábamos que se refería a su vida, y Alipio le
preguntó, qué es lo que se acabó, abuelo, y respondió, la
revolución, y yo no sabía si se refería a la revolución que
los obreros defendían en los frentes de los valles o a la que él

por su cuenta había declarado en aquellos lugares de Zalampernio, y pensé que tal vez una y otra fueran las dos caras de la misma revolución, del mismo sueño tan necesario
como insensato, en todo caso habían sido las mismas bombas las que estaban terminando con las dos, y, viendo a mi
abuelo más cerca de la muerte que de la vida, no quería
creer que revolución alguna mereciera la pena, porque
aquellas sendas que se pretendían nuevas nos estaban conduciendo a todos hacia atrás ya que no había en ellas inocencia ni había sencillez, como era de propiedad que hubiera en el principio de todas las cosas, así que no era
aquello principio sino final manchado de sangre, y por lo
tanto final complejo marcado por la destrucción culpable
y por la muerte innecesaria, y andaba yo saturado de pensamientos contradictorios cuando Basilio dijo, siempre hay
alguna jodida munición que viene a destrozarnos la vida, y
decía aquello porque sin duda recordaba la muerte de su
padre, y Alipio dijo, vamos a improvisar una parihuela para bajarlo al pueblo, y así lo hicimos, y lo llevamos hasta el
palacio azul de los ingenieros belgas porque era allí donde
se habían concentrado los servicios médicos.

Aida no había abandonado el palacio desde que en él
se habilitara la planta baja para atender a los heridos. Ella,
con una pañoleta blanca cubriéndole la cabeza y el pañuelo rojo al cuello, atendía a todos como si estuviera envuelta en una nube de energía sobrenatural, animaba a las enfermeras voluntarias, borraba con su ánimo la frontera
entre la enfermedad y la salud, colocaba vendajes, limpiaba heridas, servía comida, sostenía cabezas, humedecía labios, se movía como en sueños, con movimientos acompa-
sados y poderosos, y a cuantos se cruzaban en su camino
rotatorio por toda la planta les decía, vamos a ser capaces,
podemos con ello, y yo no sabía qué quería decir con aquel
ello, qué fantasía o qué esperanza o qué dolorosa realidad

encerraba aquella palabra que era personal y sustantiva y que también era neutra, pero siempre lo repetía, podemos con ello, y nunca se sentaba, sabía en cada momento lo que había que hacer, a la señora Elvira le pedía más sopa, a Fredo le pedía más leña para los fuegos, y se anticipaba a todas las órdenes y también a todos los deseos. Elena me decía, ella tiene poder para hechizarnos a todos, a su lado ni siquiera encuentro tiempo para preguntarme qué hago yo metida en este enredo, pero estoy metida y todo por ella. La noticia de que la revolución había fracasado se había extendido entre los heridos, lo cual hacía que su dolor se multiplicara, pero Aida no permitía que nadie hablara de fracaso, y gritaba, una manta para este camarada, hay que tapar esta herida, vendas, necesitamos vendas, que la señora belga saque de los baúles más sábanas limpias. Tumbamos al abuelo sobre una mesa para que el médico lo examinara. Hay poco que hacer, salvo esperar un milagro y no parece que estemos en un momento propicio para milagros. Esto nos dijo aquel anciano doctor, el cual hacía años que había abandonado el ejercicio de la Medicina, y lo hizo con la voz partida por la fatiga y los ojos enrojecidos por tantos días de vigilia. Aida cubrió al abuelo con una manta, le colocó una almohadilla bajo la cabeza y limpió el hilo de sangre que le salía de la boca. Elena subió a avisar a su tía Geertghe. El abuelo me preguntó, Nalo, a dónde demonios me trajisteis, y le respondí, al palacio de los belgas, aquí atienden a los heridos, y abrió mucho los ojos y miró las lujosas escaleras de madera y también miró los grandes lienzos de los pintores flamencos y la lámpara gigante llena de lágrimas colgantes y me dijo, anda todo girando al revés, y vi aquellos ojos tan sorprendidos y tan abiertos anegados de lágrimas, y vi su barba desgreñada manchada de sangre y sus cabellos cubiertos por la ceniza de los incendios de una vida calcinada por la revolución permanente, y en su piel agrietada había restos de grisú y de polvo de hierro y de escombros y de una sustancia negruzca parecida al alquitrán y también estaban incrustadas en su piel cuarteada las hojarascas tábidas de todos los otoños a los que había sobrevivido. Trató de agarrarse a algo, pero sus manos encontraron el vacío y cayeron desplomadas sobre la mesa, y Alipio le dijo, abuelo, no te muevas, y él con mucha dificultad me preguntó, cuánto hace que no vas a la casa de los sauces, y detrás de mí estaba la señora Geertghe, y fue ella quien respondió, y le dijo al abuelo, ayer mismo fui a visitarla y todo lo que hay en ella me preguntaba por ti. No supe si el abuelo había llegado a escuchar las palabras de la que durante tantos años había sido su amante. Lo cierto es que en el mismo momento en que fueron pronunciadas, el abuelo cerró los ojos y ladeó la cabeza y soltó de su piel toda la hojarasca muerta. Ella le besó las manos y se las colocó sobre el pecho, mientras nosotros permanecíamos inmóviles asistiendo a aquella muerte que en nuestras memorias siempre habría de ser descomunal porque se había llevado muchas preguntas sin responder y aun sin formular y el desbaratamiento de muchos principios y los residuos siderales de algunos sueños y la sublime victoria de algún que otro mundanal fracaso y los silencios prolongados e inexplicables y la encarnación de varios engaños históricos y las interminables sinfonías de la silla labrada golpeando contra los azulejos blancos de la cocina, y también se había llevado consigo aquella muerte descomunal el sabor y el poder inequívocos del anís de la rabia y de los anhelos y el sabor y el poder de aquellos sorbos lentos del café puro y negro como la mina que la abuela preparaba con mimo al amanecer como remedio para todos los desalientos. Cuando la abuela Angustias entró en la sala, aún nosotros permanecíamos inmóviles y la señora Geertghe gimoteaba arrodillada junto al abuelo. Al ver a la abuela, la belga se levantó e intentó retirarse, pero la recién llegada la detuvo con un gesto imperativo y dijo, a quien de sufrir no es ducho, poco mal se le hace mucho, y la señora Geertghe le dijo a la abuela, él siempre fue un hombre querido en esta casa, y la abuela respondió, cada uno lleva la lengua al lado de donde le duele la muela, y sacó del refajo un manojo de cartas atadas con una cuerda y le dijo a la belga, esto es suyo y ya que él nos ha dejado es de ley que sea usted quien las tenga y que cada capellán alabe sus reliquias, y después nos ordenó que lleváramos el cadáver a la casa para vestirlo y velarlo. Durante el velatorio, Basilio nos habló de la muerte. Nos decía, los que apenas tienen nada saben morir mejor y con más humildad que los que lo tienen todo, a los pobres no les importa tanto volverle la espalda al mundo porque ese mundo estuvo peleado con ellos y ellos sencillamente dejan de mirarlo, y lo hacen con orgullo y en silencio, en ellos el silencio es despreciativo y con ese silencio que practicaron en vida se enfrentan a la muerte, que también sabe mucho de silencios, no dejan bienes valiosos, ni honores, ni tampoco dejan avaricias, se van con alguna pena, una de ellas quizá la de no haber entendido a tiempo algunas cosas, pero nunca se van con la pena de no haber tenido posesiones o celebridades, del mundo no recibieron nada y nada esperan de la eternidad, porque cuando alguien les hablaba de ella decían, eso no responde a las necesidades que tenemos, y esta gente se enfrenta a las dudas que predican las religiones y las filosofías con ironía, con una ironía serena, así que casi es un privilegio enfrentarse a esa nada, que algunos quieren llenar de ángeles, desde la nada o desde la modestia de vivir junto a los demás como unas rosas viven junto a las otras en el mismo rosal, sabiendo que son perecederas y sin ningún remordimiento de eternidad. El ruso Basilio hablaba como si estuviera leyendo un libro. Lucía nos sirvió una copa de anís y brindamos por el abuelo. Eneka nos explicó, los egipcios embalsamaban con sustancias a sus muertos para conservarlos, igual que hacen las gentes del interior con los bacalaos, así los protegían del tiempo y de los gusanos, y les ponían al lado abundantes manjares y ropas lujosas y cuantas joyas habían poseído en vida, por si pudieran necesitar todo eso en la otra vida, en realidad eso lo hacían los egipcios ricos porque los egipcios pobres se morían sin más y si acaso les echaban a la tumba una túnica vieja para el frío y una torta de trigo para las primeras hambres. Mi hermana Lucía le pedía a la abuela que se acostara para dormir un rato, pero ella decía, hija, llevo muchas noches sin dormir, en realidad apenas duermo, hace años que me paso las noches oyendo el silencio y mirando la oscuridad, tu abuelo a eso lo llamaba insomnio, es una enfermedad y quienes la padecemos llevamos viviendo una eternidad, las horas no tienen nada, sólo angustia, es como una muerte anticipada pero sin las ventajas que tiene la muerte. La abuela Angustias se dejó abrazar por Lucía y las dos permanecieron juntas en el escaño contemplando el cajón con el cadáver del abuelo y las flores que yo había conseguido rescatar del maltrecho jardín del palacio, rosas floribunda de un rojo intenso, aquellas que Eneka llamaba Lili Marlen, también amarillas Gloria Dei, margaritas blancas y algunos lirios. Lucía y la abuela vestían de luto. Mi hermana tenía en la mano un pañuelo blanco con puntillas para secarse las lágrimas, igual que en el entierro de nuestro padre. A veces llegaban visitas de pésame, dejaban las condolencias, las alabanzas al difunto y las lamentaciones de costumbre y luego se iban, no sin antes hacer entre ellos algún comentario sobre la agonía de la revolución. Algunos, como el señor Colino, se quedaban un rato con nosotros. Yo sabía que allí estaba de nuevo la muerte y que ella era inmutable y constante, que esa muerte despediría al abuelo a las puertas del cementerio para quedarse después a vivir clandestinamente entre nosotros, porque a ella no le gustaban los muertos sino los vivos. Así se lo dije a ellos, Basilio, Alipio y Eneka. Sentí deseos de llorar pero miré a la abuela. Ella no había derramado una sola lágrima. Fui hacia el escaño y me arrodillé junto a ellas, y besé a mi abuela y luego besé a Lucía, y mi hermana me acarició la cabeza y me dijo, golondrina, eres como una golondrina. Eneka nos habló de Séneca y de una carta que éste había dejado escrita, dirigida a Lucinio, en la que hablaba del miedo a la muerte. En ella se decía que todo siervo tenía sobre su amo el poder de la vida y la muerte y también que cualquiera que despreciara su vida se convertiría en dueño de cualquier otra vida, decía que nacemos para ser llevados a la muerte y que debíamos obviar las insignificancias, y predicaba la grande riqueza que suponía la pobreza conforme a las leyes naturales, cuyos límites establecía en la ausencia de hambre, de sed y de frío. Mi primo Alipio se enfurecía con aquellos pensamientos de Séneca de los que nos hablaba Eneka, y nos decía, no sé quién es el romano ése, pero está claro que se trata de un filósofo fascista que lo confunde todo para su provecho llamando a los pobres ricos y a los ricos pobres y delimitando la frontera entre pobreza y riqueza por el hambre, la sed y el frío. Eneka le dijo, de todos los hombres sabios se obtiene algún provecho, y Alipio le replicó, pero a veces el provecho consiste en rebatir lo que dicen, puede que en la Roma de Séneca lo superfluo no fueran los baños termales para los señores ricos sino el pan de los esclavos, puede que para él en este momento que ahora vivimos lo superfluo no fueran los dividendos que obtiene el capital sino el jornal de los obreros, es muy fácil para quien lo tiene todo hablar de cosas superfluas, pero para la inmensa mayoría de la población la vida consiste en llevarse un trozo de pan superfluo a la boca o conseguir un abrigo superfluo. Eneka le dijo a Alipio, contaba lo de Séneca porque hablábamos de la muerte y él pasó a la historia por la serenidad y la entereza con la que se quitó la vida. Ya no pudimos seguir hablando porque llegaron dos funcionarios con mandilones azules y clavaron la tapa del cajón y todos fuimos camino del cementerio. Allí había muchos insectos pululando en el aire, mosquitos y moscas azules y tábanos y *vacallorias* y abejorros negros, y era como si ese aire que respirábamos tuviera fiebre o estuviera envenenado, y el cementerio estaba sembrado de tumbas recientes.

Los vientos azotaron el paisaje y aceleraron la rebelión de los colores y el mundo parecía un amasijo de manchas grises y amarillentas y una confusión de brillos lanzados al vacío, y la vida limitaba al norte con el mar y con los ejércitos que habían vencido, y limitaba al este con las aguas negras de los ríos del carbón, y limitaba al oeste con los bosques, y al sur también estaban los ejércitos y los bosques, y en esos bosques había caminos para huir, como también en la vida había caminos por donde era posible alejarse sin llegar a ninguna parte, y yo miraba esos árboles que se estaban desnudando para mí y veía en ellos un tronco calmoso y firme que bien podría simbolizar, si un árbol fuera la vida, la seguridad y el poder de lo establecido durante siglos por quienes siempre tuvieron la tierra y el aire y también tuvieron las lluvias y la luna, y suponía yo en aquellos árboles que eran como la vida unas raíces creciendo con esfuerzo y batallando en la oscuridad de la tierra, y esas luchas enterradas de las raíces eran el sustento de la vida del árbol y representaban las revoluciones ocultas de quienes reclamaban la luz y aspiraban a formar parte del tronco, y también veía yo los follajes y oía cómo susurraban, y eran estos follajes como los sueños que duraban únicamente un verano. Seis regimientos, cinco batallones, tres de ellos de África, tres banderas del tercio, dos tabores de fuerzas indígenas regulares, cuatro escuadrones del aire, baterías de montaña, ciclistas, secciones de ametralladoras, intendencia, radio, sanidad y municiones, compañías de guardias de asalto procedentes de cinco provincias, además de los cuerpos de guardias civiles y carabineros, todos ellos, en nombre del gobierno nacional, terminaron con el sueño revolucionario que había durado apenas dos semanas. Cerca de un millar y medio de muertos contabilizados, la mayoría civiles, casi tres mil heridos y varios desaparecidos conformaron el balance de aquellos días de lucha desesperada. Ante la presencia arrolladora de las fuerzas estatales y la carencia de municiones en los frentes obreros se dio por malogrado el proceso revolucionario y los miembros de los comités, con Belarmino Tomás a la cabeza, pactaron la entrega de las armas con un militar de muchas estrellas y de nombre Eduardo López Ochoa a cambio de un compromiso de éste de evitar cualquier tipo de represión por parte de las tropas. Ocurrió esto el día diecinueve de octubre a las doce de la noche. Después, muchos huyeron en desbandada por los caminos del monte porque no se fiaban de las promesas de Ochoa y temían que los mercenarios actuaran como lo habían hecho en el lugar de Villafría. Ante mí pasó el final de aquella guerra tal como lo había hecho el comienzo de la misma, con el pensamiento abarrotado de preguntas, con el sentimiento embrutecido por la multitud de los acontecimientos, sabiendo que la verdad era un estado de ánimo de la existencia, con las horas dando vueltas en círculo sobre aquel jardín embrujado de los aprendizajes, observando el ultraje de la sensatez y el insulto de la inteligencia y la ejecución de la sabiduría contra el muro de las hortensias, y si al principio de la guerra había tenido que llevar el coche de los ricos para ponerlo al servicio de la causa de los pobres, al final de la misma tuve que recoger aquel mismo automóvil, ahora manchado de sangre, y devolverlo al palacio azul de los ingenieros belgas, y tuve que hacerlo por los senderos de la rebelión, donde el aire a veces revoloteaba y a veces se quedaba inmóvil, y sentí, al regresar al volante del Buick-409, cierta nostalgia hacia algo que no sabía qué era, pero que andaba perdido sin duda en la misma rueda de las horas del jardín, que era la rueda de los deseos y era la rueda de la sabiduría serena del maestro que había descubierto la magia del mundo de las musas, y vi pasar aquella guerra, pero no dije adiós, no dije nada porque un hombre sabio debía contar con todo, estar siempre expuesto, perseguido por sus exigencias vitales y dispuesto a la transformación paulatina de las cosas externas, igual que un buen jardinero debía advertir el sufrimiento de las plantas y medir con la mirada su crecimiento, igual que un buen camarero siempre debía estar ocupado aunque nada tuviera que hacer y debía anticiparse a las órdenes y advertir los deseos de los señores antes de que se pusieran de manifiesto, así en la vida había que actuar para convertirse en sabio, dejar que los sentidos palpitaran ante la sublevación de todas las cosas, contar con todo, contar con la evidencia, con el sol y la tierra y el mar, con todo cuanto permanecía, y contar también con la pasiones que parecían dormidas y con las parábolas equivocadas que poblaban el mundo y con las deficiencias del hombre y sus limitaciones, contar con el dolor y también con la alegría antes de que se manifestaran y contar sobre todo con la duda, dejarse desgastar por ella hasta el fondo para descubrir al fin el tesoro del conocimiento.

El mes de noviembre llegó como un reguero luminoso y húmedo que enloquecía todas las cosas y salpicaba el cielo de nubes blancas. Muchos pueblos habían quedado abandonados a causa del miedo. Hubo quienes que se acercaron a los puertos en busca de barcos que los transportaran a otros lugares. Elena tomó la decisión de irse a vivir a París, a una vivienda que la familia poseía en la Calzada de Antin. Me dijo, desde allí puedo ver la iglesia de La Trinidad y junto al portal hay un café donde todos conversan con todos aunque no se conozcan de nada, mi padre se la regaló a mi madre porque ella era una enamorada de todo cuanto acontecía en París, pero apenas la usaron. Yo le dije, en París también llueve con frecuencia, mas ella contestó, pero allí están la música y el arte y la moda, allí está el principio de muchas cosas, te escribiré para contártelo todo. Me lo dijo sin emoción, tampoco mostraba tristeza. Sus ojos no se empañaban nunca. Quise preguntarle por lo nuestro, pero antes de hacerlo advertí que ella ya me había ofrecido la respuesta. Se llevó con ella a Clarita, que era quien ayudaba a Elvira en la cocina, una adolescente frágil como los juncos, dulce como la saliva y callada como un secreto. Las llevé en el automóvil a la estación y Elena, antes de subir al tren, me besó y me preguntó, seguiré siendo tu musa, y le respondí, supongo que cuando alguien se convierte en musa lo hace para siempre, y observé cómo el tren se alejaba y sentí que aquel instante en la estación le estaba ocurriendo a otro que no era yo y me fui hablando en voz baja conmigo mismo, dejando que las imágenes del pasado transcurrieran tranquilas frente a mí para interrogarme sobre ellas como un fiscal, y me preguntaba a mí mismo y yo mismo me respondía, y encontraba significados diferentes a cosas que me había pasado y sentía que la vida tenía otros sentidos y que aún me quedaba mucho tiempo.

Fue Fredo, aquel nieto de Colino que yo tenía como ayudante, quien llegó al palacio con el aviso. Una compañía de la Guardia Civil y otra de Asalto habían tomado el pueblo. Apuntando con sus fusiles y pistolas ametralladoras fueron deteniendo a cuantos venían relacionados en una lista que leía en voz alta el capitán jefe de la columna, que se llamaba Arcidio y tenía los ojos diminutos y apretados y la estatura de un niño. Él pregonaba el nombre y los apellidos y luego añadía, acusado de promover el terror y alentar el expolio y el crimen, o bien, acusado de la muerte de doce guardias civiles, o también agregaba, acusado de devastación por medio de la dinamita, o simplemente, acusado de participar activamente en la sangrienta revuelta, y detrás de cada enunciado gritaba, viva Cristo Rey, como el orapronobis de aquella letanía singular, y si el nombrado aparecía, era detenido al instante, y si no lo hacía, lo que ocurría con frecuencia porque eran muchos los que habían huido, el capitán declaraba pública orden de búsqueda y captura y amenazaba con la cárcel a cuantos ofrecieran su ayuda al desaparecido. El ruso andaba preparando unos cuchillos en su pequeña fragua cuando fue detenido y acusado de propagandista activo del marxismo soviético. Alipio y Caparina se preparaban para un viaje a Peñafonte, donde el violinista tenía un tío maestro, con la idea de que éste los mantuviera ocultos durante un tiempo, cuando fueron detenidos y acusados ambos de difundir la anarquía y practicar el terrorismo. Llegué al cuartel en compañía de Aida, de Eneka y de Lucía. Nos recibió un sargento calvo que hablaba gritando, cada grito le provocaba burbujas de sangre en la cabeza, y el que estaba a su lado, que oficiaba de escribiente u oficinista, nos conocía a los cuatro porque era sobrino del cura Belio, así que dijo refiriéndose a Aida, ella también es revolucionaria, y luego miró a Lucía y dijo, ella está loca de leer poesías y no guarda los lutos ni aparece por las iglesias, y apuntando hacia mí con el dedo índice decía, él se llama Nalo y el Comité le dio el cargo de organizador de las limpiezas, y por último miró a Eneka y dijo, a éste no se le conoce actividad revolucionaria alguna ni comportamientos extraños, salvo el de haberse juntado con una mujer irreverente y loca. Así que el sargento calvo ordenó que nos detuvieran a todos. Cuando llegó el capitán Arcidio soltó inmediatamente a Aida al conocer que su ocupación había sido la de enfermera y que había atendido tanto a los heridos de un bando como a los del otro, y también soltó a Eneka y a Lucía, pero a mí me dejó detenido, y entonces Eneka le dijo, señor capitán, nosotros veníamos a interesarnos por unos prisioneros que son inocentes, y él le contestó, parece usted un buen hombre, así que no se mezcle con criminales, a veces va uno a las ferias vestido de fiesta y vuelve de luto, y sobre la inocencia le diré que en este sumario que nos ocupa nadie hay que sea enteramente inocente, y luego ordenó al sargento que me detuviera por colaboracionismo, y entré en una habitación sin muebles donde estaban los demás, en total éramos unos quince. Basilio estaba muy triste porque pensaba que ya nunca más volvería a ver a la niña Angélica. Fuimos pasando uno a uno al cuarto de los interrogatorios. Alipio entró el primero, y estábamos muy aterrados y en silencio porque oíamos quejidos y gritos de dolor, y yo tenía la boca seca y me temblaban los dientes y las rodillas como si estuviera desnudo en un campo de hielo, y, cuando me tocó el turno, el ruso me dijo, no dejes que te ocupen la cabeza más que los recuerdos buenos, y llegué frente al capitán y también estaba el sargento y había otros cinco o seis guardias más, y aquel jefe diminuto que tenía la voz de un tiple me preguntó por el Comité al que yo pertenecía y me pidió los nombres de todos los miembros de ese Comité, y le respondí que no había formado parte de ningún comité, y me preguntó que dónde estaban escondidos los fusiles, y dije, qué fusiles, y el sargento de las burbujas de sangre en la cabeza me gol-

peó con el puño en la cara, y aquel golpe fue como una señal porque todos los guardias, menos el capitán, comenzaron a golpearme, unos con el fusil, otros con el tolete y
el sargento con los puños y las rodillas hasta que me tiraron al suelo, y sentí que la sangre me salía de la nariz y de
la boca porque me habían arrancado varios dientes, y, al
ver la sangre, el capitán mandó traer agua para detener la
hemorragia y trajeron un cubo y uno de los guardias me
mojó la cabeza y con un trapo me limpió la sangre de la cara, y me ordenaron que me levantara para continuar con el
interrogatorio, pero al intentar incorporarme sentí un
fuerte dolor en la espalda, como si tuviera alguna costilla
rota, y fue cuando vi en un extremo de aquel cuarto frío
con las paredes de piedra a tres detenidos tirados en el
suelo, y uno de ellos era Alipio, que parecía muerto o dormido, y recordé el consejo de Basilio, así que busqué un
recuerdo agradable y en unos segundos estaba yo en la casa de los sauces aquel día en que Elena me había dicho,
quiero que seas únicamente mío, y sentí sus dientes mor-
diéndome los labios y recordé el olor que tenían sus pechos, que era el olor del polvo de las azucenas, y recordé
el olor de su vientre, que era el olor del serrín de la leña
verde, y estaba yo besando aquellos pétalos de carne que
Elena desplegaba para mí cuando un culatazo me arrancó
la memoria de cuajo, y escuché otra vez la misma pregunta, dónde están escondidos los mil fusiles, y les dije, me
habéis arrancado la memoria, y entendieron aquellas palabras como un desprecio hacia ellos porque me ataron las
manos a la espalda con una cuerda y a aquella cuerda ataron otra que pasaron por una de las vigas del techo, y luego tiraron de ella hasta izarme a las alturas, y así quedé, de
espaldas al techo y mirando hacia las cabezas de aquellos
guardias, y vi cómo se movían las burbujas de la sangre en
la cabeza del sargento cada vez que gritaba, sus venas pa-

recían globos azules que se inflaban y desinflaban, y me preguntaron de nuevo por los nombres de los miembros de los comités, nombres, queremos nombres, y como yo no respondía el capitán diminuto me ordenó que hiciera testamento, eso me dijo, puedes dictarnos tu testamento, y entró un teniente al que llamaban Castillo con otros cuantos guardias, y miró hacia mí y percibí el extravío de su mirada y lo veía lejos, muy lejos, como a través de un cristal empañado o como si mis ojos estuvieran llorando niebla, y el teniente dijo, estos anarquistas y masones están juramentados, a éste darle cuanto podáis hasta que no quede nada de él, y bajaron la cuerda hasta que quedé colgado a un metro del suelo y, como vi que se disponían a pegarme de nuevo, rebusqué en la memoria otro recuerdo bueno y traje hasta mí la imagen de mi hermana leyéndome poemas y acariciándome la cabeza y llamándome golondrina, pero eran tantos los golpes y tan formidables que me arrancaron el recuerdo de mi hermana y me dejaron otra vez vacía la memoria y la voluntad dolorida, y unos me daban con la culata en los testículos, otros me golpeaban con las rodillas, y cuando me quejaba y gritaba de dolor me clavaban el cañón del fusil en la boca del estómago hasta dejarme sin respiración y después me golpeaban en la espalda y en los riñones hasta que respiraba de nuevo, y con uno de aquellos golpes perdí el conocimiento. Al recuperarme, oí a los guardias insultarme y los vi bañados en sudor por el esfuerzo tan grande que hacían, y el teniente Castillo me pedía que gritara viva Cristo Rey y que blasfemara contra la revolución, contra sus líderes y contra las madres de los líderes, pero mi lengua estaba perdida en un coágulo de sangre y era incapaz de articular una palabra, y tuve la certeza de morir, y no sabía si la voluntad me sujetaba a la vida hasta el límite de lo soportable o me empujaba hacia la muerte forzando a mi cuerpo para que se desprendiera de la vida, y no sabía si tenía conciencia de vida o de muerte porque estaba colgado en el vacío y no tenía latidos y no sentía viva ninguna parte de mi cuerpo porque nada en mí tenía peso y yo era un pensamiento inútil que había perdido toda la gravedad. Al fin me descolgaron para colgar a Caparina. El violinista les dijo, mejor que me peguéis un tiro y acabéis de una vez conmigo, pero el capitán le dijo, eso sería demasiada honra para ti, hijo de puta, vas a morir pero lo vas a hacer poco a poco, y comenzaron a hacer con él lo mismo que habían hecho conmigo, y él los insultaba y los llamaba cabrones y fascistas y cosas aún peores, así que le daban con más esfuerzo y ensañamiento, y cuando terminaron con él lo tiraron junto a mí y nos quedamos inmóviles, pegados el uno al otro, como dos trapos viejos y usados que alguien hubiera arrojado a la basura, y como Caparina vio que yo estaba llorando, me dijo, no llores, Nalo, que vamos a matar uno a uno a todos esos hijos de puta, y yo le dije, Alipio está muerto, y él me aseguró que sólo se hacía el dormido para que no le pegaran más, y como nos escucharon hablar, uno de ellos dijo, pero si estos cabrones todavía tienen ganas de conversación, y nos metieron unos palos entre los dedos, y con una cuerda retorcían y era tanto el dolor que yo tenía por todo el cuerpo que aquella nueva tortura apenas la sentía. Así fueron pasando por aquel suplicio todos los detenidos, y uno de ellos nos comentó que tenían formada a la gente del pueblo frente al cuartel para que escuchara nuestros alaridos y que habían registrado las casas en busca de fusiles y que estaban quemando en una hoguera las banderas, los cuadros y los libros que a ellos les parecía que tenían que ver con la revolución. Al ruso Basilio lo colgaron por los pies y su cabeza iba de golpe en golpe como una pelota, hasta que el capitán dijo, no le peguéis en la cabeza que vais a terminar demasiado pronto con él, y le decían, dinos los nombres de los espías soviéticos, y fueron tantos los golpes que le dieron que perdió el conocimiento y pensábamos que lo habían matado, pero un guardia, para ver si estaba vivo o muerto, le mordió un dedo con tanta fuerza que le cortó la uña y parte de la yema, y el ruso exhaló un bramido sorprendente, un vibración sobrecogedora que dejó el suelo salpicado de sangre. Caparina me dijo, está gritando en ruso. Así nos tuvieron todo aquel día y toda la noche, subiéndonos y bajándonos del trimotor, y ni siquiera nos dieron un poco de agua, y ya el suelo de aquel cuarto era un charco de sangre. Al atardecer del segundo día nos trasladaron a otra habitación y nos tiraron unas mantas por encima y había un guardia muy joven que lloraba al vernos y como se había compadecido tanto vino a traernos agua cuando sus compañeros no estaban. Así estuvimos otro día más, y apenas teníamos fuerzas para hablar entre nosotros porque teníamos la lengua inflamada y dolorida y contaminados los pensamientos. De vez en cuando llegaba un guardia y nos daba patadas en el estómago y en las costillas y en la cabeza para comprobar que no estábamos muertos. A la noche llegó un médico militar y después de reconocernos le dijo al capitán diminuto que era preciso trasladar a algunos de nosotros de forma urgente a un hospital, y el capitán dijo, como usted ordene mi coronel, y llamó al cabo de guardia para que dispusiera un camión para el traslado, pero cuando el médico desapareció le dijo al cabo, llévatelos de aquí en ese camión y tíralos al río o suéltalos donde te parezca porque ya llevan firmada la defunción. Pero el conductor del camión se compadeció tanto de nosotros que en lugar de llevarnos a las escombreras del carbón, como le había ordenado el cabo, nos condujo hasta el hospital.

Alipio fue quien primero se recuperó. Estuvo un mes a disposición de un juez militar, quien terminó exonerándolo de cualquier condena al probarse que no había cometido delitos de sangre. Él y Aida decidieron tomar un barco que los llevara a México. Una vez allí buscarían la ciudad de Juanacatlán, en el estado de Jalisco, desde donde aún seguían enviando postales mi tía Margarita y su marido, el castellano Mauricio. Se fueron unos días después de que Eneka y Lucía inauguraran la librería Casa de las musas. A Juan Jacobo Varela Caparina el tribunal rehusó juzgarlo al diagnosticarle los médicos militares una pérdida de razón irreversible. Salió del hospital sujetando bajo el brazo un violín que le había llevado mi hermana. Ella y Eneka se ocuparían de él. El ruso Basilio consiguió la libertad por intermediación del señor Patricio y se casó con la niña Angélica, y lo hizo en ceremonia católica para evitar sospechas. A mí me mantuvieron dos semanas en calidad de secuestrado por la Guardia Civil hasta que un auditor me sobreseyó la causa por falta de pruebas.

Anduve como un sonámbulo contabilizando la ruina del jardín, reparando los arriates y las murias y preparando algunas plantas, que habían sobrevivido, para que soportaran los rigores de un invierno que ya se había instalado en el cordal y había desconchado las cortezas de los abedules y había cubierto de nieve los robles más altos, y había mucha tristeza en aquel jardín encogido porque apenas quedaban sonidos, los pájaros habían huido arremolinándose en bandadas, y apenas quedaban colores porque los cristales del frío habían torturado los ramajes y habían matado todas las flores, y en el aire del jardín aún flotaba el polvo de la ceniza, y el tiempo fluía con desconcierto porque algunas horas se quedaban quietas hasta que la vida perdía el sentido y otras horas se precipitaban unas sobre otras en el laberinto de las ausencias hasta hacerme perder los mediodías, y la señora Elvira me llamaba y me decía, nunca antes te habías olvidado de comer. Fredo se había ido a trabajar a la fábrica y Clarita estaba en París con Elena, así que había muchos vacíos en el palacio azul. Fueron pasando las mañanas frías y las tardes diminutas, y la señora Geertghe me pidió que llenara el jardín de faroles para ahuyentar el silencio de aquellas noches prematuras y para que aquel tiempo desarreglado tuviera otras medidas que no fueran la pura oscuridad, y así lo hice, y aquel salpique de lunas descoloridas parecía desde la ventana de mi cuarto el velatorio de una desgracia, y encendía lumbres inmensas en las chimeneas de la sala, y la señora Geertghe se sentaba en su mecedora con la manta sobre las piernas y contaba historias del abuelo Cosme, y me decía, para mí era como una obsesión porque las obsesiones se fabrican con lo que no tenemos, un buen día sientes que la urgencia de los deseos se ha convertido en desvelo y necesidad y es como si tu cuerpo hubiera sido ocupado por otra persona. Su voz era un espíritu bueno que había madurado en la soledad de los días sin rumbo y las noches de insomnio, y a mí me gustaba escuchar esa voz porque me difuminaba los presentimientos, que en aquellos días eran vientos que en la memoria confundían las desgracias sucedidas con aquellas otras que podrían suceder, y a veces le decía a la belga, cuénteme otra vez lo del viaje por las ciudades del Duero, y ella me lo contaba, añadiendo siempre alguna anécdota nueva rescatada en el último momento del naufragio de la memoria, y le preguntaba, cómo es que no huyeron juntos, y me respondía, a punto estuvimos de hacerlo en un viaje a Lisboa, pero nos asustamos y hay un momento en que ya no es posible retornar. La señora Elvira había envejecido mucho con aquella revolución y sufría fuertes dolores en las articulaciones y con frecuencia se quedaba dormida en el sillón, y cuando no se quedaba dormida hacía chocolate y juntábamos las tres tazas humeantes y sonreíamos y los tres permanecíamos unidos junto al fuego, mientras afuera los hielos encadenaban las ramas de los árboles y la escarcha inmovilizaba todas las cosas, y yo me sentía prisionero de aquellas noches indelebles que temblaban sobre nosotros como temblaban en el jardín las lunas de los faroles al congelarse y nos dejaban a los tres colgados entre la nostalgia y el miedo, y yo decía, está ocurriendo algo que no tiene nombre, y la señora Elvira decía, es la paz engañosa del invierno, y aquellos momentos en compañía de las dos ancianas no conseguían desdoblarse para mí en otros momentos, como si en sí mismos tuvieran su principio y su fin. En las fiestas navideñas, mi tío Urbano, su esposa Matilde y mi prima Sabina vinieron a buscar a la abuela Angustias en un Renault Monaquatre para llevársela a vivir con ellos a la capital. Ella no quería, pero cada día estaba más enferma y necesitaba cuidados médicos especiales, así que la engañaron diciéndole que la llevaban al Monasterio de San Pelayo a visitar a su hija Lea. A menudo me acercaba hasta la librería para conversar con Eneka o escuchar los delirios de mi hermana, cuya hermosura iba en aumento, como si el tiempo no hubiera terminado de esculpir su cara, a pesar de que sus gestos se volvían cada día más disparatados a consecuencia del progreso de su sordera. Ella me explicaba las noticias de las revistas y lo mismo me hablaba del Consejo de Guerra celebrado en la Diputación contra el cabecilla revolucionario Jesús Argüelles, que me contaba el argumento de la última película de King Vidor, lo mismo me hablaba de la exposición del arquitecto Fernández Shaw, del cortijo al rascacielos, que me leía los pronósticos de la pitonisa Madame Gena, contemplando el planeta Sirio y al carro de la Osa Mayor puedo vaticinar que este año será próspero para nuestro país, en el que se operará una mudanza casi completa, lo de la prosperidad me lo dice Sirio y lo de la mudanza el carro, habrá en polí-

tica una lucha de elementos extremos que dará al traste
con el centro, habrá una revolución en arte, surgirá como
suprema innovación el poeta en octosílabos que llamará lirios a las manos y perlas a las lágrimas, vendrá el pintor
que no pintará la hierba roja ni los árboles azules y brilla-
rá el crítico sin la amargura de su propio fracaso. Yo le leía
a mi hermana las cartas que recibía de Elena y me hacía repetirle varias veces los párrafos en los que describía París.
Yo sentía a Elena, a través de aquellas cartas, asombrada y
libre, viviendo aquel destino alejada de todo lo pasado como una forma de rebelión. Me contaba que desayunaba
chocolate con brioches en los cafés de St.-Jacques, que al-
morzaba salchichas de cerdo en Rue Bréa o cenaba espinacas
hervidas en Rue des Rosiers, observaba a los enamorados
en el Boulevard St.-Michel, compraba flores para arrojar-
las al agua desde Pont au Double, de camino al Barrio Latino, adquiría partituras en una tienda de la Rue Valette
donde vendían todas las partituras del mundo y visitaba
museos y asistía a las funciones de El Odeón, El Vaudevi-
lle o La Ópera, y lo hacía con frecuencia en compañía de
una amiga que se llamaba Ginette y era diseñadora y también dibujaba retratos y vivía en Marais, y me explicaba
que se había tomado la libertad de hablarle de mí a aquella amiga de París y que ella le había conseguido unas
alumnas a quienes enseñaba piano y solfeo todas las tardes. Mi hermana acariciaba aquellas cartas y las olía y ex-
clamaba, así debe de oler el aire de París, y luego me miraba fijamente y me decía, golondrina, deberías volar hasta
París, y yo reía y le contestaba, lo haré y te traeré abrigos
de nutria y gorros de armiño y los últimos libros de los
poetas franceses y el agua del Sena en una botella, y entonces Lucía me besaba y se quedaba seria y, ahuecando la
voz, me decía, debes pensar en la forma de escapar de ese
palacio azul donde no hay más que viejas, y yo callaba y me

iba a hablar con el maestro Eneka. Él siempre estaba ordenando libros, y me explicaba, hay una cosa que se llama ausencia y es como un bicho que camina y camina dentro de ti, y me hacía aquella confesión porque aún no había recibido carta de México, y le decía, mi abuela aseguraba que México estaba más lejos que la luna, y él se reía y me leía lo que venía en la enciclopedia sobre el Estado de Jalisco, el Volcán de Nieve, los saltos del río Santiago o la laguna de Chapala, y me contaba la historia de las tribus de los tecualmas y los nayaritas y de cómo el conquistador Nuño de Guzmán había terminado con ellos. El mundo daba vueltas a mi alrededor y todas las fuerzas que ese mundo tenía estaban en marcha y hacían que me tambaleara y saliera de la órbita y pensara en otros lugares y en otras vidas, y unas veces deseaba dejarme llevar por la vorágine de aquel mundo que giraba velozmente ante mí, pero otras veces me agarraba a las columnas de aquel palacio azul de los ingenieros belgas y deseaba convertir mi vida en algo estático, en algo también contemplativo y estético, como el horizonte de los cordales, como las escenas de los cuadros de los pintores flamencos, como los álamos del cementerio, y entre el cataclismo de las decisiones drásticas y el eclipse total andaba mi vida, y buscaba a tientas en los libros de la biblioteca una respuesta a la pregunta que ni siquiera me había atrevido a formular, leía novelas, poemas y obras de teatro, leía libros de historia, de ingeniería o de derecho, tratados de filosofía o relatos de viaje, y cada palabra dudosa o cada lugar desconocido me llevaban a la enciclopedia universal, y sobre ella desplegaba ávidamente mi espíritu para hacer que cada palabra se convirtiera en mil palabras y cada insignificante lugar en un sorprendente universo y cada momento de aquella ilustración frenética en innumerables momentos, pero cuanto más leía, más separación existía entre lo que rebullía en mi interior y lo que ocurría en el exterior, y no sabía dónde estaba la verdad e inventaba explicaciones absurdas para continuar al día siguiente haciendo lo mismo, y en mi memoria ocurrían descabelladas asociaciones y cada vez era más complejo el laberinto de las ensoñaciones, pero cada noche terminaba juntando mi taza de chocolate humeante con las tazas de la señora Elvira y de la señora Geertghe. Una de aquellas noches la belga me dijo, Nalo, te gustan mucho los libros y deberías pensar en encauzar tus conocimientos y tus facultades en alguna dirección, y le pregunté, qué me quiere usted decir, y ella precisó, la universidad podría ser un lugar bueno para ti, no tendrías dificultades en las pruebas de acceso y yo me ocuparía de los gastos. Me levanté y observé cómo dormía en el sillón la señora Elvira, tenía la boca abierta y parecía esperar que algo le cayera del cielo. Vi las lunas congeladas de los faroles. Cada una de aquellas luces pálidas se convertía en un pensamiento. La señora Geertghe, con aquella voz suya de espíritu bueno, me volvió a preguntar, cuál es la materia que más te agrada. Me volví hacia ella y le dije, no me disgustaría llegar a ser arquitecto de jardines, como aquel André le Nôtre de las Tullerías, y se rió mucho, tanto que despertó a la señora Elvira, y repetía, eso está bien, Nalo, eso está muy bien, y nos pidió que dispusiéramos unas copas y la botella de marrasquino para celebrarlo.

Al día siguiente fue cuando llegó la señorita Julia. Yo estaba sentado en las escaleras principales meditando sobre el suceso de la noche anterior. Ella venía sosteniendo las mismas maletas con las que se había despedido del palacio hacía poco más de un año. Vestida de luto parecía más delgada. La barca de su marido había naufragado con el primer temporal del invierno. Me explicó, me duró poco el crédito, aunque si te soy sincera, tampoco era para tanto, pero un marido es un marido y me quedé sin él. Las facultades físicas de Elvira no parecía que fueran a mejorar, así que me resultó fácil convencer a la señora Geertghe de que volviera a contratar a Julia. Aquella misma noche la puse al corriente de todo cuanto nos había acontecido, incluida la última ocurrencia de la belga sobre mis estudios. Cuando Elvira y Geertghe se retiraron, nosotros seguimos conversando junto al fuego. Ella dijo, cambió este palacio, ahora parece más reducido. Ella también había cambiado. Sin duda había adelgazado, sus rasgos se habían afilado y sus ojos habían crecido para hacerse más expresivos. Quise ver en ellos su fracaso gris y la aceptación de un destino adverso. Le dije que estaba muy guapa y sonrió y brilló en sus ojos la brisa lejana de aquel jardín de los mejores tiempos. Me confesó, tengo veintinueve años y ya parezco una vieja, me siento como una habitación a la que se le van cayendo las capas de pintura. Sentía una desbordante simpatía hacia aquella mujer con quien había experimentado el encanto de que algunas cosas increíbles se hicieran realidad, y era feliz de que ella estuviera allí, y la sala donde únicamente estábamos los dos me parecía tan grande como el mundo, y comprendí que las cosas de aquel mundo nunca ocurrían de una sola vez y de principio a fin de forma absoluta, sino que cada cosa o circunstancia iba ocurriendo a trozos por ser siempre demasiado grande y magnífica para tener cabida en un solo suceso, y cada una de esas pequeñas ocurrencias de una misma cosa dejaba en nosotros manchas de colores e intensidad diferentes, señales de nuestra biografía, aromas o estigmas, huellas o visiones que nos indicaban en cada instante por dónde seguir y nos enseñaban cómo las fracciones aleatorias de cada suceso se alineaban en el tiempo y enhebraban aquel momento partido de la circunstancia total con todos los demás momentos, y aquélla era la fórmula del sentido de la vida, aquél era el hilo que unía los sucesos ordinarios y los alineaba en el tiempo para formar el sortilegio de lo extraordinario, y pensé que quizás ese hilo del que colgaban antecedentes y consecuentes fuera la mariposa de la que me hablaba Eneka, pero ese hilo no podía enhebrarlo todo porque había acontecimientos que quedaban suspendidos o errantes en el aire y sin ninguna referencia por haber ocurrido a destiempo o cuando el tiempo ya había sido distribuido. Le dije a Julia, te pareces a Evelyn Venable, una actriz que trabaja en películas americanas, sus fotos están en una revista que me enseñó Lucía. Me preguntó si era guapa esa actriz y le dije que sí, que de las más guapas del mundo, y se rió mucho, se rió del mismo modo que se reía cuando el palacio azul tenía ingenieros belgas y los ingenieros tenían esposas también belgas, y me preguntó, recuerdas cuando me pusiste un vestido de mimosas, y le contesté, sí que lo recuerdo, y volvió a preguntarme, aún quedan mimosas en los árboles, y le respondí que no, que ya el invierno había acabado con ellas, y se juntó a mí y me cogió las manos y me hizo otra pregunta, y ahora de qué puedes vestirme si ya no quedan mimosas, y le dije, algo se me ocurrirá para que te sientas bien. El tiempo discurría uniforme, de momento en momento, sin conjeturas ni definiciones, sin que ninguna circunstancia se quedara desamparada y flotando en el aire, y el fuego ardía sin ruido, y sólo se escuchaba la respiración de la señorita Julia.

ESTA EDICIÓN, PRIMERA,
DE «EL PALACIO AZUL DE LOS INGENIEROS BELGAS»,
DE FULGENCIO ARGÜELLES,
SE HA TERMINADO DE IMPRIMIR,
EN CAPELLADES,
EN EL MES DE DICIEMBRE DE 2003.